Sonbrand en Braaiboud

Die beste van Weg! 2

Gekies deur
BUN BOOYENS

Tafelberg

Dié boek is opgedra aan al die reisigers
daar buite wat oor die afgelope vyf jaar gehelp
het om *Weg* so mooi aan die loop te kry.

Tafelberg
'n druknaam van NB-Uitgewers, Heerengracht 40, Kaapstad
www.tafelberg.com
© 2009 (Tafelberg)

Geset in Plantin
Boekontwerp: Nazli Jacobs
Bandontwerp: Mike Cruywagen
Proeflees: Faan Pistor
Gedruk en gebind deur CTP Book Printers,
Kaapstad, Suid-Afrika
Eerste uitgawe 2009

ISBN: 978 0 624 04735 3

Inhoudsopgawe

Ontmoet die skrywers

Voorwoord

Wanneer *Weg* sy joernaliste na 'n plek stuur om 'n artikel te skryf, weet ek min of meer wat op my lessenaar gaan beland. Ons het immers daardie plek versigtig gekies en vooraf gesels oor wat gedek moet word.

Met 'n rubriek is dit anders, want jy weet eenvoudig nie wat in 'n joernalis se kop aangaan nie – en dis die plek waar rubrieke gebore ("uitgebroei" is dalk 'n beter woord) word.

Die rubrieke wat uiteindelik dan hier ingedien word, gaan dus omtrent altyd met 'n mate van onvoorspelbaarheid gepaard. En juis hierin lê die lekker.

Vir my is 'n *Weg*-rubriek se mees onderskatte eienskap die vermoë om doodgewone dinge – telefoonhokkies, urinaalkoekies, melkbekertjies – hulle regmatige plek te gee tussen al daardie groter dinge wat reis so onvergeetlik maak. Vat nou maar Dana Snyman se betragting van die vleispasteitjie as padkos:

> Soms het 'n onwel vleispastei onverwagse voordele: Vir slegs R6,95 kan jy 'n volledige *cleansing and detox* in 'n openbare toilet op Trompsburg beleef – iets wat jou 'n paar duisend rand in 'n private spa in die Boland sou kos.

Goed, dié uittreksel gaan nie eendag in dieselfde asem as Hamlet se alleenspraak aangehaal word nie, maar watter reisiger het hom nog nie vasgeloop teen 'n bedenklike *meat pie* nie?

'n Rubriek het nog iets wat in sy guns tel: Die gebruiklike reëls van verslaggewing geld nie. Waar ons byvoorbeeld gewoonlik van *Weg* se joernaliste verwag om oral langs die pad stil te hou en dinge van nader te bekyk, kan die rubriekskrywer eintlik maar doen wat hy wil. Hy kan sommer verbyry, soos Toast Coetzer hier doen:

> Onder-Pitseng het na die soort plek geklink waar mens ingelegde perskes by 'n padstal sou kon koop, maar toe ons daar kom, was daar net 'n polisiestasie agter 'n hoë heining, 'n skool en 'n man op 'n trekker. Ons het gewuif en verbygery.

Die woorde op papier is waarskynlik lekkerder as wat daardie inge-
legde perskes sou wees.

Vir my is *Weg* se twee maandelikse rubrieke loshande die lekkerste
afdeling van die tydskrif om te redigeer. Die heerlikste sinne en die
mooiste woorde wat die afgelope vyf jaar hier verby my lessenaar is,
het uit daardie rubrieke gekom.

Ek hoop dit verras jou soos dit my verras het. Ek hoop dit laat
jou glimlag en tussendeur ook 'n bietjie dink oor dinge. Ek hoop jy
herken die plekke en die mense – en bowenal jouself – in hierdie 50
skryfstukke.

Geniet dit!
BUN BOOYENS

Die hemel en die hel van gesinsvakansies

See toe!

DANA SNYMAN

Ek het al gewens ek kon sê ons het elke Desembervakansie 'n eksotiese bestemming besoek toe ek 'n kind was: Acapulco, Zanzibar, Tristan de Cunha, Rio de Janeiro, Patagonië . . .

Maar elke Desember is ons maar see toe – na die Natalse Suidkus, daar by oom Koeinaels en tant Mary in die huis met die groen sinkdak op Hibberdene.

Nie dat dit nie lekker was nie. Maar ek is ook al oud en sinies genoeg om te weet hoe misleidend herinneringe kan wees, veral vakansieherinneringe. Dinge was nie altyd so goedig en vredig soos dit op daardie vakansiekiekies lyk nie. Daar was gekrokte motorenjins en pap bande, verstuite enkels, bloublasiesteke, voedselvergiftiging, verlore kinders in Durban se speelpark en familietwiste op Kersdag.

Pa is eenkeer ook so byna-byna deur die departement van natuurbewaring se wetstoepassers – "Fauna en Flora", soos ons hulle genoem het – duskant Howick in hegtenis geneem. Oor 'n skaars aalwyn.

Hoe oud was ek toe? Ek is nie seker nie, want op 'n manier was al daardie vakansies dieselfde. Ons het om vyfuur die oggend, op die dag nadat die skole gesluit het, die pad van Daniëlskuil af gevat na oom Koeinaels-hulle toe. (Oom Koeinaels se regte naam was eintlik Kerneels, maar om een of ander rede het almal hom Koeinaels genoem.)

Oupa en Ouma was meestal by, en Ma het altyd Tupperware-bakke vol padkos gemaak: hardgekookte eiers, toebroodjies, wors, frikkadelle, hoenderboudjies, kaiings, biltong.

Pa, weer, was altyd omgesukkel wanneer hy al die bagasie gesien het wat moet saamgaan: drie tamaai koffers, 'n *pocket* aartappels vir tant Mary en 'n paar koedoehorings vir oom Koeinaels, twee visstokke, Ouma se hoedetassie en Ma se *vanity case*, 'n trekkertjoep vir die *lagoon,* en dan my *lilo.*

Daar was ook altyd 'n graaf en 'n pik, want Pa het aalwyne versamel en ons het nêrens heen gery sonder 'n graaf, pik en sy aalwynboek nie.

Wanneer ons dan vroegoggend op die eerste dag van die vakansie uiteindelik almal in die Valiant geklim het, het Simon, wat in ons tuin gewerk het, altyd aangedraf gekom met 'n leë oliekannetjie in die hand waarin ons vir hom seewater moes saambring.

Ek moet so tien jaar oud gewees het dié Desember toe Fauna en Flora amper vir Pa gevang het, want Ouma het nog geleef. Sy is oorlede in die jaar toe ek elf geword het.

Ouma het toe al die eerste beroerte gehad, want die oggend voor ons weg is, het sy nog met die botteltjie wat op die kombuis se vensterbank gestaan het, by die sifdeur uitgekom. Sy was al klaar toe nie meer heeltemal helder nie.

In die botteltjie het 'n avokadopeerpit tussen vier vuurhoutjies in water gehang. Ouma het altyd avokadopitte so in die water gesit, totdat dit ontkiem – en dan het sy dit vir Simon gegee om te plant.

Ouma wou die pit saampiekel, maar Oupa het dit weer by haar gevat.

My plek was tussen Ma en Ouma op die agtersitplek, en iewers tussen Daniëlskuil en Koopmansfontein het 'n hoender oor die radio gekraai. Dan het 'n ferm stem gesê: "Landbouradio roep die landman!"

Barkly-Wes. Kimberley. Bloemfontein.

Dit was asof Pa-hulle tydens daardie vakansies anders was: Hy en Oupa het sandale gedra in plaas van skoene, en 'n kortbroek met bleekwit bene, en soms het een van hulle op pad 'n bekfluitjie uit die *glove box* gehaal en vir ons "O, Perdeby" gespeel.

Oupa het ook stories vertel van hoe hy eens op 'n tyd kamma 'n vlieënier in Kenia was en Ma het in die ry haar naels rooi geverf en

Mills & Boon-boekies gelees. Dit was asof die grootmense op daardie vakansies probeer het om te wees wie hulle régtig graag wou wees.

Naby Brandfort, anderkant Bloemfontein, het ons altyd ontbyt geeet, altyd op presies dieselfde plek langs die pad – regoor 'n plaasnaambordjie waarop net "De Aap" gestaan het.

Die plaas het aan oudstaatspresident C.R. Swart behoort. (Ma het dit eenkeer in die *Panorama* gelees.) Hy en sy vrou, Nellie, het daar in 'n sandsteenhuis in die Vrystaatse oopte gewoon. Ons het hulle nooit daar gewaar terwyl ons staan en eet het nie, maar soms het Oupa sy hande soos 'n verkyker voor sy oë gehou en goed gesê soos: "Ou Blackie-hulle eet net pap en melk vanmôre. Miskien moet ons hulle oornooi." Of: "Ta' Nellie se koffie lyk nie so lekker soos ons s'n nie."

Senekal. Bethlehem. Paul Roux.

Op Harrismith het ons altyd by die Caltex-garage petrol ingegooi en elke keer het Oupa vertel hoe hy eenkeer daar vir Tromp van Diggelen, wat ook toevallig daar petrol ingegooi het, van agter gegryp het. Van Diggelen was in die jare vyftig 'n bekende sterkman wie se kursusse jy in *Huisgenoot* kon bestel. Oupa was glo sommer in 'n lawwe vakansiebui en het hom bekruip en vir 'n paar sekondes vasgevat. Ou Tromp het glo net gelag.

En anderkant Harrismith het Pa altyd na 'n kop in die verte gewys en weer die storie vertel van 'n boer wie se jong seun glo eendag daar gaan klim het. Toe gly sy voet en hy tuimel in 'n skeur af en beland tussen twee rotse. Hulle kon die kind glo glad nie daar uitkry nie.

"Ná twee dae," het Pa altyd die storie geëindig, "het die gebroke pa 'n geweer gevat en toe moes hy sy eie kind skiet. Is dit nie verskriklik nie?"

Van Reenen. Ladysmith. Estcourt.

Op Estcourt het ons altyd worsies gekoop: Eskort-*sausages*. Destyds kon jy ook in byna elke winkel of kafee in die land Eskort-worsies koop, maar Ma het daarop aangedring om dit dáár te koop, amper asof dit 'n aandenking van die dorp was (al is die worsies se spelling nie dieselfde nie), nes 'n teelepeltjie met die dorpswapen op.

Buite Estcourt, net daar iewers tussen die rantjies, het Pa die keer die aalwyne langs die pad gewaar – die spesie wat hy vermoed het hy nog nie in een van sy drie rotstuine het nie. Hy het daar stilgehou en ek, Ma en Oupa het saam uitgeklim. Ouma het bly sit. Sy het niks gesê nie. Ná daardie eerste beroete het sy nooit juis meer gepraat nie.

"Jammer," het Pa gesê, sonder om juis jammer te klink. "Ons sal hom moet vat. Dis 'n skaarse."

Soos gewoonlik het Ma gewaarsku: "Jong, as Fauna en Flora jou vang, Gog, is dit verby Doris Day. Dan's dit tjoekie toe met jou!"

Pa het die grond om 'n klein aalwyn begin losspit – totdat 'n kar oor die bult aangedreun het. "Maak net of julle gulpe optrek!" het hy geroep en die graaf laat val. Dis wat Pa altyd gesê as 'n kar aankom terwyl ons aalwyne langs die pad uitgrawe.

Ons het gemaak of ons ons gulpe optrek en vir die mense in die kar gewaai. Die man agter die stuurwiel het die toeter gedruk en terug-gewuif. Die kar had 'n TP-nommerplaat.

"Hulle's van Te-poria af," het Pa gesê en weer die graaf opgetel. TP was in die ou dae Pretoria se registrasienommer en Pa het altyd "Te-poria" gesê as hy so een sien. Hy het die aalwyntjie, wat omtrent so groot soos 'n skilpadjie was, uit die grond gehaal en dit sommer by Ouma se voete gebêre, want netnou kry hy seer in die kattebak.

Ons het verder gery. Mooirivier. Karkloof. Midmar.

Naby Howick was daar skielik mans in kakie-uniforms met groen epoulette om 'n draai in die pad. Fauna en Flora. Een met 'n wye snor het beduie ons moet stilhou.

"O gonna!" het Pa geroep. "Daai aalwyn!"

Ma was die ene verwyte. "Ek't jou mos gesê, Gog. Ek het jou mos gesê!"

Pa het stilgehou en die man het aangestap gekom, al agter sy snor aan. Ek het die aalwyntjie onder die sitplek probeer inprop, maar daar was 'n koekblik. In Ma se *vanity case* was ook nie plek nie. Ek het na Ouma gekyk. Sy was vas aan die slaap.

"*Sorry*, Ouma," het ek saggies gesê, en toe draai ek die aalwyntjie dat die wortels na haar toe wys en druk dit onder haar rok in, tot tussen haar knieë.

Dáár het Fauna en Flora dit nie gekry nie. Die snorman het die kar vinnig met sy oë deurgekyk en ons is weer vort.

Soms ry ek nog daardie pad Suidkus toe, en elke keer as ek by Pie-termaritzburg verby is, roer iets soos opwinding in my. Want dís waar

Ma altyd gesê het: "Goed, 'n roomys vir die eerste een wat die see sien."

Ons het elke jaar ook min of meer dieselfde dinge by die see gedoen. Soggens het ons krummelpap, oftewel poetoe, geëet wat Maria, tant Mary se Zoeloe-huishulp, gemaak het. Dan is ons strand toe, met seilstoele, 'n sambreel en 'n Swingball-stel.

Wie onthou nog daardie advertensie vir Coppertone-sonroom – die een van die bruingebrande meisie wie se broekie deur 'n wollerige hondjie afgetrek word? Ma het my lyf ook altyd met Coppertone gesmeer.

Een dag van die vakansie het ons altyd Durban toe gegaan om op die stampkarre en die spooktrein in die pretpark te gaan ry. Daarna is ek, Pa en Oupa na die slangpark toe terwyl Ma en Ouma roksmateriaal by die Indiese plaza gaan koop het.

Natuurlik het Pa-hulle ook die soveelste Zoeloe-skildvel en -assegaai gekoop, of 'n grasmat, 'n tradisionele kleipot, óf 'n teelepeltjie of 'n miniatuur-driebeenpotjie waarop gestaan het: Durban.

En hoekom nie?

As jy weet wat jou gelukkig maak, is dit mos nie nodig om op ander maniere vir geluk te gaan soek nie – daaraan troos ek my as ek soms wens ons was eerder in Acapulco of Rio en nie elke dekselse Desember aan die Suidkus nie.

'n Geleende woonwa
en moleste op Mosselbaai

SOPHIA VAN TAAK

Ons het die aand gesit en *Who's the Boss* op TV kyk toe my pa se vriend oom Wilhelm se ou beige Land Rover voor die huis stop. Dit was niks ongewoons nie, want dié alleen-oom het gereeld daar opgedaag vir 'n halfuur se diep sit met 'n drankie. Hy't gewoonlik maar min gesê, net die ysblokkies met sy middelvinger om en om geroer en nie geprotesteer as my ma sê hy moet sommer vir aandete bly nie.

Maar dié aand was daar 'n bonkige ding kort op die Land Rover se hakke. Die Landy se voorwiele was al op die grasperk, toe is die logge blok se agterkant steeds nie heeltemal by die hek in nie. Dit het die seringboom se takke skoon weggedruk met sy skouers.

Dit was 'n groot woonwa – 'n Wilk, as ek reg onthou.

Ons kinders was in vervoering. Optel, die worshond wat een dag agter die vullislorrie aangedraf en toe maar by ons erf ingedraai het, het dadelik al twee die wiele gemerk en my ma het haar arms gevou soos wat sy altyd maak net voor ons raas kry.

Oom Wilhelm het met 'n huiwerige glimlaggie uitgeklim, my ma se kwaai kyk vermy en gesê: "Nou ja, Dirkie, julle kan net sowel die wa vat en Paasfees op my plekkie by Mosselbaai gaan staan. Ek het tog nie meer nut vir die ding nie."

Oom Wilhelm se vrou het kort tevore haar trouring in sy *soap-on-a-rope* vasgedruk, en met 'n kar vol somersrokke en digbundels na haar suster op Citrusdal verhuis. Die aand ná haar vertrek het hy baie lank langs ons kombuistafel kom sit, nóg stiller as gewoonlik, en net na die geringde koekie Radox-seep voor hom op die Formica-blad gestaar.

Die koms van die woonwa het 'n vreemde uitwerking op ons gesin gehad. My pa het nie daardie aand die nuus óf die weervoorspelling gekyk nie; my ma het dadelik haar ma gaan bel; en ek en my boetie het opgewonde die woonwa se binnekant verken.

Die mans het die Wilk langs die garage ingestoot en die volgende oggend was my pa ekstra vroeg op om voor werk die wiele, sleepstang, remme en gaskanne na te gaan. Dit was nog twee weke voor Paasna-week, maar hy't geglo "wat klaar is, is klaar".

Die volgende week was oom Wilhelm byna elke aand daar om te verduidelik, te waarsku en te wys. My ma het besef sy's in die minderheid en ons is een middag direk ná skool winkels toe vir nuwe swembroeke, 'n ekstra strandsambreel en van daai pilletjies wat keer dat 'n hond naar word as hy lank in 'n motor ry.

Op die eerste dag van die Paasvakansie was die Ford Granada XL al donkeroggend klaar gelaai, die nat waslappie in die paneelkissie en almal vir 'n laaste draai in die badkamer. Optel het sy pilletjie saam met 'n hap *vienna* gesluk en doodrustig langs my op die agtersitplek kom lê.

Ons is moeiteloos van onder uit die Paarl teen Dutoitskloofpas uit terwyl Neil Diamond se "Kentucky Woman", "Song Sung Blue" en "Porcupine Pie" oor die bandspelertjie blêr. My ma, 'n stoere Jim Reeves-*fan*, het nooit te veel van dié *Hot August Night*-kasset gehou nie en sodra Neil in die middel van "Brother Love's Traveling Salvation Show" sy longe begin uitgil, het sy aan my pa se arm geraak en gesê: "Nie voor die kinders nie."

Maar die kinders het lustig op die agtersitplek saamgesing. Vir vrede en 'n stemmiger atmosfeer is Neil kort duskant Buffeljagsrivier met die strelende klavierklanke van Richard Clayderman se *Ballade Pour Adeline* vervang en my pa het met groot dankbaarheid op Heidelberg afgetrek – vir ontbyt en ontvlugting van "Für Elise".

By Riversdal het ons weer stilgehou sodat Optel 'n draai kon loop, en toe was dit voet in die hoek verby Dekriet, Albertinia en Danabaai tot waar Mossgas se vlam vol belofte in die verte brand.

Oom Wilhelm se staanplek by die De Bakke-woonwapark was aan Santosstrand se kant. Die Wilk was skaars op sy stutte, toe's ons binne-in om swembroeke aan te trek en die *bodyboards* te gryp.

Dit was voor die jare dat honde op strande verbied is en ons gesinnetjie het uitgelate met ons nuwe sambreel, worshond, bont handdoeke en koelsakkie stelling ingeneem op die sand. Die eerste middag by die see het heel voorspoedig verloop, afgesien van Optel wat hom hees geblaf het omdat die bal in 'n raakrugby-wedstryd 'n entjie strand-af net nooit na sy kant toe wou kom nie.

Die aand het my pa vir Ouma en oom Wilhelm van 'n tiekieboks af gebel om te sê ons is veilig en dankie. Die mense in die woonwa langsaan het oorgestap en kom groet. Ek kon sien hoe my ma se oë glinster toe hulle noem dat Manuel Escorcio die volgende aand in die Walvissaal op Hartenbos sing. My pa wou nog iets sê, maar my ma se arms was klaar gekruis.

Goeie Vrydag is ons eers na dr. Solly Ozrovech se inrykerkdiens op die Hoërskool Punt se rugbyveld. Daar was 'n stapel van die dominee se dagstukboekies in ons gastetoilet by die huis, maar ek het hom nog nooit van naby gesien nie. Dié dag kon ek ongelukkig net sy bles uitmaak waar hy onder die dwarslat by die flou lig van 'n bedlampie in 'n karavaantjie sit en die diens regstreeks oor die radio lewer. Ná 'n bietjie soek het my pa die regte frekwensie gekry en ewe skielik was oom Solly se stem hier bý ons in die kar.

Ek en my boetie kon nie help om te giggel toe almal met Gesang 147 inval nie – oral om ons het monde die woorde van "Ons hoor die Paasfeesklokke" agter toegedraaide motorruite gevorm, maar net ons vier se stemme was hoorbaar.

Kwaai kyke in die truspieëltjie het ons die lag laat sluk, en vir die res van die diens het ons tjoepstil gesit en droom oor die middag se *supertube*-ry op Hartenbos.

Daar gekom, het 'n massa mense op straat ons begroet en 'n man het entoesiasties oor 'n mikrofoon gebulder: "Wie wil met 'n nuwe Volkswagen Citi Golf huis toe ry? Wie kan vir ure aaneen wakker bly? Ek wil julle hande op die kar sien, mense! Komaan, wie sal 'n paar dae kan staan vir dié wiele?"

My ma, benoud dat ons sal wegraak, het ons aan die hand gevat en deur die bondel lywe tot heel voor gestuur. En daar het ek die vreemdste ding van my jong lewe aanskou: Maklik vyftig mense wat sukkel en stoei om vatplek aan 'n splinternuwe, turkoois Citi Golf te kry.

"Die een wat die langste hier kan staan, sal met hom huis toe gaan!" het die man belowe. "Wie gaan eerste los op Hartenbos?" het hy geskree.

My pa het gaan koeldrank koop en ons het 'n hele tydjie gestaan en kyk, net gekýk, na die mense om die Citi Golf.

"Hou, sussie, hou!" het een oom vir sy dogtertjie gesê waar dié met 'n benoude uitdrukking op haar gesiggie aan 'n syspieëltjie hang. 'n Paar minute later het sy 'n glips gehad, begin huil en die oom moes haar swetsend chalets toe dra. Sy kans op die Citi Golf was daarmee heen.

"Malligheid," het my ma geprewel en ons weggelei *supertube* toe, vir elkeen 'n klomp ritrekkies gekoop en om ons polse geryg, voor sy haar swembroek gaan aantrek het.

Op die *supertube* het dinge vinnig jolig geraak. Ons het genoeg ander kinders oorreed om 'n lang treintjie te maak. Soos die treintjies langer geword het, het die vaart en roekeloosheid ook toegeneem, en dit was nie lank nie, toe tref my boetie se voorkop iemand se knie. Die bloed het die swembadwater pienk gekleur.

Ons is almal net so nat, met die oorblywende rekkies nog om die arm, in die kar geboender. My broer het heelpad tot by die hospitaal aaneen gegil terwyl Optel die gapende wond op sy voorkop probeer skoonlek, met my ma wat troos én raas en my pa wat die Richard Clayderman-*tape* met soveel geweld uit die spelertjie pluk dat die lint heeltemal uitryg en om die rathefboom vaskoek.

Veertien steke en twee roomyse later was Boeta min of meer weer sy ou self. Die dag het egter aan sy laaste rafels gehang en ons het maar liefs teruggekeer woonwapark toe. Daar het my ma met haar arms oor haar kop gaan lê en my pa is na die Diaz-museum toe vir 'n praatjie oor die voortplanting van witdoodshaaie.

Manuel Escorcio het nie meer saak gemaak nie.

Om alles te kroon was daar die volgende oggend 'n boodskap teen die woonwa se deur geplak: Ouma het die karavaanpark gebel op soek na "'n gesin van vier, met 'n worshond en 'n CJ-nommerplaat". Die briefie het gelees: *Bure het laat weet die kweekhuis se sproeier is heel beneuk. Dirk se bonsais staan in bakke modder. Wat nou? Ma.*

Ons het dadelik opgepak, die woonwa aan die Granada gehaak en ons laaste aand by De Bakke gekanselleer. Pa het ons vinnig voor die Posboom gaan afneem, vir oulaas 'n byna gewyde draai om Die Punt gevat en koers gekry N2 toe.

'n Halfuur later het Optel ván hom laat hoor – ons het vergeet om hom weer 'n pilletjie in te jaag. Met Richard Clayderman wat daarmee heen was, het Neil Diamond heelpad tot in die Paarl vir ons ge- "Holly Holy" en my ma het mismoedig gesug oor die *tan* wat sy toe nie gekry het nie.

Nadat al die boompies by die huis sorgvuldig oorgeplant is, het oom Wilhelm een aand daar opgedaag. My pa het vreeslik om ver-skoning gevra dat hy die woonwa nog nie teruggebring het nie, maar die oom het hom doodgepraat. "Nee, Dirkie, die ding kan maar hier staan. Daar is in elk geval nie nou meer plek vir hom onder my af-dak nie."

Sy vrou was terug. Met 'n splinternuwe, turkoois Citi Golf.

Met 'n Cortina
en 'n Gypsey op 'n plaaspad

ZIGI EKRON

Igor Sikorsky, die vader van die moderne helikopter, het gesê: "Volgens ons ingenieurs se berekenings kan 'n hommelby nie vlieg nie. Die by weet dit nie, daarom vlieg hy in elk geval."

Ek dink dieselfde het gegeld vir my pa se '79 Gypsey Caravette 5. Die Caravette was nie 'n veldwoonwa nie, maar hy (en my pa) het dit nie geweet nie. Dus het dié klein kordaat (die karavaan, nie my pa nie) nie vir 'n haas onbegaanbare grondpad geskrik nie.

Ek dink die karavaankoopsaadjie is destyds by hom geplant by die Design for Living-uitstalling in Kaapstad se Goeie Hoop-sentrum. My pa het elke jaar 'n soort pelgrimstog daarheen onderneem, "net om te gaan kyk".

Dié uitstalling is soos 'n verkeershof: Dis baie maklik om daar in te kom, maar jy moet gewoonlik die sak behoorlik skud voor jy weer kan uitkom.

Op die onderste vlak van die sentrum het die verkoopsmense elke jaar hulle swembaddens en jacuzzi's, en natuurlik tente en woonwaens, uitgestal. Dit was hiér waar 'n gladdebek my pa wysgemaak het ons gesin se lewe sou nou maar eenmaal nie volmaak wees sonder 'n karavaan nie. 'n Paar maande later was die koeël deur die kerk.

Ek kan nie onthou waar my pa uiteindelik die woonwa gekoop het nie, ek dink dit was iewers in Goodwood, maar dit was 'n groot dag toe hy met sy Cortina 1600 Mk III en die nuwe karavaan in die straat af gewieg kom.

Die Cortina was ligblou met 'n donkerblou dak, wat gelyk het asof dit kan afslaan (dit kon nie). Ek het altyd gedink Starsky en Hutch kon seker nie 'n kar soos my pa s'n kry nie, daarom moes hulle maar met daardie rooie met die wit strepe tevrede wees.

Die karavaan het 'n groen dak gehad wat voor en agter skuins uitgeloop het, amper soos 'n Anglia se agterruit, aan weerskante van die karavaan. Die kajuit het soos 'n rondepensvarkie onderaan gesit.

Die hele gesin moes leer hoe om die bont tent op te slaan. Ek was in sub B of st. 1 en my aandeel aan die tentopslanery was gewoonlik beperk tot die aandra van tentpenne – nadat ek die karavaan se hoekstutte elk met ongeveer 9 miljoen draaie van die slinger laat sak het.

Die gewerskaf met die tent was soos 'n kombinasie van boeresport en harde-arbeid. My pa was altyd onder die tent, besig om dit deur die karavaan se groefie te ryg, terwyl my ma dit van die ander kant af "gevoer" het. My pa is 'n goeie kerkmens, maar ek het tóé al woorde gehoor waarvan ek die volle betekenis eers later tydens diensplig sou leer. Dit was 'n geheen-en-weer met die stuk seil.

"'Raait, trek."

"Nee, wag, jy's te vinnig!"

"Maar jy't dan gesê ek moet trek."

"Ja, maar nie so hard nie, man! Nou't die ding weer uitgehaak, gee eers weer bietjie skiet . . ."

My suster het intussen die tentpale uitgesoek. Elke paal het sy plek in die tent gehad en elk het 'n ronde, gekleurde plakkertjie op gehad om te wys of dit 'n stutpaal of dwarspaal is. Maar dit het nie veel gehelp nie, want die pale het in elk geval deurmekaar geraak.

Só het dit menige langnaweek gegaan by kampplekke van Gordonsbaai tot Citrusdal. Maar die werklike toets was in Desember-skoolvakansies wanneer ons na my oupa se plaas in die Oos-Kaap opgeruk het.

Voor ons vertrek het my pa altyd 'n kort gebedjie opgesê vir 'n veilige reis. En sodra ons om die eerste draai was, het hy onthou die syspieëls moet nog gestel word. Dan het hy net daar langs die pad ankers geslaan sodat my ma die spieëls só kan druk en sus kan draai. Mettertyd het hierdie verstellery my werk geword.

My pa het reusagtige syspieëls gehad, wat voor by die wielholtes met stutarms aan die motor vasgemaak is, amper soos daardie skinkborde wat jy by Queenstown se inrykafee gekry het.

Ek is oortuig al die verstellery aan daardie spieëls het nie een jota verskil gemaak nie. Die goed was vasgeroes aan die koeëls waarop hulle moes draai. Jy kon rem en druk en trek soveel soos jy wil, maar dit het nooit gevoel asof hulle beweeg nie.

My pa het egter soos 'n artilleriebevelvoerder vanuit sy bestuurdersitplek bevele gegee: "Bietjie op . . . bietjie links . . . bieeeeeetjie regs. Ja, nou so klein bietjie af . . . Perfek!" Nie eens die spieëls op die Hubble-ruimteteleskoop het sulke minuskule verstellings onder-gaan nie.

Dan het ons die pad gevat. Ek kon die volgorde van die dorpe la-ter beter as die 12x-tafel opsê: Worcester, Touwsrivier, Laingsburg, Beaufort-Wes, Drie Susters, Richmond, Hanover, Middelburg, Steyns-burg, Molteno, Dordrecht, Indwe en uiteindelik ons bestemming, Elliot.

Ons het gewoonlik oornag in Beaufort-Wes se munisipale karavaan-park, waar 'n kennisgewingbord in die middel van die Karoo vir jou die pad see toe aandui. Daarna het ons gewoonlik eers 'n week of wat in Oos-Londen of Aliwal-Noord gebly, waar daar weer met die tent geryg en gehyg is.

Die opwinding was altyd groot wanneer ons finaal koers kies plaas toe. Sowat 20 km anderkant Elliot vurk die pad. Die teerpad regs gaan Ugie se kant toe en op linkerhand lê 8 km grondpad tot op Thorn-ton, my oupa se plaas.

In my oë was dit die alfa en omega van grondpaaie. Om vir enige ander grondpad respek te hê, was soos om te sê Nataniël sal 'n goeie James Bond maak.

Vroeër jare het die provinsiale administrasie nou en dan, ná 'n groot gesoebat van die distrik se boere, die pad geskraap en dan "gruis" gegooi. Dié stukke gruis was basies kluite van klei so groot soos jou vuis. Ek dink hulle het dit spesiaal aangery om die boere se bestuurs-vernuf te toets.

Die pad was in die somermaande, wanneer donderstorms daagliks so teen vieruur uitsak, so glibberig soos 'n parlementariër in oorloop-tyd. Agter die Cortina het die karavaan so links en regs begin dans soos Breyton Paulse wat 'n Kiwi probeer pypkan.

Normaalweg sou Pa onder sulke omstandighede stadiger gery het, maar op hierdie stukkie pad sou ons dan vasval. My oupa-hulle het maar op klein skaal geboer – beeste, skape en 'n paar hoenders – en daar was nie 'n trekker om ons Cortina te kom uitsleep as ons sou vassit nie. Die trekker wat daar was, het lank reeds in stukke onder 'n groot denneboom gelê en ek het allerhande ander gebruike daar-voor gevind. (In die dae van *Battlestar Galactica* op TV is ek amper ruimte toe op die enjinblok.)

Pa het dus maar die karavaan so vinnig moontlik bly sleep totdat hy weer haaks was. Ons het gly-gly verby bekende landmerke soos die vleie gevlieg.

Daar was destyds maar min verkeer op die grondpad plaas toe en die boere kon die motor se gedreun kilometers ver hoor. By die eerste plaashek het daar altyd iemand gestaan en wag. Sodra die CL-nommerplaat by die hoekpaal verbygeswiep het, het die boervroue die riemtelegram gestuur.

Die "brandwag" by die hek het dadelik na die opstal gehardloop en vir tannie Joyce gaan sê ons is verby. Sy het dan met die slingertelefoon twee langes op die plaaslyn gedraai en vir Ouma laat weet ons kom.

So het dit gegaan, verby tannie Sarie en tannie Lizzie, tot ons voor "oom Koos se bult" te staan gekom het. Hier het selfs die padskrapers se moed hulle begewe.

Die bult is van rooi kleigrond en so glad soos 'n minibustaxi se spaarwiel. In die lengte was 'n diep voor, wat deur die reënwater uitgekalwe is. Aan die bopunt regs was Middelpunt se plaashek.

Geen voertuig kon ooit halfpad teen die bult bly staan nie. Dit was soos 'n wet van die natuur, jy was óf bo óf onder. Die Cortina se 1600-enjin het gebeur, die bande het getol, en die modder het gespat, maar ons het uiteindelik bo gekom.

Daar was dan 'n oomblik blaaskans voor die volgende reeks hindernisse: die driffie, wat dikwels oorstroom was, die klipplaat en die laaste steilte tot voor Thornton se hek.

Vir die Cortina was dié laaste, gladde steiltetjie dikwels net een te veel. Rosie en Jackson, wat op die plaas gewerk het, en hul hele kroos het dan aangehardloop gekom om te kom help. Ons het wattelboompies afgekap en onder die wiele gepak, sodat daar darem vastrapplek was en dan teen al wat vatplek was, gedruk en gebeur om die Cortina en die karavaan oor die laaste knikkie te stoot.

Ouma se kleinkinders het dikwels druipnat, doodmoeg en bemodder by die plaashuis se agterdeur ingestrompel. Gelukkig was daar altyd warm koffie of tee, wat op die houtstoof geprut het en klam vrugtekoek in die gangkas.

Ek het my pa-hulle gewoonlik nie veel tyd vir herstel gegun nie, want ons moes dadelik 'n denneboompie in die veld gaan uitsoek en dit as Kersboom met versierings in die sitkamer staanmaak sodat Kersvader op Oukersaand sou weet waar om die presente te los.

Die gespartel met die karavaan het my egter altyd onrustig gemaak, want wie sê Kersvader en sy slee gaan nie ook op daardie grondpad traksie verloor nie?

Maar net soos ons elke keer die plaas gehaal het in 'n gewone Cortina met 'n gewone Gypsey agteraan, het Kersvader en sy span rendiere elke jaar net mooi betyds kort voor middernag op Oukersaand op Thornton opgedaag.

Bagasie is die
selluliet van vakansiehou

JACO KIRSTEN

Volgens die kenners loop mense in vakansietye erger deur onder depressie as ander tye van die jaar. Blykbaar veroorsaak die res van die wêreld se vrolikheid juis dat mense opnuut bewus raak van hulle eie probleme.

Maar ek dink daar is ander oorsake vir dié stand van sake. Dinge soos 'n bont strepiesdas as Kersgeskenk. Wie kan jaar ná jaar maak of hy aangenaam verras is as hy (wéér) 'n doos Gary Player-sakdoeke gekry het? Of lekkerruikgoed. Wat beteken "'n tikkie sitrus, gekombineer met die varsheid van dennenaalde" nou eintlik as jy rasend van opwinding was oor 'n verwagte Leatherman?

Maar die feestyddepressie gaan oor meer as verbeeldinglose Kersgeskenke. Dit gaan eintlik oor die hele vakansie, want vakansiehou is eintlik 'n stresvolle affêre – tensy jy dalk tevrede is om elke jaar op dieselfde plekkie te gaan tent opslaan by Maselspoort buite Bloemfontein. Of miskien huur julle elke jaar dieselfde woonstel op Hartenbos, ek weet nie, maar vir dié van ons wat hou van 'n bietjie afwisseling is daar 'n verbasende hoeveelheid stres waarmee jy moet rekening hou.

En die rede daarvoor is die feit dat elkeen van ons elke vakansie opofferings moet maak. Of, soos iemand soos dr. Phil sou sê, "kompromieë aangaan".

Die eerste kompromie begin eintlik al wanneer julle besluit waarheen om te gaan. Nou goed, vir party mense – ouens soos Jopie Adam en die avonturier Mike Horn – geld sulke dinge nie, want hulle hoef nie ander mense in ag te neem nie.

As ouens eerlik moet wees – vra maar rond – sal hulle erken dat baie se droomvakansie waarskynlik heel anders uitsien as dié van hulle wederhelftes. Dis dalk iets soos 'n Kanadese winteravontuur met sneeumotorfietse – een waartydens hulle bedags dalk grysbere jag en saans drink en liedjies sing saam met vier of vyf van hul beste pelle van skooldae af – ouens met name soos "Tjoppie," "Holle" en "Swannie". Lékker ouens. En agterna klim hulle op 'n vliegtuig terug na

Suid-Afrika waar hulle ingewag word deur hulle vriendelike, sexy vroue in stout onderklere en jou gunstelingdrankie sommer klaar gemeng.

Maar ongelukkig is jou naam nie Richard Branson of daai grillerige, vet baasbrein agter *Fashion TV* nie (goed, ek gee toe dat ek nogal jaloers is op dié pokkel) en het jy 'n "normale" vrou en waarskynlik 'n paar kinders. Dan mik jy 'n klein bietjie laer . . . en gaan 'n kompromie aan. Iets soos 'n gesinsvakansie op Margate of Hartenbos, kompleet met smeltende draairoomyse wat op jou motor se bekleedsel val en jou 15-jarige meisiekind wat ná skaars 24 uur 'n ongesonde belangstelling begin ontwikkel in 'n jong menseredder met 'n dolfyntatoeeermerk en 'n naam soos Chad.

Die volgende kompromie is die inpakkery. Het jy al ooit gesien dat brosjures en advertensies oor eksotiese bestemmings wys hoe mense pak en stoei met swaar bagasie? Nee. Het jy en jou vrou al ooit saamgestem oor hoeveel bagasie julle in die motor sal kan inpas? Nee. Want bagasie is die selluliet van vakansiehou: Almal weet dis 'n feit van die lewe, maar niemand praat te veel daaroor in gemengde geselskap nie.

As man is jy gewoond aan 'n paklys wat bestaan uit 'n donkerblou kortbroek, vier Edgars-onderbroeke ('n gryse, groene, swarte en bloue), plakkies, vier T-hemde (waarvan een verklaar: "Winston Jool 1988") en 'n Goodyear-keps. En as dit winter is, pak jy 'n sweetpak, 'n groen Duitse weermagparka en jou Hi Tec-stewels in. Alles sommer in 'n rooi-en-wit Toyota-toksak en jy ry nie eens 'n Toyota nie.

Jou vrou, aan die ander kant, is vir die bagasiewêreld wat Imelda Marcos vir skoene is. My eie vrou is lief daarvoor om 'n nuwe uitrusting vir elke dag in te pak. As ons gaan ski, dan het sy twéé uitrustings, die een 'n beigerige affêre en die ander een 'n rooi-en-swart nommer. Sy erken dat die beige een eintlik nie juis warm is nie, maar sy is versot op die kleur en die baadjie se swart kraag van fop-pels.

Dis eintlik 'n bestiering dat ons nie kinders het nie, want dan sou ons hulle met die Elwierda-bus agter ons aan moes stuur. Ek het ook intussen uitgevind waarvoor daardie ruimte tussen motors se twee voorste sitplekke is: As al die ander goed klaar ingepak is, is daar darem nog plek oor om 'n *vanity case* te kan indruk.

Maar uiteindelik, ná 'n proses wat deels towerkuns en deels emosionele afpersing is, kry julle tóg amper al die bagasie in.

Dis ook 'n feit dat mans en vroue nie op dieselfde manier van punt A na punt B wil reis nie. Mans hou in die algemeen daarvan om by die bestemming uit te kom en dan dadelik te begin vakansie hou. Vroue, aan die ander kant, sien 'n nasionale pad as 'n opwindende avontuur wat al die land se padstalletjies, toilette en kontreirestaurante met mekaar verbind. Amper soos roete-aanwysings aan vriendinne waar straatname en afstande vervang word met winkelsentrums en roetebakens met beskrywings soos: "daai lang gryserige gebou met die bome by die hek, net anderkant Giselle's".

Mans sien die pad as 'n plek met vulstasies, plekke wat *pepper steak*-pasteie verkoop en bosse waaragter jy kan water afslaan. Maar wanneer jy dan uiteindelik begin ry, gaan jy nogmaals 'n kompromie aan: Jy stem in om by die toiletplekke te stop, mits almal bereid is om met *pies* tevrede te wees.

Mans hou in die algemeen ook daarvan om vinniger as vroue te ry, en ook hier moet jy noodgedwonge nog 'n kompromie aangaan – behalwe as jy, soos ek, 'n wentegniek ontwikkel het om eenvoudig te wag totdat sy ingesluimer het voordat ek geleidelik al hoe vinniger begin ry. Die geheim is om niks rukkerigs te doen nie. Versnel geleidelik, skelm. Met oefening kan jy puik resultate behaal en omkoopgeld sal die kinders tjoepstil hou.

As jy by jou bestemming aankom, begin die volgende ronde kompromieë. Wat gaan ons alles doen? Dink aan die potensiaal vir konflik as jy by 'n opwindende plek gaan vakansie hou, 'n plek soos die Kaap, byvoorbeeld. Gaan jy summier strand toe of gaan jy 'n paar wynkelders besoek? Of gaan jy gedwing word om saam te loop op 'n begeleide toer deur die Kasteel? Of moet julle nie liewers die kabelkarretjie vat en bo-op Tafelberg gaan eet nie? Sê nou maar jou vrou en kinders wil opsluit Waterfront toe, maar jy wil 'n bier by die legendariese Brass Bell in Kalkbaai gaan proe?

Verstaan jy nou hoekom mense eerder wildtuin toe gaan? Want die enigste keuse wat jy daar hoef te maak is of jy links, regs of vorentoe kyk vir diere.

En het jy al agtergekom dat wanneer julle vakansietye een of ander stad groter as Kimberley aandoen, julle vroeër of later swig voor die versoeking en 'n draai gaan maak by 'n winkelsentrum? Dis soos 'n kers vir 'n mot, onmoontlik om te vermy. Want nes 'n wedvlugduif presies weet waarheen hy moet vlieg, weet vroue instinktief waar die winkelsentrums is – winkelsentrums met presies dieselfde Mr. Price, Edgars, @home en Markham as die een op jou tuisdorp.

Soms hou 'n gesin vakansie by 'n stillerige plek. 'n Plek waar niemand hulle laatnag oorgee aan 'n oordosis Zak of Blackie Swart nie en waar die brandewyn verkoop word met 'n betroubare handrem. Met die inpakkery het jy dit selfs reggekry om plek te maak vir jou visstok.

Dan gebeur wat gereeld met my skoonpa gebeur het. Hy's 'n joviale ou wat met enigeen kan gesels. Vroeër of later maak hy pelle met 'n mede-visserman – gewoonlik 'n kaalvoetman wat 'n paar tande kort en dink Lexington is die toppunt van elegansie – en nooi hom hartlik oor om 'n knertsie te kom maak.

Agterna lei dit tot 'n "Ag, Bart, hoekom bring jy altyd sulke mense hier aan?" van skoonma as die nuwe visvangvriend uiteindelik sy wyk geneem het. Derhalwe is jy ter wille van harmonie gedoem tot nog 'n kompromie: die nooi van vervelige gaste. Ouens wat silwer Corollas ry, bankklerke in Stellaland, of die oujongnooi in die ou Jurgens 'n entjie verder wat vir die laaste 12 jaar sendingwerk in Korea gedoen het.

Maar vissermansvriende is nog orraait. Om jou vrou se onthalwe, wees tog bedag op die man wat by 'n karavaanpark met jou oor rygoed wil praat. Tensy jou vrou daarvan hou om vier uur lank te luister na fassinerende onderwerpe soos: "hoe 'n mens maak as 'n Land Rover sy *side shafts* naby Kosibaai afdraai" of "hoekom 'n mens moet pasop vir 'n tweedehandse Isuzu-turbodiesel". Vroue kan soms so onredelik wees.

Ek het al gewonder of, in 'n volmaakte wêreld, die oplossing nie afsonderlike vakansies is nie. Vakansies vir kinders met permanente toesig en soveel MXit as wat hulle vingers kan verdra. Vakansies vir vroue waar hulle heeldag in 'n spa kan lê en gepamperlang word. Waar hulle nie hoef kos te maak en orde in 'n woelige huishouding moet probeer hou nie. En vakansies vir manne waar hulle allerhande avonture kan beleef, die toiletdeksel opgeslaan kan los en nou en dan selfs in die geselskap kan krap waar dit jeuk.

Maar dit sal tog nie werk nie. Want uiteindelik sal almal mekaar se geselskap mis. Selfs Mike Horn begin deesdae sy vrou en kinders saam-

vat op korter avonture – want ek dink hy is ná al die jare van ontbe-
ring uiteindelik sielkundig sterk genoeg vir winkelsentrums, pad-
stalletjies en Gary Player-sakdoeke.

Sonbrand en braaiboud

KOBUS PRINSLOO

Dis moeilik om iemand te verkwalik wat in 'n oomblik van donkere werkstres sy vakansiebeplanning te driftig aanpak. Dis tog só maklik om in daardie slaggat te trap.

Dit tref jou skielik. Eensklaps, tussen al die papiere, e-posse, vergaderings en halfklaar verslae deur, word jy amper tranerig as jy begin terugdink aan jou kleintyd-vakansies se lang weke by die see of in die bos.

En dit tref jou hard: die onregverdigheid – nee, die onmenslikheid – daarvan om te moet werk; die verkwisting van jou kosbare tyd ten bate van een of ander kapitalistiese reus se wins.

As jy weer kyk, praat jy op die telefoon met iemand van Sanparke en bespreek 'n indrukwekkende klomp dae in die Krugerwildtuin. Dis nou vir Desember, want dís wanneer jou verlof uiteindelik aanbreek.

Later wys jou vrou se onsekere kyke dis moeilik vir mense buite jou besluitraamwerk om hulle 14 somersdae in die wildtuin in te dink. Die kinders is effens afgehaal oor die gebrek aan golwe en seesand in die wildtuin, maar dit lyk darem of hulle te vinde is vir wildtuindinge. Dis immers jou opvoedkundige plig as Suid-Afrikaanse ouer om jou kinders soontoe te vat.

Dis drie maande later. Hoogsomer. Jy't pas amper-amper jou buurman se woonwa raakgery terwyl jy jou bakkie met twee vingerpunte op die vuurwarm stuurwiel in die staanplek ingemaneuvreer het.

Dis nie dat jou voertuig se lugreëling nie werk nie; dit het bloot netnou 'n rukkie gevat om jou by Satara se ontvangs aan te meld. En in daardie tydjie het die bakkie verander in 'n mikrogolfoond wat op "high" gestel is.

In dié geweste draai die kwik mos lank voor agtuur soggens al by 30 °C. Nou het jy klaar jou eerste hittevoorval agter die blad: Jy het die warmgebakte gespe van die sitplekgordel raakgesit en loop nou rond met 'n Toyota-brandmerk in die waai van jou been.

"Loop" is dalk 'n sterk woord, want in sulke temperature is daar in elk geval min sprake van normaal loop. Enersyds is daar die sleepvoet-skuifel in die kampie rond op soek na koelte, of minstens dan 'n effens koeler plek om te gaan lê en sweet. Jy's omtrent so vlugvoetig soos 'n bejaarde seekoei ná 'n liefdesteleurstelling.

En dan is daar die dolle getrippel oor warm plaveisel op pad swembad toe. Almal ken hom (hy's familie van die strandtrippel) en dit eindig altyd in 'n klein al-in-die-rondte-getrippel op jou handdoek, asof dit jou voete op 'n manier gaan afkoel.

'n Ander unieke somerloopstyl is die "Plakkie Surprise". Dis nou wanneer jy doodluiters die stuk teerpad tussen jou kampplek en die winkeltjie in jou vissieplakkies aandurf.

Sloef-slaf, sloef-slaf.

Nou en dan het 'n lang toon mos die gewoonte om uit te hang en die grense van die plakkie te oorskry en dan stamp jy hom nerf-af presies op daardie plek waar jy in komende weke weer en weer met hom in al wat 'n ding is, gaan vasloop.

Dan trek jy jou seer voet inmekaar, amper soos 'n vuis, en hop-hop-hop terug kamp toe: die vuisvoetjie-*hopscotch*.

Die wildtuinwinkeltjie is gewoonlik 'n lugverkoelde hemel, maar 'n mens kan ook net só lank daar rondhang voordat die kassiere begin dink jy wil 'n pakkie Romany Creams of iets vaslê. Jy is immers hier om te kamp, en ná 'n rukkie moet jy maar weer die hitte van jou kampie gaan trotseer.

En kom ons wees nou maar eerlik, in die somer is nie een van die gebruiklike kampmetodes in die wildtuin juis aanloklik nie. 'n Koepeltentjie van seil is die pizza-oond van die kampwêreld. Jy kan al die flappe oopgooi en die hele tent in 'n oomblik van hitte-waansin met 'n braaivurk vol gate steek, maar afkoel gaan jy hom nie afkoel nie.

Almal probeer natuurlik een of ander tyd 'n waaiertjie in die tent staanmaak. Dit roer die warm lug so effens en sommige mense vind dit nogal bevredigend, al werk dit eintlik glad nie.

Jou opblaasmatras ("afblaasmatras" is dalk 'n beter woord) help ook nie om dinge gemakliker te maak nie. Die matras, opgewarm deur jou logge lyf, voel soos 'n warmgeryde troktjoep onder jou. Selfs jou kussing is só ongemaklik warm, dit voel of jy jou kop in een van Ouma se pasgebakte, klam beskuitbrode gedruk het.

'n Woonwa vaar nie veel beter in die Laeveldse somer nie, want in 40 °C is dit basies 'n groot, wit Defy-konveksieoond. (In party modelle kan jy selfs besluit op watter rakkie jy wil gaar word.)

Party woonwaens het natuurlik 'n fensie silwer oorseil, wat maak dat dit binne-in 'n skaflike 38 °C is pleks van 40 °C.

Weens die weerkaatsing sukkel almal binne honderd treë van jou staanplek af dan met effense sonbrand en *arc eyes*. En wie weet watse ruimteskepe gaan oor honderd jaar hier opdaag omdat jy so lustig ligseine die heelal in stuur . . .

Die rondryery in die hoogsomer is 'n ander ding. Kom ons wees eerlik, dit werk net as jy vroegoggend of laatmiddag gaan diere kyk, want die dierevakbond het 'n magdom griewe as dit kom by middagwerk in die somer.

'n Desemberoggend in die wildtuin is eintlik maar bitterlik kort. Selfs teen agtuur is die son al só hoog en die skaduwees só kort dat dit voel soos maande van droogte.

Maar jy druk deur, want niemand is lus vir die hitte in die tent of woonwa nie. Jy sien natuurlik nie veel wild nie, want jou kar se waaier verjaag al wat dier is, vir myle aaneen.

Aan die positiewe kant: In sulke warm weer kom mense meestal die wildtuin se reëls na. Niemand hang halflyf by die kar uit om beter te kan sien nie, want lugreëling is heilig. Jy sal in elk geval nie lank by jou kar se bakwerk kan uitleun sonder om soos botter te smelt nie.

Dis 'n lang oggend. Jou bolyf is kol-kol yskoud gevries van die lugreëling en veral jou regteroog is al in 'n skeelhoofpyn in geblaas – dít terwyl jou onderlyf teen die warm leersitplekke protesteer.

Jy moet uit, en ry soek-soek na 'n uitklimplek iewers langs 'n dam of watergat. Die hele gesin stort dankbaar uit die kar uit.

Somerhitte het 'n klank. Sonbesies wat skree, sprinkane se "kliek-tjirrrr" hier langs jou uit die gras, die dorre aarde se geknars onder jou voete en – in die wildtuin – seekoeie wat nou en dan in die water blaas. In die verte dryf die berge in die lugspieëlings.

As daar dalk 'n luggie waai, is dit bloot so nou en dan 'n sug. Sulke tye, wanneer dit so stil en snikheet oor die wilde wydtes is, beleef jy 'n ongelooflike mooiheid in die klanke, reuke en kleure van hoogsomer.

'n Mens drink dit in – nee, slurp dit op, want jy kan nie lank daar staan nie. Jy sal vergaan.

Tog ontroer die toneel jou en maak die ontberings draaglik.

Met Afrika in al sy somerglorie draai jy weg van die mooi uitsig, terug na jou lugreëling. Daai seer toon loer skelm-skelm oor die rand van die plakkie vir die warmste stukkie aarde wat hy kan kry en dan kom dit weer: Hop-hop-hop, 'n paar tongknope, vuisvoetjie terug kar toe, met almal wie se bene sissend op die vuurwarm leersitplekke skroei. En hier en daar is 'n bietjie ekstra geniepsigheid wanneer 'n kaal been met die sitplekgordel se gespe kennis maak.

En só begin jy met jou een gesonde wysvinger op die stuurwiel terug kamp toe ry.

Laatnag, moedeloos rondgekriewel op die troktjoep en jou kop papnat van die klam beskuitbrood, hoor jy vreemde bewegings in jou tent. Jy lê stil in jou sweetpoel en luister hoe iemand die tent se ritsluiterdeur toerits.

Vroulief kom weer langs jou lê en gloei soos 'n Charka-blokkie.

Ongelowig vra jy: "Hoekom maak jy die tent toe, my ding?"

En dan sê sy: "Want ek kry koud."

Laat die wiele rol

PE na die Kaap met Kulula

TOAST COETZER

Die Baai se lughawe is een van my gunstelingplekke. Hier het ek as kind die eerste keer gevoel hoe voel vlieg en toe, byna twintig jaar later, vir die eerste keer na die wye "oorsee" vertrek.

Cradock na New York binne 48 uur is té veel té vinnig. Dit voel heeltyd asof jy jou kneukels en gewrigte moet knak, want jou vel is aan't uitswel soos 'n seil in die wind.

Oor die jare het die lughawe nie veel verander nie. Dit lyk nog steeds soos 'n laerskoolsaal wat gebou is uit oorskiet-bakstene en sement wat eintlik vir 'n bomskuiling bestem was.

Voorheen was dit genoem na H.F. Verwoerd. Nugter weet hoekom mens 'n lughawe na jouself genoem sou wou hê (en Verwoerd had reeds 'n stad, 'n dam en *baie* strate), maar ek vermoed dit was die destydse ekwivalent van 'n pronknommerplaat.

Ek sou eerder wou hê dat een of ander vergete veldblommetjie my naam dra in Latyn: *Drosanthemum toastii*

Daar was altyd 'n restaurant op PE se lughawe se tweede verdieping wat lekker geroosterde toebroodjies en melkskommels gemaak het. Nou's daar 'n Steers en 'n kroeg. Die onderste verdieping is meer ontwikkel, met koffie- en *curio*-winkels wat jou vir 'n oomblik laat voel jy's in . . . wel, nee, jy voel maar nog steeds asof jy in Port Elizabeth is.

Daar's ook van daai moderne parkeer-betaalmasjiene, die soort wat jou dwing om jou kaartjie saam met jou te bring, omdat jy binne die gebou moet betaal. Daai masjiene is nie goed vir die werkloosheidsprobleem nie en boonop kan jy hulle nie "Kunjani" groet nie.

Anderdag kom ek hier op PE se lughawe, op pad terug Kaap toe. My ma het my kom aflaai en ek help haar eers met die parkeerrobotte, want sy's nie gewoond aan dinge wat met knoppies werk nie (maar vra haar om skape te dip, kwepers in te lê, of 'n kwaaddoener-bobbejaan *blazes* te gee met 'n haelgeweer en sy's jou vrou).

Nadat sy weg is, loop ek toevallig 'n ou vriend raak en ons mik summier vir 'n bier waaroor ons ou krieketstories oor ons dae in die legendariese Onder-Albany-krieketliga kan vertel. Sidbury, Salem, Cuylerville en Manley Flats . . . daai ou setlaars se plaaskrieketvelde.

Op die verste aanloopbaan sukkel 'n Impala soos 'n gewonde dier die lug in en hier naby staan 'n geel helikoptertjie, presies soos die een wat ek toevallig gister naby Bedford sien wild aanjaag het.

Wanneer ek uiteindelik die vliegtuig bestyg, is die helder wintersmiddag oopgevou op sy middelblad; die droë sonskyn lyk soos 'n tydskrif se glansblaaie wat in elke rigting wink.

Dis 'n Kulula-vlug van Durban af en PE is net 'n taxi-stop, dus is die vliegtuig nou stampvol. Die lugwaardinne doen hul nooduitgang-macarena, dan die suurstofmasker-en-reddingsbaadjie-vastrap en voor jy kan sê "in the unlikely event of an emergency", laat los ons wiele die grond en kies ons koers in die rigting van Algoabaai.

Dis vakansie en almal lyk gelukkig. Dit help in elk geval nie om heeltyd daarvan bewus te wees dat jy in iets so groot soos twee aanmekaargeplakte Putco-busse kilometers bokant jou natuurlike habitat sit nie, waar die suurstof min is en daai reddingsbaadjie net sowel 'n bufferplakker kon wees met "Ek ♥ Pofadder" op.

Vlieg is soos 'n voorskou vir die hiernamaals (solank die kos net beter is; of dalk moet jy – soos met Kulula – jou eie toebroodjies pak). Agter my vra 'n laaitie vir sy pa: "Pa, watse rugbystadion is daai?"

"St. George-park," kom die antwoord.

Eina. Ek sien al voor my geestesoog hoe die outjie Maandag getreiter gaan word deur een of ander boelie wanneer hy trots tydens tweede pouse aankondig dat hy die magtige St. George-*rugby*stadion uit die lug gesien het.

Want sien, dis mos nou Die Boet doer onder, boetie, nie eers bleddie Telkom Park nie – want dis die soort naam wat 'n stadion kry wanneer maatskappye begin soek na groter pronknommerplate as bloot FAT CAT EC. (Of as jou korporasie aan geheueverlies ly en 'n groot sementstruktuur vol plastiekstoele nodig het om almal weekliks – elke keer wanneer die tuisspan verloor – te herinner wie dan nou eintlik Maandag jou baas gaan wees.)

PE is een van die mooiste stede om vanuit die lug te sien. Die uitsig laat jou skielik die streek se natuurskoon waardeer, iets wat jy maklik miskyk wanneer jy dassie-ore trek op die N2 en net Walmer se dakke en vibracrete sien, met Noordeinde se nywerheidsgebied en die pikkewyn-se-agterent-klankie naby die Algorax-aanleg.

Jy kan nie eers die strand waardeer vanaf die N2 nie. Al wat jou beskore is, is duisende dolosse, hier opgestapel soos gebreekte Western Force-stutte wat hier kom uitspoel het om klubrugbykontrakte in Despatch te soek.

Die vliegtuigvenster is valerig, soos 'n whiskeyglas wat te veel keer op die kroegtoonbank neergekap is vir "Nog!", maar die uitsig bly iets besonders. Ver onder maak die golwe in die baai foeliekrinkels en die stad, netjies in die helfte gekloof deur die Baakensrivier, sprei binneland toe na Uitenhage in die verte.

Onder ons lê strande se wit roomyslekke en die Swartkopsrivier soos 'n blink geslagte slang. Naby Sondagsriviermond sien jy St. Croix-eiland en 'n paar ander rotse in die see. Die nuwe Koega-industriële hawe lyk selfs vanuit die lug soos 'n wit olifant en 'n string vissersbote lê Kaap Recife se kant toe, waarvandaan daar 'n rooi-en-wit boot aankom wat soos die Sarah Baartman lyk.

Ek is mal oor vlieg, om so te kan uitzoem en die landrotperspektief agter te laat. Vir 'n wyle is jy in 'n kartograaf se droom waarin mensgemaakte goed soos paaie en die katarakte van stede en fabrieke vervleg met die natuur se buitelyne, berge en riviere.

Skielik besef jy weer dat kontinentale verskuiwing vere voel vir Afrikaanse Idols, die petrolprys en Michael Mol.

Ek laat my leesboek sak om eerder die landskap te volg. Ek probeer dorpe wat ek ken van kaartboeke by die toneel onder my inpas. Daar's Sea View en Beach View waar ons in die '80's soms gaan karavaanvakansies hou het.

Een aand het my pa soet-en-suur varkvleis van 'n nabygeleë Chinese wegneemplek gebring – nie die soort ding wat jy sommer in die Cradock van my jeug gekry het nie. (Hel, ons't anderdag eers 'n Steers gekry.) Min wetend was dit die saadjie wat my later in alles uit die Verre-Ooste laat belangstel het.

Volgende skuif Van Stadensmond onder ons verby, waar my pa eens 'n erf besit het. Jeffreysbaai was die dekor vir my matriekvakansie. By Stormsrivier het ons altyd tydens my studentejare gestop om by die brug af te spoeg tydens plesiertogte Kaap toe. En by Nature's Valley lê 'n stukkende hartsnaar opgekrul tussen die dryfhout en hondespore in die sand.

Neffens The Crags, weet ek, sit daar 'n slinkse verkeerskonstabel in diep skaduwee met sy spoedkamera en Keurbooms is ook 'n kindertydposkaart wat ruik na 'n chalet en die binnekant van 'n Cressidastasiewa.

Die pa agter my is steeds besig met wanopvoeding. "Pa, Pa, wat's daai?" vra die arme kind toe ons 'n paar minute later oor Plettenbergbaai vlieg, Robberg duidelik soos daglig, met selfs die vet bosluis van die Beacon Isle Hotel sigbaar van hier bo.

"Jeffreysbaai, seun, dis waar al die *surfers* uithang."

Ek is nog altyd gefassineer deur kaarte. Kleintyd het ek hulle soos prentjieboeke gelees, later weer en weer om die werklike landskap met die lyne en simbole te versoen. As jy eers kan kaartlees, dan verdwaal jy nie sommer nie, behalwe in Johannesburg, waar daar myns insiens geen magnetiese noord oor is nie (dalk het hulle dit als uitgemyn).

GPS? Nee wat, dié kan jy nie oor die karkap sprei en koffie daarop stort nie. Wat nog te sê van oprol en 'n vlieg klap . . .

Knysna kom nou in sig met sy dunlippie-strandmeer, dan die blink vleie van Wildernis soos gate in 'n sinkbad. George sit lui in die gemakstoel van die Outeniekwa se voue, daaragter lê die Klein-Karoo, dan die Swartberge en die onsigbare Groot-Karoo verder noord.

Ek herinner myself altyd daaraan dat dit 'n voorreg is om te kan vlieg. Vir die meeste mense is hierdie losmaak van die grond nooit beskore nie.

Nou los ons die kus en mik binneland toe, sny land-in by Mosselbaai en ek begin die kaart verloor tussen die eentonige, golwende heuwels van koring en kanola.

Dis eers wanneer ek die Theewaterskloofdam eien dat ek weer my leesboek toemaak, waarin Elsa Joubert die Kaap per boot verlaat op pad na Mombasa, waarvandaan sy die oorsprong van die Nyl wil gaan besoek. Simonsberg is skielik 'n groot, stom, gehurkte standbeeld, asof in wegspringblokke, gereed om weg te breek en koers te kies Langebaan toe, vir altyd.

Ons skiet teen die Weskus op en ons begin draai om in te kom vir die landing en ek sien die drie windturbines so 'n ent buite Darling.

"Pa, Pa, watter dorp is daai?"

"Mmm. Dit lyk soos een van daardie snaakse dorpe waar jy eenkeer gaan rugby speel het. Macassar of iets."

Arme laaitie, hy gaan 'n moeilike week hê.

'n Regte *biker* skrik nie vir koue nie

ALBÉ GROBBELAAR

My vriend Kobus besluit toe mos om téén ons aanbeveling in 'n BMW-motorfiets in Johannesburg te koop. Die 1984-Honda Goldwing hier in Bloem, teen die helfte van die prys, is benede hom.

Nou hoor ek al vroeg gerugte dat Kobus bietjie skrikkerig is om die Ou Grote self van Joeys af huis toe te ry en dat ék, synde sy enigste ware *biker*-pel, dalk genader gaan word om te help. Een storie wou dit selfs hê dat ek opgevlieg gaan word, in 'n vyfster-hotel gaan bly en selfs 'n masseuse sou kry!

Lang storie kort: Toe die groot dag aanbreek, maak ons reg om in 'n Tempest-motortjie Noorde toe ry. Dis nog pikgitswartdonkernag toe ons in die gehuurde Fordjie klim. Ek het nie die weervoorspelling gesien nie en is selde so vroeg soggens op, maar dit voel nie vir my heeltemal na 'n gewone Augustus-oggend nie: Dis nie koud nie; dis vriesend.

Ek begin vermoed hier kom moeilikheid. Maar Kobus is opgewek. "Lekker oggend, nè?" sê hy. "'n Mens kan voel die somer is op pad." Ek begin vroetel onrustig met die Fordjie se verwarmer.

Duskant Winburg tref ons die eerste volskaalse storm. "Kobus," sê ek toe dit lig genoeg is om buite te sien. "Dit *sneeu* buite!"

"Nee, man, dis net 'n bietjie reën," antwoord hy met die selfvertroue van 'n weerkundige. "Dit sal nou-nou oorwaai."

"As dit nie sneeu is nie, watse wit laag lê hier op die lusernhope in die veld?" vra ek.

"Lyk vir my soos ryp." Hy keer toe ek die radio wil aansit, want hy weet ek gaan 'n weerberig soek.

Drie sneeustorms en vier reënbuie later hou ons in Alberton stil en klim styf-styf uit die Fordjie. "Die luggie is nogal fris," grinnik Kobus terwyl hy hom uitstrek. Ek bibber tot in my murg.

Die fiets is 'n pragstuk, 'n 1996-BMW met 'n diep maroenkleur. 'n Mens kan sien hy's goed opgepas. Ek vergeet vir die oomblik van die koue, vryf oor die saal, loer hier, voel daar.

Ek haal my ekstra klere uit die Fordjie. Terwyl Kobus die verkoops-
papiere teken, trek ek aan: Heel onder 'n denimbroek en T-hemp, dan
'n langmoutruitjie, dan 'n geborduurde blou Billabong-trui (waar-
mee my geliefde my die boetiekvoorkoms probeer gee het), en dan my
stokou leerbaadjie. En bo-oor als kom 'n reënpak. Vyf lae teen wind
en weer.

"Sal jy orraait wees?" vra Kobus. Hy lyk vir die eerste keer effens
besorg.

"Natuurlik!" sê ek terwyl ek sukkel om my voet oor die groot mo-
torfiets se saal gelig te kry.

Kobus moet 'n kliënt gaan sien en ek vat die pad terug Vrystaat toe.
Die Alberton-sonnetjie skyn halfhartig. Die adrenalien pomp terwyl
ek in die verkeer probeer gewoond raak aan die Beierse ingenieurs-
pronkstuk tussen my bene.

Toe ek by Vereeniging verbyry, het ek en die Bee-Em mekaar ge-
vind. Ons is genote van die grootpad. Ek voel-voel so hier en daar aan
140 km/h, net omdat ek kan.

Ek voel geen koue nie. Nee wat, hierdie is *a walk in the park*, vertel
ek myself.

Die tolpad sou seker die beste roete wees, maar dit gaan lol om my
beursie onder al die lae klere uit te haal. Ek besluit om eerder die
Sasol-Koppies-pad te ry. Ken hom al vir jare. Baie daar gery in die
ou dae, langs Coalbrook verby, daar waar die mynramp gebeur het
waaroor tant Sannie Briel-hulle sing (dis op dieselfde langspeler as
"Moenie vir Pappie Nog Sjerrie Gee Nie").

Ek vermoed die adrenalien het teen hierdie tyd begin verwater, want
ek was skaars by Sasol se stink skoorstene verby, toe ek besef dis koud.
Vrek koud. En die wind waai stormsterk. In die rigting waarin ek ry,
hang die wolke laag, suid, wes en oos.

Net anderkant Coalbrook begin dit reën, eers saggies en toe harder,
en die wind steek op ('n dwarswind van 40 km/h, sou ek later uitvind).
Ek lê 45° skuins – oukei, 43° – en beheer die fiets met die regterhand,
terwyl ek met die linkerhand die water van die valhelm se skerm afvee.

Dis reëndruppels buite en wasem binne en die pad is net 'n vae, nat
skynsel voor. En dis kóúd. Teen hierdie tyd het ek al vrede daarmee
gemaak dat ek minstens albei my bene onder die heup gaan opoffer.
Maar ek byt vas.

Ek dróóm van daardie magiese halfpadmerk by Kroonstad. "En Fort Wajier lê ver, lê ver, onderkant die eerste ster," soos Uys Krige geskryf het.

Jy visualiseer hoe jou vingers warm word om daai groot beker stomende koffie. Jy trek in jou verbeelding diep, diep teue aan 'n Princeton Light. Jy sien die spek en eiers en *toast*. In jou agterkop speel jy met die moontlikheid om dalk, net dalk, op Kroonstad 'n hotel te soek en oor te bly.

Dis alles positiewe gedagtes. Dit help jou vergeet van die koue en die reën en die wind.

Ek haal Kroonstad. By 'n vulstasie kom knoop nie minder nie as ses wildvreemde mans 'n geselsie aan.

"Koue dag vir ry, nè?" sê die een.

"Dwwjssh phfffshkkn kttthh," antwoord ek. Ek het pas my valhelm afgehaal en my lippe is dood en my kakebeen stokstyf.

"Mooi *bike*, waar gaan jy heen?" vra 'n ander een.

"Bly ek's nie jy nie!" sê 'n derde, die een met die dikmond vrou. Maar ek sien in sy oë hoe hy wéns hy was ek. Dis 'n onsigbare broederskap, soos met die lorriedrywers wat vir jou 'n ekstra flikker van die ligte gee of bulk-bulk met die toeter as jy verbyry.

Kroonstad bied alles waarvan ek gedroom het: Drie koppies warm, soet koffie, vier sigarette, en 'n stewige *brunch*. Ná 'n uur van ontdooi en die Huletts-suikersakkies se spreuke lees, het ek vergeet van hotel soek. Ek is vuur en vlam om deur te stoot huis toe. Ons *bikers* kan dit vat.

Maar skaars 20 km uit Kroonstad besef ek ek gaan dit nie haal nie. Om my lê die oggend se sneeu steeds spierwit op die lusernbale. Die troppe Brahmane en Bonsmaras wat lyk of hulle 'n erewag vir my vorm – te mooi vir woorde – doen dit nie om my te bewonder nie: hulle het hul agterente na die stormwind en reën uit die weste gedraai.

Ek probeer voel of ek nog tone het, probeer hulle binne-in die stewels roer, maar daar is net 'n doodse, nat loodgevoel daar onder. My lyf, of dan daardie dele waar ek nog vaagweg gevoel het, voel nat. My ore is ysskulpe.

Ek kan byna niks sien nie. Wasem binne, druppels buite . . . julle ken die storie.

En my linkeroog begin *blur* nou ook effens van die koue. Die bietjie wat ek voor in die pad sien, is in 'n amperse romantiese wasigheid gehul.

Die pad is besig en die lorries van voor af ruk jou soos 'n dobbertjie rond. Met elke lorrie wat verbystorm, tref 'n waterbrander jou ook.

Ek begin bid: "Mag die volgende dorp tog net 'n Pep Stores hê. Groot asseblief." As Luckhoff een het, vertel ek myself, dan móét Ventersburg mos ook een hê. Elke dorp het 'n Pep. Maar sê nou hy't toegemaak? Dan skep ek weer moed. Hulle sál een hê!

En toe ek afdraai in die hoofstraat – die enigste straat – toe doem hy groot en blou en geel voor my op, die derde winkel op regterhand: "Dankie! Dankie!" prewel ek saggies. "Dankie, Christo Wiese, dat daar 'n Pep Stores op Ventersburg is."

Ek strompel nat en koud in. "M-m-mevrou," sê ek vir die vrou by die toonbank, "v-v-vandag moet jy my lewe red." Sy kyk my skrikkerig aan en wonder waarskynlik of sy by die paniekknoppie gaan uitkom as ek skielik iets snaaks doen. "Ek soek 'n *long john*. 'n Lang onderbroek, *extra large*."

Sy haal vir my die laaste een van die rak af.

"Ek soek 'n wolmus ook," klappertand ek. Ek koop nog twee paar dik sokkies, en 'n XXL oortrektrui, wat die sesde laag oor my bolyf gaan vorm. Alles saam kos R102,50, BTW ingesluit.

En toe kommandeer ek die enigste aantrekhokkie op, trek my uit tot in my adamspak en begin van voor af aantrek, die droë goed heel onder teen my koue lyf.

Hierna begin als skielik beter voel. Ek kan my tone voel, die vreugde van twee warm ore onder 'n mus is onbeskryflik en my linkeroog begin weer fokus.

'n Uur later is ek duskant Brandfort. Ek mis net-net 'n swerm tarentale toe ek oor 'n bult kom. Dis enige motorfietsryer se nagmerrie, maar ons koes vir mekaar sonder ongevalle.

In Pep se aantrekkamertjie het ek netnou vaagweg daaraan gedink: Wat gemaak as die natuur roep? En nou het ek 'n nood. Ek haal Brandfort net betyds, sjor-sjor met my nat lyf by die enigste koffiewinkeltjie se badkamer in.

Ek kry met moeite die reënbroek, wat geen gulp het nie, tot oor my knieë afgetrek. Ek maak die denim se gordel los en *zip* dit oop en begin soek na, wel, julle weet wat. Maar hy's weg! Netnou op Kroonstad was hy nog daar!

Ek soek verder. Die nuwe *long john* is onder 'n stuk of vyf truie tot bo teen my tieties opgetrek, maar ek kry nêrens sy opening nie. Uiteindelik pluk ek hom ook windskeef af. Toe's daar nog die oorspronklike onderbroek, waarvan ek al vergeet het. Dis soos 'n argeologiese opgrawing om deur die verskillende lae te kom.

En toe daardie volslae verligting. Skuim in 'n beesspoor, soos my oom Wynand altyd voor sy prostaatoperasie gespog het.

Veertig minute later stop ek voor Kobus se blyplek in Bloem, en kan ek vir hom per SMS laat weet: "The Eagle has landed!"

Toe ek my nat klere uittrek, val daar een van Kroonstad se leë Huletts-suikersakkies uit my sak. "Happiness is inward, and not outward," lui die slagspreuk. "And so, it does not depend on what we have, but on what we are."

Ja-nee, die tweede Augustus in die jaar van Onse Heer 2006 was 'n goeie dag vir my.

Ek en my Beetle

TOAST COETZER

Ek ry 'n 1969-Beetle genaamd Bloureier. Dis nog op my ma se naam, dus kry sy die boetekaartjies in die pos, wat darem nie te gereeld is nie. Bloureier was inderdaad blou toe ek haar nege jaar gelede gekry het. Ek sê "haar", want mense praat mos so van hulle karre. Ek beskou die kar meer as 'n "dit", maar dan klink dit of ek nie lief is vir Bloureier nie – en ek is, al is sy strykdeur moerig van aard.

Bloureier *was* blou. Maar roes het kom nesskop en toe ek ná 'n jaar van oorsee terugkeer, was sy groen, so al asof my pa se John Deere en Bloureier te lank in dieselfde skuur gestaan het. Anderdag sien ek in die koerant hulle noem so 'n kleur "leefstylgroen", wat dit ook al mag beteken.

Bloureier is dus nou groen met 'n babablou onderlaag wat deurslaan waar die roes al weer begin lek. Gelukkig bly ek windop van 'n motorhawe en Wayne daar (hy ken my bloot as mnr. Coetzer-met-die-Kewer en ek ken hom net as Wayne-van-die-garage) is al gewoond aan my ongeskeduleerde kuipebesoeke.

Op koue dae – soos anderdag weer – sukkel Bloureier om aan die gang te kom, dan gee ek haar die vryheid van Kaapstad en laat loop haar bergaf tot sy vat.

Wayne se garage is geleë net mooi waar die afdraande opraak. Daar gekom, sal Wayne die enjin probeer *start* – en dan vat dit natuurlik onmiddellik, sonder uitsondering. Dan vryf ek maar my ken verleë en sweef verder in Buitenkantstraat af met my mank reier.

Bloureier het al baie gaan staan en my dikwels gebroke gelaat langs haar. Daar was 'n pragtige Sondagmiddag iewers tussen Bedford en Grahamstad se aalwyne; die N2 naby Kaapstad met 'n halwe rockband op die agtersitplek; die N2 naby Bonteheuwel, waar 'n bende kinders, eintlik kleuters, my beroof het; die grondpad tussen Leeu-Gamka en Prins Albert; Prins Albert self; die hoek van Stasieweg en Liesbeekparkweg in Observatory; verskeie ander kere in Observatory; en meer as gereeld, sommer reg voor my huis.

Op 'n slag tref ek haar daar aan met 'n pap wiel. G'n probleem, ek ruil dit gou om. Toe wil sy nie vat nie. Ek en sy loop toe weer bergaf en vra Wayne om asseblief die battery oornag te laai. Die volgende oggend toe sy steeds nie wil vat nie, ontdek Wayne dat iemand die hele *starter motor* gesteel het – sorgvuldig.

'n Ander keer was die battery papper as Gerrie Coetzee se kakebeen, nadat 'n hawelose in die kar geslaap en die radio aan vergeet het. (Ten minste het hy goeie smaak gehad, want die naald was steeds op Radio 2000.)

Ek was genadiglik nog nooit in 'n ernstige ongeluk nie, ondanks die keer toe Bloureier se petrolpedaal in die middestad afgeval het. Daar was ook 'n ander wit-pupil-oomblik toe haar remme my in Main Road in die steek gelaat en ek 'n Golden Arrow-bus op die boud gerraps het. Gelukkig het die busdrywer gedink dis baie snaaks en aangery.

Maar ondanks sulke terugslae, is daar baie te sê oor die voordele van met 'n Kewer ry. Dis byvoorbeeld die beste motor om 'n meisie in te soen (dit was jare gelede). Die sitplekke is knus en daar is g'n ongerieflike stukke plastiek in jou pad as jy oorleun nie. Jy kan jou been in 'n enkele beweging oorswaai passasierskant toe.

Geen ander kar gee jou soveel ruimte om die instrumentpaneel met snaakse snuisterye te versier nie: 'n verweerde "I love you"-hondjie, 'n klein opgestopte kangaroe, 'n sleutelhouer uit Korea, 'n gekerfde palmsaad uit Outjo, 'n stukkie Prestik vir noodgevalle, 'n haarknippie wat ek onder die sitplek gekry het, 'n vigsstrikkie . . .

En in daardie holtetjie agter die agtersitplek lê vergete items uit 'n vae verlede: 'n bottel water, 'n voorruitsonskerm wat nie pas nie, gereedskap vir wiel ruil, vuil karlappe wat eens 'n strandhanddoek was.

In my universiteitsjare het daar gewoonlik ook 'n paar bakstene agterin gelê. Ek het destyds gereeld 'n baksteen of twee op boupersele gegaps en vir my meisie present gegee. Sy moes dit solank bymekaarmaak vir wanneer ons eendag 'n huis bou. Helaas was daar teen die einde van dié episode nie eers genoeg stene vir 'n braaiplek nie.

Ja, Bloureier is ook 'n goeie plek om die *blues* te kry.

As jy in Bloureier ry, sit jy lekker diep in daai sitplek, so asof jy wag vir 'n vis om te byt. Boonop is daar nie kopstutte nie, so 'n wedersydse arm om die skouers op die lang pad is nie ongewoon nie.

En as jy saamry, word van jou verwag om hardop saam te sing met

Bob Marley, Bob Seger en watter ander Bobs ook al op Radio 2000 sing.

Radio 2000 is onlosmaaklik deel van my motor. Die Blaupunkt se kassetspeler het lankal ingegee, maar draai daai plastiekknop diékant toe, deur die statiese spoelsand, verby 'n snars gospel en Lotus FM se vreemde geloei . . . en skielik vang dit Radio 2000 klokhelder op, reg in die middel van die palms, waar dit hoort.

Geen kar voel so bevrydend én gevaarlik om te bestuur as 'n Kewer nie. Dit voel altyd asof jy op 'n mespunt balanseer tussen die vredige ewige en 'n aanloklike hel, al jagende met sitplekgordels wat wie weet wanneer laas getoets is en 'n lekkende petroltenk wat met enige verdwaalde sigaretstompie vir jou en die omringende hektaar direk Delvillebos toe kan pos.

Dis realiteitstelevisie vir mense wat nie 'n TV het nie.

Wanneer die dominee in die kerk praat van glo, dan bedoel hy op dieselfde manier wat 'n mens in 'n Beetle klim en *glo* dat jy jou bestemming gaan haal. Dis soos om jou kop in 'n krokodil se oop bek te druk en te glo die donderweer gaan nie skielik dreun nie.

Karwas is nie my sterk punt nie. Ek glo in die helende krag van water, dus parkeer ek Bloureier buite, wag dat dit winter word en kry dan 30 karwasse binne twee maande – meer as genoeg vir die lang, droë somer wat voorlê.

Dan en wan ruim ek die kajuit op. Een slag het ek genoeg grond en industriële kompos (bestaande uit Ghost Pops en motors se ekwivalent van naeltjiedons) onder die plekmatjie aan die bestuurderskant uitgegrawe – veral in daai vergete Tuli-blok diep agter die pedale – om 'n tamatieplant mooi mee groot te maak.

Ek't al drie keer my sleutels in Bloureier toegesluit, elke keer in 'n groot, openbare parkeerarea (anderdag op die Parade in Kaapstad, net voordat duisende stakende sekuriteitswagte daar verby is).

Dis nie so 'n groot krisis nie, want dis maklik om by 'n Kewer in te breek. Ek dwing die driehoekvenster aan die passasierskant effens oop, maak 'n lussie met my skoenveter en hengel dan tot ek die vensterknop haak. Dan maak ek die venster oop.

Niemand het my nog ooit probeer keer en gevra of dit my eie kar is waarby ek inbreek nie. Mense glo bloot dis joune. Dis dan 'n Beetle.

Onlangs kry ek 'n boek getiteld *Is Your Volkswagen a Sex Symbol?*

present. Dis geskryf deur 'n sielkundige uit die '70's met die naam Jean Rosenbaum. Sy foto pryk agterop, oorkruisgelekte kuif, pyp in die mond en daai sweempie-glimlag en skrefiesoë wat net een ding sê: kansvatter.

Maar dis 'n interessante boek wat onder andere ingaan op wat jou motor omtrent jou verklap. Soos dit nou maar eenmaal in sielkunde gaan, word Freud gou bygesleep.

Rosenbaum het egter 'n sagte plekkie vir Kewer-eienaars (hy't dalk self een gery). As jy 'n Volksie koop, sê hy, beteken dit dat jy ook 'n hele nuwe vriendekring kry: ander Kewer-eienaars.

Daarvan kan ek getuig. Kyk, jy sal nie sommer twee Toyota Prius-bestuurders hoor toet vir mekaar op die N1 nie, maar Kewer-eienaars toet. (Ek moes egter Bloureier se toeter onlangs ontkoppel, want dit het spontaan begin blêr, onvoorspelbaar en onophoudelik.) Beetle-mense wuif en wys vredestekens vir mekaar.

Volgens Rosenbaun is ons Kewer-eienaars "rasionele individualiste", wat geen "geheime drange koester om Cadillacs, Thunderbirds of Continentals" te besit nie.

Reg so, Dok, maar hoekom droom ek snags van 'n Mahindra Bolero en 'n Hyundai Tucson? Of is dit net omdat dit klink soos die name van eksotiese vroue?

Orraait, vergeet dit, ek gaan julle vertel wat dr. Rosenbaum skryf van afslaankapmotors. Dit bevredig glo die "onderbewuste hunkering" van 'n man wat "jaloers is op sy verwagtende vrou en haar vermoë om 'n baba in die wêreld te bring". Jaaa, Meneer. U bestuur 'n baarmoeder. Gek!

Ek veronderstel Rosenbaum het bloot die feit geïgnoreer dat g'n kar meer op 'n nege-maande-knobbel trek as 'n Kewer nie.

Nou ja, jy kan dus hergebore word deur 'n gebruikte (met ander woorde tiendehandse) Beetle te gaan koop, maar ongelukkig word geen nuwe Beetles meer vervaardig nie.

Ek praat natuurlik nie van die nuwe-geslag-Beetle nie, want 'n mens praat nie daaroor nie.

Die laaste regte Kewer is in 2003 in Pueblo, Mexiko, gebou met die jolige begeleiding van 'n *mariachi*-orkes wat 'n nommertjie genaamd "The King" gespeel het.

Eendag wanneer Bloureier haar laaste pluimpie uitblaas, haar hand-

rem laat sak en agteruit na die Volksiehemel wegrol, sal ek vir myself
'n bakkie koop.

Rosenbaum skryf niks oor bakkies nie, maar ek weet watter wense
'n bakkie bevredig: Mans se heel bewuste drang om koeie rond te kar-
wei en oor groot klippe te jaag, terwyl meisies toekyk en hande klap.

Van Kewers en engele

ALBERTUS VAN WYK

'n Mens beweeg op dun ys as jy sê 'n kar is soos 'n vrou. Maar dis nie teen die wet om dit te sê nie. En dit ís tog so: Ek bedoel, Angelina Jolie is duidelik 'n Lamborghini Gallardo. En Minki van der Westhuizen 'n Renault Clio Sport. Minnie Driver is koddig – en mooi – soos 'n Karman Ghia, en Helen Zille . . . uhm, wel, hoe klink 'n brandweerwa?

Met 'n vrou weet jy ook eers ná tien jaar of julle werklik vir mekaar bedoel was. Dan is dit nie net meer haar mooi voete, kuiltjies of die manier hoe sy lag wat jou bekoor nie. Dis ook die piepstem waarmee sy by troues gesange sing. Dis deel van die pakket waarvoor jy lief geraak het. Óf nie lief geraak het nie . . .

Met 'n kar werk dit presies dieselfde.

Teen die tyd dat ek al my besittings in ons modderbruin Volksie gepak en die pad Kaap toe, universiteit toe, gevat het, kon 'n mens die kar nie eens meer uitleen nie, só vol nukke was hy. Maar ek het dit gesien as óns nukke en ek het in liefde daarmee saamgeleef.

Soms, as die enjin warm gery was, kon jy die Volksie nie weer aan die gang kry nie. Dan het ek net 'n skoot koue water oor die petrolpomp gegooi en hy't gevat. *Altyd.*

Sy eerste en tweede rat het ook gereeld uitgespring – jy moes die rathefboom stewig met jou linkerhand vashou of onder jou linkerknie inhaak. Boonop het die deur aan die bestuurderskant sommer oopgevlieg as jy 'n draai na links gevat het (jy kon hom vang as jou reflekse vinnig was) en die toeter het soms sonder waarskuwing in die ry begin skreeu asof die Volksie die moeilikheid sien kom het.

Dit was alles hanteerbaar, behalwe as twee van dié goed gelyk gebeur het. Of drie. Of alles. Soos daai dag toe ek in Pretoria uit Burnett- in Parkstraat indraai. Dié hele ketting van gebeure is aan die gang gesit deur 'n Chesterfield (alle dienspligtiges het dit gerook) wat tussen my bene ingeval het.

Ek het dadelik die rathefboom gelos om die sigaret te probeer doodklap. Toe spring daai eerste rat uit.

Die kooltjie het soos vuur gebrand in my lies. Ek het myself opge-lig, maar nou was my kop skuins teen die dak gedruk en ek kon nie die pad sien nie. Daar was 'n meganiese getjank. Ek het besef dis om-dat ek op die petrolpedaal staan.

En net tóé swaai die deur oop en die toeter sit 'n tweede stem in.

Toe het ek besef ek verloor beheer. Ek het myself dadelik weer af-gedwing tot op die stoel (én die gloeiende sigaretkooltjie). Die hele siklus van vooraf . . .

Gelukkig het ek niks getref nie en uiteindelik die kar tot stilstand gebring langs 'n bushalte vol Girls High-meisies. Toe ek in die pad langs die kar staan en my boude klap, het ek vlugtig die chaos gesien wat ek agter my gesaai het. Maar daar was geen padwoede nie, net 'n gelag.

Dit was duidelik die Volksie het sy eie voltydse beskermengel ge-had.

Ek kon nie glo toe die Volkswagen Kewer slegs die vierde plek op die Motor van die Eeu-lysie haal nie. In my gedagtes was hy loshande eerste. Ek het in 'n Kewer grootgeword en leer bestuur en ek glo dit het van my 'n beter mens gemaak.

Die pous se Volla: Só het die Kewertjie van my pa, die dorp se do-minee, onder afvallige diakens bekend gestaan. "Tjips, steek weg daai *Scope*. Ek hoor die pous se Volla."

Hy't 'n onmiskenbare "wroem" gehad, anders as ander Kewers s'n. Dit was soos albastertjies wat op 'n teëlvloer bons.

Die Volla het by ons beland met 'n effense reputasie. My pa het hom op 'n veiling van Barclays Bank vir R1 500 gekoop. Dit was 'n bank-motor wat op die Grootvleipad van die pad af gedwing is. Die boos-wigte het die bak voor oopgebreek en met 'n onbekende bedrag kontant verkas. Beskadigde goedere: Die bank het hom net daar verkoop.

Hy was nie 'n pronkstuk nie. Die bakwerk het half skuins op die onderstel gehang, soos 'n pruik wat skeef gewaai het. Hy't ook dikwels 'n wieldop of twee gekort soos die goed afgevlieg het op die sinkplaat-grondpaaie waarop my pa gaan huisbesoek doen het. Boonop het hy op die dunste moontlike wieletjies gehardloop, meestal met versoolde bande.

My pa het sy karre gerý. Nie windgat nie, maar doelgerig. Hy het nie 'n koppelaar saggies gelos en rustig weggetrek nie. Hy't die *clutch gedrop* en die vet getráp dat die wieletjies tol as hy op gruis was.

Hy't letterlik elke vier of vyf jaar die Volksie se ou 1600-bokser-enjintjie sat gery en dan sommer 'n *reconditioned* een ingesit. Daarna was hy weer vir 150 000 km so goed soos nuut.

Die *reconditioned*-storie het só gewerk: Jy vat sowat R500 in jou beursie en laai jou ou Volksie-enjin in jou ander kar se bagasiebak, en dan gaan soek jy in Springs se wêreld 'n ingenieurswerke wat enjins ruil.

Dan vra Keith, met die Smokey-T-hemp, vir jou: "Yes, Sir, what can I do you for? Single port or double port?"

Ek weet vandag nog nie wat dit beteken nie, maar die *double port*-enjin, die een wat ons altyd gevat het, is glo effens vinniger en sterker.

En dan het my pa die enjin sommer self ingesit. Op 'n Vrydagaand tienuur sou jy die Volksie in ons garage sien met sy agterwêreld in die lug gehys, met my pa se twee blou oorpakbene wat uitsteek.

En dan sou jy hom soms deur sy tande hoor swets, soos 'n predikant swets as hy weet daar's dalk toevallig 'n broeder in die oprit: "Ag vadertjie tog . . ."

Dit was nie altyd net om 'n nuwe enjin in te sit dat die oue moes uit nie. 'n Kewer se enjin sit op só 'n manier dat dit moeilik is om aan te werk as jy dit nie uithaal nie. My pa het later só geoefen geraak dat hy die enjin binne 'n uur op die vloer kon hê. (My pel Henri van Wijk het een oggend vir my gesê: "Julle Volla het 'n *vee eight* – elke naweek kom die enjin 'wie uit'.")

My pa het in 'n maer jaar selfs sover gegaan om die enjin self "oor te doen". Toe hy uiteindelik ná 'n week se gespartel die spulletjie weer aanmekaargesit het, toe bly daar 'n hopie moere en boute en stafies en pakstukke in 'n olierige drom lê, wat hom nogal bekommer het. Maar oom Wicus, 'n diesel-*mechanic* op die dorp, het hom vinnig gerusgestel: "Nee wat, Dominee, dis maar hoe dit gaan. Hy sal ry."

En hy hét weer gery, 'n hele klompie jare.

Dis seker oor die Kewer 'n pastoriekar was dat hy 'n beskermengel gehad het. Ek het die engel die eerste keer in gr. 1 gesien. Ons was op 'n rokerige Hoëveldmiddag op pad huis toe, Heidelberg se kant toe, van Boksburg af.

Ek het agter in "die gat" gesit – die "bagasiebak" agter die agtersitplek. My boetie Peet en sussie Ria, wat nog nie eens op skool was nie, het op die agtersitplek gesit (sonder babastoeltjies of sitplekgordels – onthou, dit was 1978).

Die Volksie se verwarmer, wat jy met twee vliegtuig-*throttle*-hefboompies weerskante van die handrem tussen die voorsitplekke ooptrek, het ons almal half bedwelm gehad.

Dít en die hipnotiserende effek van Fonnie du Plooy se stem oor die radio: "Stellaland 27, Grens 15 . . ."

Maar ons was almal skielik wawyd wakker toe 'n helse slag die Volksie skuins gooi in die pad. My kop het die dak met 'n harde hou getref. Voordat die goue Cortina ons die tweede keer van agter af gestamp het, het ek die engel teen die grys lug gesien: Hy't effens soos die akteur Mickey Rourke gelyk, met ghriesmerke op sy vlerke en 'n T-hemp waarvan die moue afgesny is, en hy't my in die oë gekyk met so 'n skewe niks-om-oor-te-*worry*-glimlag en twee alles-reg-duime.

Ek het ontspan.

Die mens is gulsig. Hy wil altyd meer hê. Ek was 15 jaar oud en nie meer tevrede om sirkels met die Volksie op die kerkterrein te ry nie.

Dit was nie lank nie toe oorrompel die versoeking vir 'n vinnige enetjie om die blok my en ek glip met die Volksie by die hek agter die pompkamer uit – straat toe, vir 'n vinnige draai agter die skoolkoshuis om, verby die riooldam en terug.

Maar selfs dit het ná 'n ruk begin glans verloor. En so is die era van die *hand break turn* ingelui.

Dié eenvoudige motortoertjie is sekerlik nie wat Adolf Hitler en Ferdinand Porsche in gedagte gehad het toe hulle die "Auto für Jedermann" oor 'n pretzel en 'n paar lagers uitgedink het nie, maar die feit is dat die Kewer ideaal is om 'n "*broadie* te kap": Sy enjin sit mos agter, wat hom meer gewig gee om te "swaai".

Ek het net gemaak soos my tjommie Mike gesê het, en dit het gewerk. Jy laat wiel teen minstens 60 km/h op 'n gladde grondpad en dan, in een vloeiende beweging, *drop* jy die *clutch*, pluk die handrem so hoog as moontlik op en swaai die stuurwiel so twee keer in die rondte na regs.

Die handrem laat die agterwiele sleep en die hele kar swaai in die rondte, soos 'n fiets voor die fietsloods. As die neus in die rigting wys waaruit jy gekom het, moet jy die handrem weer laat sak, met 'n snelvloeiende beweging eerste rat kry, die koppelaar los en met tollende wiele vetgee in die rigting waarvandaan jy gekom het.

Dit vat nogal oefening om die beweging soepel te kry.

Tannie De Jager het dit ook daar uit haar sonkamer gesien waar sy met 'n grys kombersie oor die bene gesit het: "Ou Dier!" het sy kamer toe geroep na haar bedlêende wederhelfte, "ek beter vir Mevrou bel. Dominee het nou al vir die vierde keer baie skielik iets onthou!"

Die beskermengel was stil.

Hoekom het die Volksie van my 'n beter mens gemaak? Ek weet nie. Miskien omdat hy my geleer het om eenvoudige dinge te waardeer.

Vandag wens ek baiekeer die Volksie het nie onder my "heerskappy" tot sy einde gekom nie, maar hy het. Ek was ná 'n moeilike eksamen in 'n uitbundige bui op daai lekker lang afdraande van die Strandpad op pad see toe.

Ek het hom gedruk: 130 . . . 140 . . . 150 km/h! Die krukas kon dit nie vat nie en het middeldeur gebreek. 'n Vriend het my 'n paar dae later met 'n bakkie gesleep (die enjin het in stukke agterop gelê) na 'n ou Duitser in die Strand wat Volksies koop.

Ek het sy tjek vir R1 500 gevat. En het ek padgegee uit sy garage asof dit 'n lykshuis was.

1 studentemotor
en 5 papsak-Picasso's

JACO KIRSTEN

Daar is baie dinge waarvan ek nie seker is nie. Goed soos: Wát presies sien Minki in Graeme Smith? Dan is daar die skrumreëls. Of liewer, hoekom sukkel internasionale stutte so om dit te snap?

Aan die ander kant is ek darem van 'n paar dinge seker. Ek weet dat as jy nou 'n paar vuil sokkies in die wasmasjien gooi, dan is een van daardie sokkies 'n uur of twee later skoonveld. En ek weet ook dat wanneer ons nasate oor 'n paar eeue met argeologiese opgrawings doenig gaan raak, hulle 'n paar interessante ontdekkings gaan maak.

Dit gaan vir hulle voor die hand liggend wees dat die 20ste en 21ste eeu die goue era van die motor was. En nes met fossiele en ou ruïnes in Rome en Athene, gaan hulle kopkrap oor wat waar inpas.

En daar is veral een verskynsel wat hulle gaan uitboul: *Automobilius universitatis* – die goeie ou studentemotor. Want hoe is dit moontlik, sal hulle wonder, dat daar in 'n wêreld van vooruitgang en relatiewe welvaart sulke nederige rygoed kon bestaan?

Die argeoloë gaan kopkrap oor die feit dat die mensdom in 1969 al op die maan geland het, maar dat studentemotors van twintig jaar later – my eerste jaar op universiteit – tegnologies uit die Steentyd-perk gekom het.

My studentemotor was enig in sy soort. Ja, dit was 'n 1974-Ford Cortina-stasiewa met 'n 2.5 liter-V6-enjin. 'n Sogenaamde Big Six. Skeloranje met 'n bruin *vinyl top*. Bekend as die Batmobile.

Dit was ook nie lank nie, toe plak ek die Cortina vol blomme. Bloues, geles en 'n handgemaakte waarskuwing op die petrolflap wat lui "Jet A1" oftewel vliegtuigbrandstof.

Só gebeur dit toe dat ons in 1990 opruk na die Houtstok-musiek-fees naby Pretoria. Een van die hoogtepunte vir my was die mat-swart Kombi waarop in groen neonletters verklaar is: "Gee pad voor, hier kom G-kol Gert!" Dan was daar die stof. Enigiemand wat daar was, sal vir jou kan vertel hoe stowwerig dit daar was en dat ons dit sommer gou herdoop het na "Houtstof".

Die blomme op my motor moes redelik verlep geraak het onder die dik laag stof, wat seker verklaar hoekom ek later die aand ontdek het dat iemand elke blom natgepiepie het. In die gees van die oomblik het ek gedink dis erg snaaks.

Later het ek my pa na sy bloeddrukpille laat gryp toe ek die Cortina se enjinkap, kante en wieldoppe met Ndebele-kuns versier het. Maar wat saak gemaak het, was dat die motor skielik nogal opvallend was. Toe 'n blondine kort daarna my ryding komplimenteer en my aanbod vir 'n rygeleentheid aanvaar, het ek gewéét dit was die regte keuse.

Studente kan improviseer. Toe ek besluit het die Batmobile kort 'n radio vir ons intervarsity-opruk na Bloemfontein, was dit Klaas Kruger wat op kort kennisgewing vorendag gekom het met 'n Sanyo Rally II. Ons het die radio een Saterdagmiddag oor 'n paar biere ingebou in die parkeerterrein agter die koshuis.

Klaas het die eerste die beste kragdraad wat hy gesien het, geknip om krag vir die radio te voorsien. Eers 'n paar maande later, toe die reënseisoen aanbreek, het ek besef dat hy die kragtoevoer na die ruit-veërs geknip het.

Ek was op pad huistoe, toe die onweerswolke begin saamtrek. Ek het besluit om van Potch via Parys na Bloem te ry om die reën te om-seil. Verniet. Die laaste 20 km moes ek met my kop by die venster uit bestuur. In Parys het ons by 'n garage gestop en inderhaas Wynn's C-Thru op die ruite gesmeer. Ongelooflike goed. Dit laat die druppels letterlik soos water van 'n eend se rug af loop. En hoe vinniger jy ry, hoe beter werk die goed! Ek weet nie wat die mense gedink het van die oranje Cortina-stasiewa wat teen 120 km/h sonder werkende ruit-veërs in gietende reën verby hulle op die N1 is nie.

Om op Potch te studeer, was nogal anders as op plekke soos Stellenbosch en Pretoria. My eerste jaar, in 1989, was die eerste keer dat ons toegelaat is om op kampus te dans. Vandaar die grappie van die verloofde studentepaartjie wat vir die Dopperdominee gevra het of seks voor die huwelik dan so 'n erge sonde is as hulle in elk geval binnekort gaan trou. Waarop die dominee verklaar het dat daar wel "grys gebiede" in die Skrif is, maar dat hy hulle beslis kan verseker dat seks in die staande posisie sonde is, "want dit kan lei tot dans".

Ons was daai dae in 'n groot mate verbied om die lekker dinge te doen. En die bietjie wat ons toegelaat is, mag jy nie geniet het nie.

Dus was ons almal sondaars en was daar 'n broederlike en susterlike kohesie van die Vervloektes. Want op 'n paradoksale manier, wanneer *alles* sonde is (selfs swem op Sondae), word níks uiteindelik sonde nie.

Op Potch was daar, behalwe rokjag, vleisbraai en rugbykyk, nie veel anders om te doen nie. Vir afwisseling het ons dié dinge soms by 'n alternatiewe bestemming soos die Potch-dam gaan doen.

Ons het een Saterdagmiddag weer by "Die Dam" gebraai en kuier om iemand se verjaarsdag te vier. Ene Derek, die verjaarsdagman, besluit toe sy ouerige, bruin Mazda kort 'n *custom paint job*.

Dis belangrik om te noem dat sy pa vir die kar betaal het, maar nog belangriker om te boekstaaf dat Derek ons in daardie gevorderde stadium van die middag verseker het sy pa "sal nie glad omgee nie". Wie was ons dan om te stry?

Ook nie lank nie, toe kom iemand te voorskyn met 'n paar blikkies spuitverf, twee skakerings van groen, 'n ligte bruin en swart. As kamoefleerpatrone daai tyd al hoogmode was soos nou, het die storie dalk 'n gelukkige einde gehad, wie weet?

Derek het bier-in-die-hand elkeen 'n blikkie spuitverf in die hand gestop en ons aangemoedig om "mooi patrone" op sy Mazda te spuit. Ek weet nie hoeveel lesers al die modernis Jackson ("Jack the Dripper") Pollock se skilderye gesien het en wie bekend is met Calder se *mobile art* nie, maar hier had ons 'n kombinasie van dié twee: mobiele modernisme.

En dít nogal op die walle van die Mooirivier, tussen papsakke en halwe bottels Diplomat-brandewyn – geskep deur gewone ouens met name soos Ockie, Jannie, Koos, Thinus, Manus en Coert. (Laasgenoemde is die kleinseun van die bekende beeldhouer Coert Steynberg, maar het daai middag met sy handewerk enige aanspraak op sy oupa se gene verbeur.)

Afgesien van my en Coert wat kuns tot in matriek gehad het, was die res 'n klomp kulturele filistyne, maar dit was amper aandoenlik om te sien hoe manne uit plekke soos Carletonville, Fochville, Stilfontein en Orkney tussen teue brandewyn-en-Coke gewroeg het oor dinge soos balans, komposisie, kleur en tekstuur. Tussendeur het hulle begrippe soos "kief", "lekker", "kwaai" en "bevange" rondgegooi om hulle vordering te beskryf.

"Gewroeg" is egter 'n heeltemal ontoereikende begrip vir wat Derek die volgende oggend gekonfronteer het toe hy sy versierde Mazda aanskou het. Wat die vorige middag so uniek en skeppend gelyk het langs die Potch-dam, het hom nou gekonfronteer soos 'n vreemde vrou langs wie iemand een oggend wakker word – een wat báie minder aantreklik is as die een met wie hy die vorige aand huis toe is ná te veel rooi wyn.

Toe ons weer vir Derek gewaar, was hy aan't ry in die einste Mazda met sy kop laer in die motor as die bestuurder van 'n Opel Superboss in Athlone. Hy't later half verleë, half ondeund oor 'n bier laat deurskemer dat sy pa hom "wil doodbliksem".

Gaan kyk 'n bietjie by die kampusse van vandag. Wat sien jy? Nuwe motors. Duur, blinkes. Waar's die Vollas? Die Datsun 1400-bakkies? Die Cortinas? Die stokou Golfies? En wat het jy oor om na uit te sien as jy op 20 jaar reeds 'n splinternuwe motor ry?

Ja, daar was destyds nie selfone nie. Ook nie Sony Playstations of die internet nie – net so 'n geheimsinnige rekenaarnetwerk op kampus wat bekend gestaan het as Puknet en wat, wat ons betref, direk by die Illuminati se hoofkantoor ingeprop was.

Maar ons het geweet wat 'n studentemotor is. Ons het self die olie vervang. Vonkproppe omgeruil. Ons het geken van goedkoop, versoolde bande by Checkers.

Hier's nog 'n ding waarvan ek nie seker is nie: Ek wonder of die komende geslagte ooit sal weet dat Holt's Gun Gum en 'n Cokeblikkie en bloudraad nét die ding is om 'n gat in 'n knaldemper mee ore aan te sit?

Ons eie klein grensoorlog

TOAST COETZER

My vriend Erns was agter die stuur toe ons anderkant Mount Frere regs draai Rhodes toe. Dit was nie ons eerste stuk grondpad van die dag nie, en Erns is 'n heel gangbare Serge Damseaux, ondanks die gebons van sy pupille.

Vroeër het 'n avontuurlustige regsdraai by Swartberg ons op een van daardie seldsame grondpaaie uitgespoeg: Ons padgenote was een boer in 'n bakkie, 'n paar jakkalsvoëls en baie rustigheid, soos net hierdie hooglande in die middel van die winter rustig kan wees. 'n Eensnaarkitaar-pad, en ons was die vinger wat die noot hou.

Daar was dus geen twyfel by ons dat hierdie nuwe grondpad waarop ons nou Rhodes toe gery het, dieselfde sou wees nie. In my rol as navigator Vito Bonafede, het ek bereken dat ons nog sowat 100 km oor het Rhodes toe, waar ek geweet het 'n kaggel, goed verniste kroegtoonbank en warm bed op ons wag by die Walkerbout Inn.

Ek het nog altyd van Barkly-Oos se kant af Rhodes toe gery, dus was hierdie roete oor Onder-Pitseng en Naudésnek 'n nuutjie vir my. Ek het geweet Naudésnek het 'n reputasie – dis die tweede hoogste pas in die land en dus nie sommer 'n hierjy-Polly Shorts nie.

Ons het 'n paar keer stilgehou vir foto's, met die naamlose sandsteenkranse wat bo ons uittoring in geel en bruin, mense wat plek-plek beeste kraal toe gejaag en kleurryke wasgoed aan't droogword oor doringdraad, die hutte versprei oor heuwels soos verloopte strooihoede.

Ja, vreedsaam. Ons het van oor tot oor geglimlag, die room gesteel.

Toe bereik ons 'n bord wat sê: "Pad gesluit behalwe vir 4x4's". Simpel, het ons gedink, die pad makeer dan niks. Trouens, dit was nie eens as 'n pas op ons kaart gemerk nie. Daar was net 'n bietjie modder. Ons ry toe maar om die bord.

Het ek al genoem dat ons 'n Nissan 1400-bakkie gery het? Ons het. Die kampioen van Afrika, voorwaar.

Onder-Pitseng het na die soort plek geklink waar mens ingelegde perskes by 'n padstal sou kon koop, maar toe ons daar kom, was daar net 'n polisiestasie agter 'n hoë heining, 'n skool en 'n man op 'n trekker. Ons het gewuif en verbygery.

Die pad het vinnig slegter geword. Erns se oë het begin bewe soos 'n spieëlkarp s'n in soutwater. Hy het begin sweet en daai suig-klapgeluid met sy tong begin maak. Dit beteken net een ding: Erns is senuagtig, het van plan verander en is op die punt om jou hiervan te vertel – maar hy gaan dit as 'n eenvoudige voorstel versluier.

Ek't geweet wat kom.

"Wat dink jy?" het hy begin, tong wat suig-klap, sweet wat pêrel. "Sal ons terugdraai?"

Die voorstel, vermom as 'n vraag, het ongemaklik tussen ons gelê, soos 'n skoen waarmee iemand in 'n hondebol getrap het.

"Nee," het ek gesê. "Dalk raak die pad beter. Maar laat ek bestuur."

En so het ek Serge die bestuurder geword en hy Vito die navigator. Ek't versigtig bestuur oor die los klippe, die bakkie wydsbeen gebalanseer oor die diep slote. Nie 'n skrapie nie.

Ná 'n ruk het ons 'n plato'tjie bereik. Ons het stilgehou en die uitsig bewonder. Onder in die vallei waaruit ons geklim het, het die skaduwees al diep begin lê. Oorkant het die vlamme van 'n sandsteentandberg soos die rugpantser van 'n oerdier in die ligpers lug ingesteek.

Van iewers het 'n diep, hinkende koor ons ore bereik. Die volgende oomblik het ons hulle sien verbyvlieg: mahem-kraanvoëls! Twintig, dertig van hulle. Ons het net stilgestaan en gekyk en geluister.

Ja, ons het die regte besluit geneem om verby daardie waarskuwingsbord te ry. Hierdie was heilig. Omdraaiers sien nie mahemkraanvoëls nie. Omdraaiers sit agter diesellorries vasgekeer op voos geryde stukke teerpad.

Hierna het die pad nog slegter geword. Plek-plek moes ek vir Erns vra om uit te klim sodat hy klippe in van die diep slote kon pak, sekerlik nie iets waarmee Serge ooit vir Vito tydens 'n Barberspan 500 opgesaal het nie. Maar ons moes, want die pad het nou 'n nuwe dimensie aangeneem: die diep trôe en rûe van 'n donga. Erns moes klippe pak en ek het die Nissan sentimeter vir sentimeter gemaneuvreer, soos *Pick-Up Sticks*.

Die pad was regtig skokkend. Slote, kaal rotsbanke en los rotse was al wat dit was.

Ons het nou na Rodriguez se "Cold Fact" op die bakkie se kasset-speler geluister, wat kalmerend was (behalwe die feit dat die gezonkte blues van "Sugarman" my altyd aan die grensoorlog laat dink, en ek was nie eens in die *army* nie).

Teen sewe-uur was dit stikdonker en die pad nog niks beter nie. Ons was nie meer bloot twee mans op pad na 'n bestemming nie. Nee, ons was nou twee mans wat die juk moes dra van ons eie hardkoppig-heid. Dit het soos swaar kleuters op ons skouers gesit.

'n Nissan 1400 is gebou vir baie dinge, maar nie vir paaie soos dié nie. Snoekverkopers, ja, hulle ry 1400's, met die agterste flap afgeslaan en roepend deur jou buurt. Studente op pad intervarsity toe, ja, hulle ry 1400's met 'n vrag vol bier en meisies.

Die Pitseng-pas? Eerder nie.

Maar ons het nou 'n missie gehad, 'n klinkklare doelwit. Ons was so naby Lesotho dat dit soos ons eie klein grensoorlog begin voel het.

Rhodes was die mikpunt. In ons kop het dit 'n vaste vorm gehad – dié van 'n warm bed, en dit het geruik na 'n lekker maaltyd en honde wat warmgebak voor die kaggel lê.

Ons was nou al so lank op die pas dat ons vermoed het dat ons reeds op Naudésnek was. Dit maak mos sin: Dis veronderstel om 'n tawwe pas te wees en ons was besig om swaar te kry.

Skielik het daar ligte voor in die pad verskyn. Nog mense! Ek't van die pad probeer trek so ver as wat dit moontlik was, want dit was een van daardie groot Mercedes-trokke, hoog op die as, 'n regte bergtrok.

Ek't nonchalant by die bakkie se venster uitgeleun asof ek die man in die trok iewers in die hoofstraat van 'n klein dorpie wou stop om te vra hoe sy dorpers vanjaar lam.

Die trok was soveel hoër as ons 1400 dat hy vir my soos 'n Romeinse keiser op een van daardie draagbare trone gelyk het. Die man het iets in Sesotho geswets, toe oorgeslaan na Engels. "What are you doing on this road? It's really bad!"

"Yes . . ." was egter al wat ek kon uitstotter terwyl ek in die rigting waarvandaan hy gekom het, getuur het asof daar dalk 'n antwoord sou lê.

"But it gets better not far from here," het hy gesê: "Where are you going?"

"Rhodes."

"Tshweeet," het hy deur sy tande gefluit: "It's still very far, maybe another 50 km."

Dis nie wat Erns wou hoor nie. Hy het die bottel Old Brown Sherry, wat ons op Mount Fletcher gekoop het, oopgeskroef met die seepgladde geluid van 'n Sako-jaggeweer wat 'n leë doppie uit die koeëlkamer ruk.

Die trok het voortgerammel en om 'n draai verdwyn. Ons was weer alleen. Die lorriedrywer was reg. Die pad hét begin beter raak.

Mettertyd het ons 'n vurk in die pad bereik – links Maclear toe en regs Rhodes toe.

Dit blyk ons het nog nie eens Naudésnek begín klim nie . . .

Ons moes steeds stadig ry, want dis mos maar 'n steil fyndraai-pas. Tog het ons die bo-punt bereik sonder dat Erns verdere padverbouings hoef te moes doen.

Dit was vrek koud, want 'n fout in die Nissan se kajuitontwerp het veroorsaak dat die een venster nie kon opdraai nie (die fout was eintlik by Erns – hy moes dit laat regmaak voordat ons die pad gevat het, maar dit daar gelaat).

Toe ons uiteindelik bo in die nek uitklim om 'n foto te neem by die bordjie waarop die hoogte bo seespieël staan, het ons volksgene 'n paar Racheltjie de Beer-oomblikke oor ons breine laat spoel.

Dit was vloekwoordkoud.

Dit was 'n oop, maanlose nag, en die sterre iets bonatuurliks, maar die wind het deur die nek gewaai asof dit die hele Oos-Kaap se wind was en hierdie die enigste oop deur.

Daar bestaan net een foto van ons verowering van die berg: 'n baie onvleiende een van Erns voor die bord, bottel OBS vasgeklem in een hand, 'n maniese glimlag op sy gesig, so al asof aspris pikkewyne hom in 'n sneeustorm kielie.

Ons het verder gery. Ons sin vir humeur was plek-plek maar diep in die rooi. Ons het probeer dink wat ons sou doen as ons kar hier sou breek. Ons het min kos by ons gehad, net 'n bietjie Mexican Chillitjips en 'n pakkie gemmerkoekies wat ons twee dae vantevore by die petrolstasie op Verulam gekoop het.

Ná wat soos 'n week gevoel het, het ons ligte in die verte gesien. Dorpsligte dié keer. Net voor tien die aand het ons Rhodes binnegery. Die tog van 100 km het ons toe byna ses uur geneem om af te lê.

Dave Walker was nog wakker by die Walkerbout Inn. Ons het selfs 'n ete gekry. Later het ons 'n sinlose sokkerwedstryd op televisie gekyk en toe omgekap en gaan slaap. Goed geslaap.

Ek het anderdag weer by Pitseng-pas saam met my ma afgery. Hulle het intussen die pad reggemaak en dit het ons skaars 'n kwartier geneem voor ons onder in die vallei uitgekom het by Onder-Pitseng.

Ja-nee, hulle neuk altyd die lekker goed op . . .

Ek stoot aan,
van punt A na punt B

TOAST COETZER

Ek is op pad tussen Twee Rivieren in die Kalahari na Douglas in die
die Noord-Kaap, oor Upington en Griekwastad. 'n Mens ry nie aldag
dié pad nie, maar ek is 'n joernalis "tussen stories", amper soos 'n
dokter tussen mangeloperasies.

So 'n stuk pad is net ver genoeg dat 'n mens soms haastig wil raak.
Jy kan nie te veel stop en geselsies aanknoop langs die pad nie. Daar's
werk om te doen by punt B.

Dis moeilik om voor drieuur die middag te skat hoe laat jy by jou
bestemming gaan aankom. Voor sononder? Of wanneer die petrolsta-
sie se neon al begin kleure bloei? Jy stoot dus aan en gereeld flits 'n
toneel verby wat dalk interessant kan wees. Omdat jy 'n reisskrywer
is, wonder jy: Moes ek by daai man op die fiets in die middel van nê-
rens gestop het? Watse stories sou hy vertel?

Jou bestemming is egter ook nie ver genoeg om halfpad oor te slaap
nie. Jy talm dus iewers tussen voet in die hoek en arm by die venster
uit.

Die pad tussen Twee Rivieren en Upington, die R360, is lank, reguit
en vervelig. Ek sien daai man op die fiets. Wirts . . . verby. Dan verskyn
die volmaakte versamelvoëlnes op die volmaakte telefoonpaal. Ek soek
al twee weke lank na die volmaakte versamelvoëlnes vir 'n foto.

Maar ek stop nie. Wirts . . . verby. 'n Mens dink mos altyd jy gaan
een sien wat nog meer volmaak is. En dan kom dit glad nie.

Waar 'n grondpad by die R360 se teer aansluit, staan 'n groot lor-
rie langs 'n soutpan. Die bestuurder stap om die vragmotor, toets die
wiele deur met 'n *spanner* op hulle te slaan. Dit lyk asof hy besig is met
'n oeroue ritueel, asof hy die dorheid rondom hom oproep vir seën-
wense vir die pad wat voorlê.

Een ding kan 'n mens beslis van die R360 sê: Dis gebou vir spoed.
Motorvervaardigers kom toets soms hulle nuwe karre hier. Daar is bor-
de langs die pad wat waarsku dat slegs gemagtigde voertuie 260 km/h
hier mag ry. Kort-kort kyk ek in die truspieëltjie of ek nie 'n wafferse

Sarel van der Merwe sien aankom nie. Ek sal hom seker nie eens sien kom of gaan nie, my CD-speler sal net 'n bietjie spring.

Ek kyk hoe die pad 'n dun lyn deur die landskap trek. Ek ry in die middel van die boek en na links en regs lê die ongeleesde bladsye van die kaart dik en oneindig. Ek sien net die pad, dit lei my aan die neus.

Naby Upington sien ek 'n samedromming van mense en motors regs van die pad. Gewoonlik sal ek gaan kyk, maar die bordjie sê sommer vir my wat daar aangaan: Dis die plaaslike radiobeheerde vliegtuigklub. Ek ry aan. Dalk volgende keer.

Net buite die dorp sny die pad die N10 by 'n stopteken. Ek't 900 km laas 'n stopteken gesien (ek was verlede week in die Kgalagadi) en ek stop dus om 'n foto te neem. Dis 'n nuwerige stopteken, maar daar's reeds iets op geskribbel. Die boodskappie is duidelik leesbaar: "PaPa – Ewa van die dorp was hier. Son op. Hy kom weer."

Sjoe. Ek wonder of PaPa toe ooit hierdie stopteken-SMS ontvang het?

Kruispaaie soos hierdie een net buite 'n dorp is dikwels belangrike ontmoetplekke. Mense praat sommer van "die *cross*", soos in: "Ek sien jou by die *cross*. Vyfuur." Dis gewoonlik boere wat hulle werkers by die *cross* in die oggend aflaai. Dan gaan doen die boer sy sake en die werkers hulle sake en dan, teen vyfuur, kry hulle mekaar weer by die *cross*.

Oorkant die *cross* stop daar nou juis 'n motor, 'n gele. Die insittendes klim uit en beset die piekniektafeltjie met plastieksakke in die hand. Ek stap soontoe. Dis die Van Wyks van Karasburg in Namibië. Valerie en Ricko, al twee onderwysers, en Jonathan (5) en Candice (9). Lionel Nantes van Windhoek is saam met hulle.

Hulle was pas die eerste keer in hulle lewe op Upington. Hulle het al baie van dié dorp by hulle vriende gehoor en wou self ook kom kyk hoe dit lyk. Gistermiddag het hulle by Die Eiland-oord gaan braai, want dis wat besoekers doen wanneer hulle op Upington kuier.

Hulle het Kentucky gekoop. Twisters, Chicky Kiddies' Meals, hoendervlerkies, blikkies Fanta en 'n tweeliter-Coke staan die tafel vol. Hulle het genoeg hoender gekoop sodat ouma vanaand ook haar deel op Karasburg kan kry.

Hulle gesels oor John Travolta terwyl ek foto's neem en dan is dit tyd om te groet. Vir hulle lê die grenspos by Nakop nog 126 km ver.

Die Kentucky het my smaakkliere se ketting getrek en ek ry Upington binne op soek na die Kolonel se rooi-en-wit gebou. Ek spoor dit maklik op, maar nes ek instap, word die glasdeur in my gesig toegemaak. Die krag is af, verduidelik die vrou. Dankie, Eskom.

Effens morrig stoot ek aan, al met die N10 langs, met die Oranjerivier links van my. Dalk het Groblershoop 'n lekker restaurant. Ga! Toe nie. Die restaurant is toe en ek stap maar by die kafee in. Gospel weergalm moedig deur die warm rakke.

Ek bestel 'n worsrol en die vrou agter die toonbank stap mikrogolf toe om dit aan die lewe te skok. Wanneer sy dit uithaal, laat val sy dit op die vloer. Dis oukei sê ek, vat my worsrol en ry uit Groblershoop uit.

Nou's ek op die R64, ooswaarts op pad na Griekwastad. Dit moet een van ons mooiste paaie wees. As jy nie hierdie wêreld ken nie, sou jy raai dat dit seker droog en plat moet wees. Onaansienlik. Maar dit is glad nie.

Daar is mooi, growwe berge en die plante hier lyk of hulle net wag vir reën om groen te word. Ek ry lekker, dis asof die stuurwiel homself beheer. Ek slaap wakker, gehipnotiseer deur die wit stippels op die swart pad.

Iewers trek ek af om my worsrol te eet. Worsrolle kom die wêreld met min aspirasies binne en verlaat dit met nóg minder. Dit laat net sooibrand agter soos dit die atmosfeer uit beur.

'n Bakkie stop ook by die aftrekplek. Twee mans met 'n bakkie vol plante. Iewers oos hiervandaan plant iemand aan. Iewers wes hiervandaan is 'n kwekery-eienaar wat hierdie naweek maar kan gaan Kentucky eet.

Van Griekwastad onthou ek net mooi niks. Ek kan myself die plek nie eens verbeel nie. Ek sal weer daardeur moet ry. Nou nader ek Campbell en langs die pad staan 'n ryloper. Daar is altyd 'n oomblik wanneer 'n ryloper – lopende in die rigting van sy of haar bestemming – omdraai om te sien watse soort motor aan die kom is.

Dikwels, wanneer die ryloper sien dat dit 'n groot veldwa of 'n ander luukse motor is, laat val hy of sy die rylopende duim net daar. Mense wat duur karre ry, laai nie rylopers op nie. Hulle is bang dat die ryloper hulle met 'n mes sal steek of 'n ghrieskol op die leersitplek agterlaat. Mense in minibusse, vragmotors, bakkies en ou, verroeste Opel Rekords laai rylopers op.

Ek is in 'n groot veldwa en Jan Rooibaadjie laat val toe presies net so sy duim, asof dit 'n appelstronk is waarin hy glad nie meer belang stel nie.

Maar ek stop, trek van die pad af en Jan draf nader. Hy vertel my hy's 'n draadmaker en dat hy besig is om wildheinings op te sit. Oral langs hierdie pad is wildsplase. Soos die kleiner boere verdwyn, word die plase opgekoop en saamgehekel in uitgestrekte wildsplase.

Eendag sal ons almal op wildsplase woon, met selfoontorings en KFC-takke tussenin.

Daar's nie veel op Campbell nie – beslis nie 'n KFC nie. Daar's 'n winkel, 'n polisievrou in die pad en dan draai ons links in die buurt in waar Jan woon. Hy bly by Leeubekkiestraat 13. Jan gaan soek sy vrou, maar hy kom lewer verslag dat sy Kimberley toe is en hom "ge-*dodge*" het.

Sy een dogter, Elise (7) is tuis, asook haar vriende Fransina (7) en Frans (6) Koleberg. Dis eers nou, maande later, dat ek dink aan hoeveel tradisie in daai twee name vasgevang is: Fransina en Frans.

Dikwels verwag iemand dat sy naam in die volgende generasie verewig moet word. Dis gewoonlik 'n man en baiekeer 'n oupa (daar is meer meisietjies genaamd Fransina in die wêreld as wat daar, soos in Johnny Cash se liedjie, seuntjies met die naam Sue is).

In hierdie geval was dit iemand genaamd Frans. Maar toe's die eersgeborene 'n meisie en sy word toe noodwendig Fransina. Min sou hulle weet dat die seuntjie kort op haar hakke sou wees.

Die ander mense in die huis is Ursula Malgas en Annelie Maarman en haar baba, Ronaldinho (twee maande). Ja, Ronaldinho, soos die Brasiliaanse sokkerster. *Coach* Santana, as jy 'n doelskieter soek vir Bafana Bafana – hy's op Campbell in die Noord-Kaap.

Hulle hondjie, 'n *pavement special* genaamd Pick 'n Pay, is opgewonde verby. Ek gee die kinders 'n pak appels en skud blad.

Van Campbell af is ek op die grondpad, die R385, vir die laaste 27 km. Ek haal die dorp voor donker en stop by die brug oor die Vaalrivier. Die water is bruin en die riete is groen, nes jy sou kon verbeel. Die swaeltjies twiet-twiet onder die brug uit teen die grys lug in. Daar is 'n kouefront op pad.

Ek wonder of ouma Van Wyk al haar KFC op Karasburg gekry het.

Ek is by punt B.

Langs die pad

Die petroljoggies in ons lewe

DANA SNYMAN

Ek wonder hoeveel petroljoggies help jou oor die jare heen by vulstasies. Dit moet honderde wees, of dalk duisend – selfs meer. Enkeles se name ken en onthou jy, maar die meeste is vir jou naamloos, nes jy vir hulle is.

Om petrol in te gooi is net so 'n noodsaaklike ritueel as om tande te borsel, hare te kam en bloeddrukpille te sluk. Dikwels hou jy net by die pomp stil, groet, en sê goed soos: "Maak vol, 'seblief, my bra." Of: "*Check* die *tyres*, Babba." Of: "Ek soek net *one pint oil*, Oupa."

Ander kere maak julle allerhande praatjies: Oor die weer en nog 'n Bafana Bafana-nederlaag en vandag se stoute kinders – soms selfs oor die politiek.

Ek het nou die dag gehoor hoe sê 'n ou vir 'n petroljoggie: "Jy moet vir Mbeki sê die petrol is te duur, hoor." Asof die petroljoggie gereeld met pres. Thabo Mbeki gesels.

Baie ouens toets ook hulle verroeste Zoeloe, Xhosa of Fanagalo op petroljoggies. Let maar op.

My pa is een van hulle. Hy gesels altyd te lekker met die joggies in sy lendelam Zoeloe.

My pa, en baie ooms nes hy, sal selfs soms in 'n ernstige gesprek 'n petroljoggie aanhaal ter stawing van 'n mening. Hy sal iets sê soos: "Ek praat nou die dag met John by die garage. Hy sê hulle in die townships is net so moeg vir die misdaad as ons." Petroljoggies is ook die skakel tussen twee leefwêrelde, ja.

Soms vervies 'n mens jou ook vir 'n petroljoggie – veral as jy haastig is en een staan en vryf en vryf, vryf, vryf en vryf met 'n lap aan die oorblyfsels van 'n dooie muggie hier op die hoek van jou kar se voorruit.

Dis 'n veralgemeing, ek weet, maar ek glo jy kan petroljoggies rofweg in vier groepe verdeel. (Ek praat hoofsaaklik van die manne, want met die vroue het ek nog te min te doen gehad.)

Eerstens is daar jonges, die leerlinge. Hulle is gewoonlik tussen die motor, die pomp en die betaalplek aan 't drawwe, met blinkgeswete gesigte, want om die een of ander rede is 'n trui mos selfs in die somer 'n verpligte deel van die uniform van die meeste petroljoggies in hierdie land.

Maar soms is dit 'n geval van hoe harder 'n mens probeer, hoe meer loop dinge skeef. Daarom is dit gewoonlik een van hierdie jonges wat in 'n oomblik van intense konsentrasie jou tenk laat oorloop, jou ruit met 'n olielap afvee of selfs diesel in jou petrolinspuiting-Jetta tap, en daarna aanhoudend sê: "I'm so-so sorry. Eish. Eish . . ."

Dan kry jy ook die Fielies Mazabuku's – die grapmakers. Hulle is altyd die ene vrolikheid en praatjies.

Fielies, wat by die Engen-diensstasie naby my huis werk, het op 'n plaas in die Bosveld grootgeword en praat suiwer Skoolafrikaans. Hy vermaak my graag met allerhande uitdrukkings. "Betaal is die wet van Transvaal," sal hy sê wanneer hy die geld vat.

Soms onthou hy gesegdes verkeerd. Anderdag, nadat ek hom betaal het, toe sê hy: "Dis vir my 'n riem onder die belt, *Chiefie*."

En dan kry jy die stil, ervare joggie. Dit lyk of jarre diens hom al sinies gemaak het. Hy is die John Wayne van die vulstasie. Hy sal daar op 'n omgekeerde koeldrankkissie sit wanneer jy by die pomp stilhou, maar hy sal nie opstaan nie. Hy sal eers klaarmaak met die Lottokaartjie waarmee hy besig is en dan orent kom, tydsaam.

Hy sal nie die voorgeskrewe trui dra nie en ook nie jou ruit skoonmaak tensy jy daarvoor vra nie. Vra jy hom hoe lyk jou bande, sê hy meestal: "Hulle's *sharp*."

Laastens is daar die waardige ou manne, wat 'n petroljoggie laat lyk na die edel beroep wat dit eintlik is.

John Mabane by die Shell op Ventersdorp, die dorp waar my ouerhuis is, is so een. Hy is al grys by die slape en op sy borskas. Langs sy Shell-naamplaatjie skitter altyd die wapentjie van die Sionistiese kerk.

Ons ken mekaar al jarre, ek en uncle John. Ek onthou die eerste paar kere dat hy vir my petrol ingegooi het, het hy my "baas" genoem. Ek het vir hom gesê hy moet my nie só noem nie.

Petroljoggies het ons oë ook vir ander dinge help oopmaak.

By party vulstasies in Gauteng en in die Kaap gaan dit glo een van die dae soos in Europa en Amerika werk: Jy gaan self jou petrol intap en dan oorstap om by die kassier te betaal.

Ek hoop dis 'n valse gerug. Dink net: Jy hou by 'n garage stil en niemand kom na jou toe nie. Daardie kantoortjie waar die petroljoggies altyd saamdrom, is gesluit.

Hulle lyk mos almal min of meer dieselfde aan die binnekant, daardie kantoortjies. Teen die muur is 'n tydskriffoto van een of ander plaaslike sokkerspan en op die tafel 'n warmplaat met 'n ingeduikte kastrol daarop, 'n paar blikbekers, en partykeer 'n swart-wit TV-stelletjie.

In die winter gloei 'n verwarmer daar binne en Saterdagmiddae saai 'n dringende stem 'n sokkerwedstryd in een of ander swart taal uit oor 'n radio'tjie wat die sein met 'n draadhanger opvang.

Ek het dikwels al laatnag verdwaald op vreemde plekke aangekom, en dis altyd lekker om te weet jy kan na die naaste garage ry en daar sal 'n petroljoggie vaak-vaak uit die kantoortjie kom met 'n petjie skeef op die kop om vir jou aanwysings te gee.

Toegegee: Soms kan dit jou verder laat verdwaal, want 'n leerlingjoggie sal nooit vir jou sê hy weet nie waar hierdie of daardie plek is nie. Hy sal 'n rukkie oorbluf na jou kyk, en dan geesdriftig begin verduidelik: "Jy loop *straight*, tot by die derde *robot*. Dan jy gaan links. Dan jy loop *straight*, *straight*, *straight* tot by die treinspoor. Dan jy *jump* die treinspoor, dan jy sal hom sien."

Die res van die gesprek verloop dan min of meer só: "Is dit ver?"
"Nee."
"Is dit naby?"
"Nee, dis nie naby nie."
"Maar dan moet dit mos ver wees?"
"Dis ver – maar net bietjie ver."

Dan ry jy *straight* tot by die derde verkeerslig – en kom agter jy kan nie eens links draai daar nie.

Verstaan mooi, ek betreur nie die moontlike verdwyning van petroljoggies omdat ek lui is nie. Ek gee nie om om die regte roete self uit te vis en vir myself petrol in te tap nie.

Hoewel, ek dink daar is manne wat swaar sal trek sonder petroljoggies. Jy sien sulkes dikwels: Hy hou by die pomp stil in 'n gaar Opel Ascona, en sommerso met die uitklim roep hy al na die petroljoggie: "*Chief! Chief!*"

Dan maak hy die enjinkap oop, gaan staan op 'n veilige afstand van die Ascona, steek 'n sigaret aan, beduie na die enjin, en sê vir die joggie: "Hy kook."

Amper soos 'n veggeneraal in 'n veldslag stuur hy dan die joggie, gewapen met net 'n lap, na die Ascona, terwyl hy van die kant af bevele blaf oor hoe om die verkoelerprop oop te maak: "Stadig nou, stadig. Hei, moena, ek sê: Sta-rig. Wêna lo brand-ta lo fingers."

En dan is die petroljoggie natuurlik ook die draer van die sleutel – die toilet se sleutel. Of, al het hy dit nie altyd nie, jy vra hom altyd daarvoor: "Waar's die *keys* van die *toilet*?"

Soms gaan haal hy dit in daardie kantoortjie of uit sy sak. Of hy verwys jou na die kafee langsaan of na die garage se onderdele-afdeling.

Een reël geld min of meer altyd by garagetoilette: Hoe groter die houer aan die sleutel, hoe vuiler die toilet. Party sleutels is vas aan 'n stuk plank so lank soos 'n knuppel – maar dit verseker allermins 'n skoon toilet.

Die gevaarlikste toilet is egter die een waarvoor jy wel 'n sleutel moet kry, maar kom jy by die deur, dan is dit oop. En altyd is die petroljoggie die een by wie jy kla: "Joe, julle *toilets* is darem vuil, jong." Asof dit sy verantwoordelikheid is.

Sy naam was Lucky, Lucky Mazabuku, en hy is die eintlik rede hoekom ek hierdie storie skryf.

Lucky was 'n joggie by die BP naby my kantoor in Pretoria.

Ek gooi nou en dan daar petrol in, en soms het hy my gehelp. Ek kan nie veel van Lucky onthou nie, want hy was nie juis spraaksaam nie.

Ek weet min of meer net drie dinge van hom. Een: Hy het die Mamelodi Sundowns-sokkerspan ondersteun. Twee: Hy het op Klipgat naby die stad gewoon en elke dag met die bus werk toe gekom. En drie: Hy wou knaend weet of hy my Valiant by my kan koop.

Al wat ek nog van hom weet, is hy is onlangs een nag in 'n rooftog by die vulstasie doodgeskiet.

Hamba kahle, Lucky!

Byt vas, dis knyptyd

TOAST COETZER

Eers versit jy jou boude in die sitplek. Jou niere begin met elke hobbel in die pad al hoe meer voel na krimpvarkies wat wil uit. Nóú. Góú. Jou hande raak effens sweterig en jy haal hulle om die beurt van die stuurwiel af, waai hulle koel voor die luggate.

Maar die knyp bly, dringender met elke minuut.

In die truspieëltjie loer jy na die kinders. Een slaap vas, die ander besig om die Morsekode van verveling met 'n vinger teen die ruit te tik, die landskap buite wat soos vuil vadoeke verby wapper. Langs jou sit jou wederhelf, en dié gesels en gesels en gesels, maar jy hoor net mooi niks nie.

Jou blaas begin swel asof iemand 'n reddingsbootjie hier binne jou sit en opblaas. Jy raak kortasem soos dit teen jou longe begin druk, doof soos dit jou ore toedruk, dan halfblind – en geleidelik begin jy jou bewussyn verloor terwyl die bloedtoevoer na jou brein afgesny word.

Jy móét nou piepie. Met 'n hoofletter-P. Nommer een. Draai loop. Kamer verlaat. Fluit. Water afslaan. Slangpark toe. Die sproeiers aansit. Bladskud met die President.

Soveel woorde vir een ding: piepietyd.

Teen dié tyd begin jy berou kry oor daai enorme Wimpy-koffie van 'n stuk of drie One Stops gelede. Ja, dit het jou wakker gehou op die pad, maar 'n Wimpy-koppie is groot genoeg vir 'n waterskilpad-weeshuis, en daardie koffie is nou reeds deur jou gestel – klaar gedrupdrup deur jou lewer – en nou klots die waters teen die vloedsluise. Jy probeer op die pad konsentreer, maar al wat jy hoor, is die klank van 'n toilet wat spoel.

Jy moet *nou* 'n draai loop.

Of dalk was dit die lemoensap wat jy in die naam van gesondheid vroegoggend by 'n padstalletjie gedrink het. Of omdat jy die res van die gesin oortuig het om saam met jou 'n paar glase water te drink sodat niemand ontwater nie. Nou's jy só vol water dat as iemand 'n

71

gaatjie in jou sou steek, jy al die wingerde en boorde en lusernlande van Keimoes tot 'n rekordoes sou kon besproei. Vir Swaziland sou jy 'n jaar se hidroëlektrisiteit kon opwek. Jy's oorlopens toe vol.

Jy moet *nou* piepie. *Pie-pie.*

'n Situasie soos dié is tien keer erger op 'n vliegtuig. Daar sit jy nou, 30 000 voet hoër as Baby Jake, halfpad deur 'n ellelange inter-kontinentale vlug, drieuur in die oggend. Netnou het jy gedwee jou bokskos geëet, 'n bier gedrink, toe 'n glasie wyn (hoekom nie?) en ook sommer 'n Bloody Mary, plus 'n bietjie water om daai broodrolle-tjie – wat ewe goed uitgehol kon word en as veldskoen kon dien – af te sluk.

Daarna het jy 'n fliek gekyk op 'n skerm wat só klein is dat jy nou nog nie seker is of dit Leon Schuster of Harrison Ford was nie. Uit-eindelik het jy aan die slaap geraak, in 'n posisie veel meer regop as wat jy gewoonlik sit wanneer jy by die werk is. Maar nou's jy wakker, want die nood druk. Hard.

Ongelukkig sit jy ingeprop tussen 'n Chinese sakeman wie se ken op jou skouer rus en 'n vrou wat al heelaand by die lugwaardin kla: Jou leesliggie was aan met die opstygslag, die hoender was te warm, iemand skop van agter teen haar stoel en daardie skreeuende baba moet nou stilgemaak word.

Een van dááis . . .

En jy kry skielik warm – nie omdat dit noodwendig warm is nie, maar omdat jy 'n hemp, sweetpaktop en 'n baadjie dra. (Die sweet-paktop en baadjie het nie in jou tas gepas nie, toe trek jy dit sommer bo-oor aan.)

Nou, in jou uur van nood, probeer jy om van die ekstra lae klere ontslae te raak, soos Houdini wat hom uit 'n dwangbuis probeer wik-kel terwyl hy in 'n whiskyvat by die Niagara-waterval aftuimel.

Vervlaks! Nou't jy aan 'n waterval gedink. Die ergste moontlike ding op 'n vol blaas. Dis 'n kodewoord vir die sluise om hulleself te begin oopdraai, met glyerige ghries op hulle krane. Jy wriemel jou uit al die lae klere en spoor die knip van die sitplekgordel op. Die Chinees slaap nog vas, so ook die vrou, al het jou elmboë 'n paar keer gevaarlik naby hulle gesig gedraai.

Nou moet jy nog oor die tannie klim paadjie toe, en dís moeiliker as om steelkant verby Jerry Collins te kom. Dalk moet jy haar wakker maak, maar daar's nou ernstiger dinge as goeie maniere om jou oor te kwel, want die wind waai nou al klein brandertjies oor die damwal hier onder in jou lyf. Jy. Moet. Nou. Piepie.

Jy bereik uiteindelik die paadjie, 'n donker stegie waarin lang bene, ongeskoende voete, los veters en leë jenewerbekertjies rondlê. Babas slaap in donker hopies soos boksboemelaars, senior burgers stap op en af asof hulle aan 'n geheime gimnastrade deelneem.

Jy kyk af in die gangetjie in die rigting van die badkamer, jou blaas wat nou soos 'n vol papsak skommel terwyl die vliegtuig deur 'n bietjie turbulensie stotter en dan sien jy dit: Al die toiletliggies is aan. En daar's 'n ry ander knypendes, net so desperaat soos jy . . .

Hoe gemaak met daai groot nood op die langpad? Dis makliker vir mans, wat sommer net die rug op die verkeer kan draai en dan deur die draad verligting kry in die volstruiskampie.

Party mense wil egter nêrens anders as in 'n ordentlike toilet 'n draai loop nie. G'n yl soutbos langs die N2 vir hulle nie, ook nie die duiksloot vol swaeltjieneste en likkewane onder die R61 nie.

Jare gelede het die wit Caltex-haas die standaard begin stel vir netjiese padbadkamers. Deesdae is al die groot petrolpaleise langs die hoofpaaie plekke waar gepamperlangde piepie 'n premium-attraksie is.

Sommige piepietempels is werklik hemels – wit en grys geteël en ge-vals-marmer dat dit jou laat voel asof jy by 'n vyfsterhotel instap. Dikwels is daar blomme in 'n pot en selfs iemand wat die papierhanddoekie vir jou afskeur om jou die moeite te spaar.

Destyds se kettingtrek-urinaal is ook lankal vervang deur 'n outomatiese een met 'n ingeboude sensor wat weet wanneer jy nader staan en dan outomaties begin spoel sodra jy klaar is. (Dis dalk die enigste ding wat destyds op die TV-program *Beyond 2000* was wat deesdae deel is van ons werklikheid.)

Maar nie alle petrolplekke probeer Vulstasie van die Maand wees nie, nes nie alle werkers probeer om as Werknemer van die Maand gelamineer te word nie. Hier en daar is vulstasies waar die liefde en die geld lankal padaf is, en net 'n stukkende grendel, drie velletjies toiletpapier en 'n hand vol urinaalkoekies oor is.

Urinaalkoekies? Ja, dié sanitêre steentjies is nou al lankal met ons. Party plekke gooi ys in die bakke, maar daai koekies – wittes, bloues, pienkes – staan steeds oral in die voorste linie van higiënies piepie. Party is so groot soos 'n dik gemmerkoekie, ander lyk weer soos 'n halfgesuigde kerkpeperment.

Bokant die urinaal (daar's 'n veel mooier Afrikaanse woord hiervoor) is ook dikwels waar jy 'n kennisgewing opgeplak sal vind. Anderdag, buite Kirkwood, kry ek 'n tipiese een wat rokers daaraan herinner dat die krip nie 'n asbak is nie en dat mense asseblief nie hulle stompies daarin moet gooi nie. Onderaan, in 'n skewe handskrif, het 'n wysneus bygevoeg: "Ja, asseblief, want nat stompies is moeilik om aan te steek ..."

Baie vulstasies hou nie daarvan dat jy net stop om 'n draai te loop nie (of te bad nie, want 'n vulstasie is vir trokdrywers nie net 'n badkamer nie, maar ook waskamer en wat nog alles). Hulle wil hê jy moet ook tenk volmaak of iets by die winkel koop. Maar 'n mens moet meer gereeld piepie as wat 'n motor volgemaak moet word, dus koop jy dikwels dan maar 'n bottel water ... Ai.

Die geheim is om nooit haastig te wees nie. Vat die ekstra halfuur en ry by die dorpies in as iemand 'n draai wil loop. Dalk ontdek jy iets nuuts op die koop toe.

En hoe gouer jy piepie, hoe beter gaan jy voel. Knyp is goed en wel vir Grensvegter wanneer hy in 'n boom wegkruip en die Kubane onder deur loop, maar niemand gaan jou die Orde van die Kremetart gee vir 'n heroïese knyp in 'n stasiewa op die ooppad nie.

Wanneer jy uiteindelik voor in die ry is en daai simpel vliegtuigtoiletdeur uitgepluis het, gaan jy daai beknopte besemkas van 'n plekkie liefhê asof dit die laaste stuk biltong op die planeet is.

Jy gaan daar staan, of sit, dink aan die Niagara-waterval, of die Victoria-waterval (mompel "Mosi-oa-Tunya" of selfs "Augrabies" en kyk hoe goed werk dit).

Daai krimpvarkies gaan oplos en goue strome Soda Stream word. En jy gaan glimlag, wyer as die Oranjeriviermond self.

Aaaah.

'n *Mechanic* soos Ronnie

DANA SNYMAN

Ek het motorwerktuigkundiges oor die jare heen goed leer ken – miskien hopeloos te goed. Trouens, ek het soms my reise beplan rondom die werktuigkundiges wat ek op verskillende dorpe geken het: oom Peppie op Kroonstad, Schalk op Philippolis, Dries op Belfast, Swannie op Upington.

Dis mos maar wat jy doen as jy met 'n krokkerige kar toer: Jy begin baie soos 'n vlieënier redeneer. Jy beplan jou roete rondom die plekke waarheen jy sal kan uitwyk as jy teëspoed sou kry.

En ek het meer as een keer hulp nodig gehad, want my verlede lê vol onbetroubare, ou karre: 'n seegroen Austin Apache, 'n wit Datsun 1200-bakkie, 'n borriegeel Passat, 'n grys Escort 1600 Sport, 'n pers Uno, 'n rooi Nissan Langley . . .

Al hierdie modelle het my een of ander tyd vies en magteloos in 'n werktuigkundige se werkwinkel laat rondstaan. Party van hierdie karre kan ek selfs met 'n spesifieke werktuigkundige verbind, so gereeld moes aan hulle gewerk word.

Ek het byvoorbeeld lankal daai rooi Langley verkoop, maar as ek aan hom dink, dink ek byna dadelik ook aan Ronnie – Ronnie Visagie, met die werkwinkel agter die Shell-garage in ons woonbuurt. Hoeveel ure het ou Ronnie nie gebukkend oor daardie Langley se enjin gestaan nie . . .

Maar Ronnie het onlangs sy werkwinkel gesluit. Ek het hom nou die dag in Checkers raakgeloop. Daar is nie meer plek in die wêreld vir 'n werktuigkundige soos hy nie, het hy gesê.

Miskien is Ronnie reg. Jy kan deesdae nie meer sommer met 'n gewone *spanner*, skroewedraaier en tang aan hierdie jongste modelle werk nie. Die enjin is vol allerhande elektroniese affêrings en rekenaarskyfies. Gaan iets fout, koppel jy die motor aan 'n rekenaar – iets wat Ronnie nie gehad het nie – en dan sê die rekenaar vir jou wat fout is en wat vervang moet word.

Jou nuwe kar se waarborg verval ook onmiddellik as 'n werktuigkundige soos Ronnie aan hom werk. Daarom boer Ronnie deesdae eerder met makadamianeute en boerboele op sy plasie buite die stad.

My eerste kennismaking met Ronnie onthou ek goed. Op 'n dag het my rooi Langley voor die poskantoor gaan staan, met rook wat onder die enjinkap uitborrel. Iemand het aangebied om my na die naaste werkwinkel te sleep. Die tou het op pad soontoe twee keer gebreek, maar uiteindelik was ek en die Langley by Ronnie se werkwinkel agter die Shell-garage.

Ons almal ken sulke werkwinkels, want op 'n manier lyk hulle almal dieselfde: 'n *workshop* vol karre met oop enjinkappe.

Gewoonlik is dit effens skemer binne, met 'n enkele werkende buisgloeilamp langs 'n dooierige een wat teen die dak flikker en kirrr. Jy ruik iets van als daarbinne: petrol, olie, terpentyn en ook die skoonmaakjellie wat in 'n blikkie op 'n wasbak in die hoek staan, waarmee die *mechanic* sy hande was.

Teen die mure is altyd allerhande goed. Altyd 'n kalender van een of ander bandeplek met 'n meisie in 'n bikini daarop, STP- en Wynn's-plakkers, moontlik selfs daardie plakkaat wat eens op 'n tyd 'n belangrike rol in party mans se fantasieë gespeel het – die een van Bo Derek soos sy in die fliek *Ten* gelyk het.

Bokant die werkbank is dikwels 'n strook Masonite waaraan die gereedskap van groot na klein aan hakies hang, elkeen omlyn met 'n breë viltpenstreep, met 'n opdrag bokant dit: "Bêre gereedskap na gebruik op regte plek. Op las."

Maar dikwels word dié opdrag nie nagekom nie, want in sulke werkwinkels hoor jy soms 'n stem roep: "Nee, man! Wie't die *shifting* in die *toilet* gelos?"

Altans, dis wat Ronnie geroep het die middag toe ek daar instap op soek na noodhulp vir my Langley. Hy het 'n blou oorpak aangehad en skoene met sulke knoetspunte. In sy een hand was die gewraakte *shifting* en in sy bosak was 'n pakkie Texan Plain, sakboekie en Parker-balpuntpen.

Eenkant het 'n jong outjie versigtig deur 'n klomp boute en moere en wassers gesoek wat uitgesprei op die grond gelê het – stadig, amper soos iemand wat 'n belangrike pot dambord speel.

Dit was Pikkie, Ronnie se *appy*.

Mechanics soos Ronnie het altyd 'n *appy*, 'n stil outjie wat eintlik nog op die skoolbanke moes gesit het, met hare wat oor sy ore hang, 'n swart rekkie om die een pols en 'n sigaret in die mondhoek.

Dit lyk amper asof dit 'n spesifieke vaardigheid is wat jy moet aanleer voordat jy 'n *appy* kan word: die vermoë om in allerhande snaakse posisies oor 'n enjin te hang of onder 'n kar te lê *met* 'n brandende sigaret in die mond.

"Kan'k help?" wou Ronnie weet.

Ek het hom my probleem vertel.

"Watse kar is dit?"

"Nissan Langley."

"G'n wonder nie. Dis omdat jy met so 'n stuk gemors ry."

Nes 'n dokter 'n manier het om slegte nuus aan 'n mens oor te dra, het 'n *mechanic* ook syne. 'n Dokter is dalk net meer taktvol. Een sal nie sommer vir jou sê: "*Sorry*, pel, jou hart het gekalf" nie.

Ronnie het daardie middag oor die Langley se stukkende enjin na my gekyk, en gesê: "*Sorry*, pel, jou *pistons* het deur jou blok gedonner. Lyk my jou *drive shaft* is ook besig om te kalf."

Sulke *mechanics* praat altyd van jóú *drive shaft* of jóú *pistons* – asof dit joune is en nie die kar s'n nie. Sulke *mechanics* het ook 'n diepgesetelde en baie spesifieke oordele teenoor bepaalde modelle.

"'n Ford Sierra 2.5 liter is nie onaardig nie," sou Ronnie byvoorbeeld aan jou sê. "Maar hier op 97 000 km pak sy ringe op." Nie op 90 000 of 100 000 km nie – op 97 000 km.

Al het Ronnie gemeen 'n Langley is 'n stuk gemors, het hy my dadelik probeer help. Hy het na die hout-en-glasafskorting in die hoek van die werkwinkel gestap. Op die lessenaar was 'n telefoon, 'n Goodyear-asbakkie met 'n klein bandjie daaróm, twee skerp metaalpenne wat elk 'n hoop fakture deurboor, asook 'n Sanlam-*desk pad* met omkrulblaaie waarop 'n klomp telefoonnommers willekeurig neergeskryf is.

Hy het een van daardie nommers gebel, lank met iemand met die naam Tiny gepraat, die gehoorbuis neergesit, en gesê: "'n Nuwe *drive shaft* sal jou *nine eighty* kos, maar hierdie pel van my het vir jou een vir *six twenty*." Toe sit hy sy hand op my skouer. "Ek kan die hele *job* vir jou vir *one four* doen."

Ronnie het die Langley vir R1 400 weer aan die loop gekry, maar dit het hom 'n week of wat geneem. En elke keer as ek gebel het om te hoor hoe hy vorder, het ek dieselfde antwoord gekry: "Ons wag nog vir 'n part."

Dis mos altyd maar die standaard-antwoord wat jy kry as jy 'n *mechanic* vra hoe hy met jou kar vorder.

So drie, vier jaar gelede het ek vir my 'n nuwe Polo gekoop, my eerste nuwe kar ooit. Ek is verplig om hom by 'n amptelike Volkswagen-handelaar te laat diens en, ja, daardie werkwinkel lyk meer na 'n laboratorium as werkwinkel. Die *mechanics* dra nie eens meer oorpakke nie. Hulle het sulke jassies aan, elk met 'n naamplaatjie blink op die bors.

'n *Mechanic* word deesdae nie eens meer 'n *mechanic* genoem nie. Hy is 'n motortegnikus. En hulle werk in spanne van vyf of ses.

Tog maak ek nog van tyd tot tyd 'n draai by van die ouens wat aan my gedaan karre gewerk het. Ek was juis nou die dag by Schalk op Philippolis. Hy het nou sy eie kroegie langs sy werkwinkel in die hoofstraat.

Dit was ook lekker om Ronnie nou die dag weer raak te loop. Ek het skielik iets onthou terwyl ek besig was om met hom te gesels.

In die tyd toe ek sporadies met my Langley in sy werkwinkel gekom het, was hy tussendeur ook besig met sy eie projek: die ombou van 'n 1977-Mercedes 230-sedan in 'n bakkie.

Let maar op, in sulke werkwinkels staan altyd iewers 'n rare ou kar of 'n *beach buggy* rond waarmee die *mechanic*, wel, eksperimenteer – byna soos 'n genetikus wat nuwe mutasies uit DNS probeer skep.

Ronnie se kar-bakkie-eksperiment het soos baie ander *mechanics* se projekte maar stadig gevorder. Hy het die agterste gedeelte van die kajuit met 'n *grinder* afgesaag, maar die laag vlermuismis het net al hoe dikker op die enjinkap geraak.

Dit was seker simpel van my, maar net voor ons nou die dag groet, toe vra ek hom hoe daardie kar-bakkie van hom vorder.

Ronnie het dadelik 'n antwoord gereed gehad.

"Hy's amper klaar," het hy gesê. "Ek wag net vir 'n part."

Die mense van die padkamp

DANA SNYMAN

Ek was nou die dag weer by 'n padkamp. Op Brandvlei in die Boes-manland. Miskien verbeel ek my net, maar 'n mens sien deesdae maar min padkampe op die platteland. Baie mense weet nie eens wat 'n padkamp is nie.

'n Padkamp behoort aan die provinsiale administrasie – of die plaas-like regering, soos hulle dit nou noem. Dis 'n basis vir die mense wat die streek se paaie in stand hou, veral grondpaaie. Al die padskrapers en lorries en padgoeters word daar gebêre. Soms woon daar ook men-se in 'n padkamp: padskraperbestuurders, vlagswaaiers en ander pad-werkers.

Eens op 'n tyd het byna elke dorp 'n padkamp gehad, altyd iewers aan die buitewyke, toegespan met 'n hoë heining. Om een of ander rede hang die hek skeef of dis gebuig, óf daar is nie meer 'n hek nie.

Gaan kyk maar, daar skort áltyd iets met 'n padkamp se hek. Hoe-kom, weet ek nie. Ek weet wel hoekom die hek van die padkamp op Daniëlskuil, my grootworddorp, so gebuig was dat dit nie meer be-hoorlik kon toemaak nie: Pronkie was saam met my in st. 3, en sy pa het een Saterdagaand laat op pad terug van oom Uys se hotel af met sy Opel Manta in die padkamp se hek vasgery.

Op Daniëlskuil het almal alles van mekaar geweet.

Pronkie-hulle het in 'n wit administrasiewoonwa in die padkamp gewoon. Sy pa was 'n padskraperbestuurder, die enigste een in die distrik. Die padkamp was langs die Kurumanpad, naby die begraaf-plaas, en dit het nie veel anders daar gelyk as by die een op Brand-vlei waar ek nou die dag stilgehou het nie.

In 'n padkamp is altyd een of meer van daardie wit woonwaens, met of sonder bande. Dit lyk of dit ontwerp is deur iemand wat graag 'n Gypsey, Sprite of Jurgens wou bou, maar halfpad boedel oorgegee het.

Jy sien ook nooit 'n *rally*-tent – 'n voortent – aan 'n padkampwoon-wa nie. Daar is ook nie 'n skottelbraai of kampstoele buite of handdoeke wat oor 'n tenttou hang nie. As jy uitklim, hoor jy nie musiek wat iewers oor 'n radio speel nie.

Padmense kampeer nie vir die plesier nie.

Elke keer wanneer ek 'n padkamp sien, kry ek 'n gevoel van verlatenheid. Nêrens groei 'n ekstra boom nie. Nêrens is 'n grasperk nie. Nêrens is 'n bal wat rondlê nie.

Daar is dikwels nie lopende water nie. Iewers is altyd 'n tenkwa waarin water vir die padwerkers aangery word met 'n kraan wat drupdrup in 'n modderpoeletjie.

Mooi in gelid naby die heining staan gewoonlik 'n veselglastoilet of twee, omgewe met die reuk van Jeyes Fluid. Eenkant is daar dikwels een of ander skaap- of beesvel oopgesprei met growwe sout daaroor gesprinkel. In party padkampe is ook so 'n metaal-igloe of twee waarin van die werkers moet woon.

Watter amptenaar se plan sou dit gewees het om hierdie hierdie soort igloe vir Suid-Afrika se padkampe aan te koop? Dis 41 °C in die Boesmanland, en heeldag is jy langs 'n pad in daardie son. Dan, ná werk, kom jy by die padkamp en jy moet jouself tuismaak in hierdie byna vensterlose afféring wat deur die Eskimo's uitgedink is om hulle warm te hou. In die Noordpool . . .

In 'n padkamp sien jy ook dikwels 'n tent op die kaalte onder die son staan – so 'n ouwêreldse, ronde kakietent, en iewers daar naby staan 'n swartgebrande konka.

Saans sit daar werkers om 'n vuurtjie by daardie konka, met lang, donker skaduwees wat rondom hulle dans.

Seker omdat ek grootgeword het op plekke waar daar nie baie teerpad is nie, was ek van kleins af baie bewus van die mense in die padkamp. Dis hoe ons van hulle gepraat het: "Pronkie se pa werk op die paaie," sou ons sê. Of: "Oom Jimmy werk by Paaie."

Oom Jimmy, my ma se een broer, was 'n voorman by Paaie. Hy en tant Breggie het ook eers in 'n padkamp gewoon, maar later het hulle 'n administrasiehuis op Warrenton gehad.

Destyds het 'n mens dikwels 'n voorman soos oom Jimmy langs ons land se paaie in aksie gesien. Wel, meestal was daar nie veel sprake van aksie nie: Die voorman het dikwels eenkant in die administrasie se AA-geel Toyota-lorrie gesit terwyl 'n spannetjie werkers die paaltjies langs die pad verf of bossies uitskoffel of wat ook al.

Partykeer het die voorman net daar gestaan en kyk en kyk hoe werk die werkers. Hy het altyd vir my so half moedeloos gelyk – met 'n pakkie dertig sigarette in die bosak en die gesigsuitdrukking van 'n man wat 'n stuk of 70 km is van waar hy eintlik wil wees.

En etenstyd, wanneer die werkers vir hulle pap inskep uit 'n potjie by 'n rooklose vuur, dan haal die voorman toebroodjies uit 'n blik-trommel en skink vir hom 'n bekertjie koffie uit 'n bont fles, eenkant.

Hierdie voormanne was nogal lief om 'n kortbroek en lang kouse te dra by 'n wit of 'n kakiekleurige stofjas.

Pronkie se pa het ook, wanneer hy ager die padskraper se stuur was, altyd 'n wit stofjas by 'n kortbroek aangehad. En op sy kop was 'n har-de, geel helm.

Dis iets waaroor ek vandag nog wonder: Hoekom dra padwerkers 'n harde helm op die kop? Op 'n pad kom die klippe tog van onder af.

Soms was Pronkie se pa in die week nie by hom en sy ma in die padkamp nie. Hy en twee werkers het die Maandagoggend die distrik op die skraper in gery, met 'n ander woonwa, ook so 'n witte, agter die skraper gehaak. Daar was 'n draadhok met 'n paar hoenders ag-terop die skraper vasgemaak – hulle vleis vir die week.

Hulle het sommer kamp gemaak êrens langs die pad wat hulle be-sig was om te skraap. Eers Vrydagmiddae het hulle dan weer terug-gekom dorp toe.

Deur die jare het ek al dikwels by padskrapers langs die pad stilge-hou en met die bestuurder – of drywer, soos hulle hulleself noem – gesels. Baie van hulle is trotse ooms wat later uit die padkampe na administrasiehuise op die dorp getrek het.

Op hulle oudag het hulle dikwels met rugprobleme gesukkel, want 'n padskraper het nie 'n veerstelsel nie. Hy karring aan jou rugwer-wels totdat iets later meegee.

Party se name onthou ek: Daar is oom Fanie Enslin, oftewel oom Fanie Pad, van Laingsburg; Willie Faasen van die Weskus; Flip Breden-kamp van Thabazimbi, oom Jan Opperman van Mariental in Nami-bië. Ervare padskraperdrywers, almal van hulle.

In Namibië sien jy meer padkampe en padskrapers as hier by ons, want daar kyk hulle beter na die grondpaaie. Ek het ook al een mid-dag laat in 'n padkamp buite Uis in die Namib met oom Wessie le Roux by sy administrasiewoonwa sit en gesels.

Sy drie handlangers was ook daar by die vuurtjie. Hulle loop heeldag met daardie harde helms op die kop agter die padskraper aan, elkeen met 'n graaf in die hand. Hulle skep die klippe van die pad af wat die skraper loswikkel.

Die pad tussen Uis en Hentiesbaai is mos maar stillerig. "Net 26 karre is vandag dag by ons verby," het oom Wessie gesê. Hy het dit geweet, want een van sy helpers – ek weet ongelukkig nie wat sy naam is nie – trek 'n strepie met 'n pendoring op sy arm elke keer wanneer 'n kar verbykom.

Soms het ek op my fiets by Daniëlskuil se padkamp verbygery, maar ek het nooit by Pronkie gaan speel nie. My ma sou dit nie toelaat nie, want Pronkie-hulle was anders as ons. Hulle was nie NG nie.

Hulle het net een keer per jaar kerk toe gegaan. Dit was op die aand van 31 Desember, vir die middernagdiens. Pronkie en sy pa het dan nie 'n baadjie aangehad nie. Hulle het net hemp en das gedra en nie hulle das soos ons s'n geknoop nie. Hulle het hulle s'n omgevou.

Daai Manta van Pronkie se pa het Saterdae voor die hotel gestaan en Pronkie se ma het gerook en smiddae in die padkamp sit en Springbokradio-stories luister. *Die Wildtemmer, Ongewenste Vreemdeling, Wolwedans in die Skemer . . .*

Pronkie het omlope op sy arms gehad.

Soms het ons Pronkie by die skool gespot. Ons het agter hom aangeloop en geroep. "Pronkie bly in die pa-a-d-kamp! Pronkie bly in die pa-a-d-kamp!"

'n Mens weet mos nie wat jy doen as jy 'n kind is nie; en wanneer jy groot is, weet jy nie hoe om reg te maak wat jy verkeerd gedoen het nie.

Ek het nou die middag nie lank daar by die padkamp op Brandvlei vertoef nie. Ek het nie eens by die hek ingegaan nie. Ek het uit die bakkie geklim en alles staan bekyk: die twee wit woonwaens, die tent, die tenkwa, die skewe hek. Ek doen dit dikwels wanneer ek 'n padkamp sien.

Dan wonder ek wat van Pronkie geword het.

Ek tree aan
vir 'n potjie verspoeg …

TOAST COETZER

Jules van Aardt beduie in die rigting van 'n klipharde stuk dood-
gerypte gras op die rugbyveld van die Hoërskool Kirkwood. "Dis hier
waar dit gebeur het," begin hy terwyl hy sy ken intrek op die manier
waarop Jules van Aardt altyd sy ken intrek wanneer hy regmaak om 'n
ernstige storie te vertel. "Dis hier waar ek harsingskudding gekry het."

Ek onthou Jules se harsingskudding van destyds. Dit was 'n o.15-
wedstryd en, al was ek nie self daar nie, onthou ek hoe hy die week
daarna met allerhande stories terug koshuis toe gekom het. (Harsing-
skuddingstories is dikwels vol ongelooflike detail – merkwaardig as jy
in gedagte hou dat die storieverteller eintlik half bewusteloos tydens
die voorval was.)

"Ek het in die hospitaal wakker geword," vertel Jules. Dit lyk of sy
twee vriende die storie al voorheen gehoor het, want hulle stel meer
belang in die drie meisies wat gechoreografeerde danspassies voor
die hoofpaviljoen uitvoer.

Jules en sy vriende is boere, en danspassies is nie iets wat gereeld
in die Kookhuis-distrik gesien word nie. Dis waarvoor 'n mens na die
Kirkwood-wildsfees toe kom: wilde dinge.

"Drie ouens," sê Jules, en hy hou drie vingers op. "Drie ouens het
my ge-*tackle*. Hard. Ek het die *overlap* gehad, maar toe kry hulle my.
Net hier."

Ek is by die Kirkwood-wildsfees om drie dinge te sien. Toe ek dié
items in 'n ry op die program sien, toe weet ek ek moet eenvoudig
kom: koedoedrolspoeg, karate-demonstrasie en Ollie die Nar.

Sou jy nie ook vir iemand wat jou bel, wou sê nie: "Nee, ek kan
nie eintlik nou praat nie, want ek is by die koedoedrolspoegkompeti-
sie en ek gaan daarna karate kyk en dan na Ollie – Ollie, die Nar." Na-
tuurlik.

Ek's egter effens bekommerd, want dit lyk nie of enigiemand gereed
maak vir 'n spoegkompetisie nie. Nie dat ek weet presies waarvoor om
te kyk nie. Beamptes wat rondskarrel? Deelnemers wat opwarm (met

olyfpitte, grondbone, natgekoude bierbotteletikette)? Aanhangers wat baniere begin rondswaai?

Jules reken die kompetisie is dalk al verby. Ons staan nog 'n ruk en kyk vir die dansende meisies en dan verkas Jules en sy vriende in die rigting van die biertent. Dis al byna elfuur, en net toe ek daaraan dink om moed op te gee, kom die stem fluiterig oor die luidsprekers: "Dames en here, die koedoedrolspoegkompetisie gaan nou-nou begin – die organiseerders sit net vas in die verkeer."

Verkeer tydens die Wildsfees is nie grappies nie. Kirkwood se strate kan eenvoudig nie die aantal voertuie hanteer nie. Jy kan net sowel drie blokke van jou huis af op Despatch parkeer en hierheen stap.

Hier's 'n hengse klomp mense, want die spilpunt van die Wildsfees is die jaarlikse wildsveiling, een van die grootstes in die land. Jy kan vir jou hier 'n witrenoster aanskaf vir 'n skamele R200 000, of 'n koedoe vir net R5 000. Soms verkoop hulle selfs dassies. (Wie koop nou 'n dassie?)

Maar die meeste mense kom maar vir die makietie . . . braai, biltong eet en lekker musiek luister.

Dinge begin roer. Twee mans merk 'n blok van 30 x 30 m voor die paviljoen uit – dis waar die kompetisie gehou word. 'n Organiseerder met 'n mikrofoon begin die skare, wat tot 'n paar honderd aangegroei het, aanpor om in te skryf. Een vir een, skamerig, asof hulle aanmeld vir 'n sterkmankompetisie, tree die deelnemers na vore.

Een ding is duidelik: Jy misgis jou as jy dink jy sal 'n koedoedrolspoeger sommerso op straat eien. Een ou dra 'n Quiksilver-T-hemp en 'n ander een 'n Ferrari-hemp. Nog 'n ou se hemp sê: "Voetsek, ek het genoeg vriende!" Hier's pa's en seuns; 'n vrou en 'n dogtertjie. Hulle lyk soos ek en jy.

Voor ek my oë kan uitvee, tree ek ook na vore en skryf my naam op die lys. Probeer alles een keer, reken ek. Hoekom nie . . .

Die koedoedrolletjies lê in 'n plastiekskottel. Party deelnemers begin reeds daarin rondkrap op soek na dié wat die beste sal trek. Jy moet reg kies, want elk het sy eie aërodinamika. Die verskille is klein, maar dit kan die verskil beteken tussen wen of verloor.

Dis soos om *pool* te speel in 'n kroeg op 'n vreemde dorp. Jy moet eers al die stokke met die hand weeg, die lengte en balans daarvan bevoel tot jy een kry wat jou spesifieke elmboogswaai pas.

Ek wys na die fles. "Waar kom dit vandaan?" vra ek vir die organiseerder, Garth van Niekerk. Ek wens hy gaan sê hulle's van Woolworths of Mr Price, of sommer net van 'n plaasstalletjie. Maar nee, hierdie is régte koedoemis. Nie handgemaakte replikas nie. "Van Bosbokrand," antwoord Garth, "anderkant PE. Ons het hulle gister opgetel."

Organies dus.

Die perfekte kompetisiedrol is vars, maar nie té vars nie. Dit help nie hulle stoom nog nie, want dan is Ta te sag. Hulle moet effens hard wees, met 'n korsie. Te oud of te sag beteken hulle gaan nog in die lug uitmekaar val, en disintegrasie is die kampioenspoeger se grootste vyand.

Daar's prysgeld op die spel. Dis eers net R100, maar Garth vra vir verdere bydraes uit die skare, en kort voor lank groei die pot tot meer as R400. Daar's ook 'n afdeling vir 0.13's. Die trofee is 'n ou spoegbak.

Die kinders spoeg eerste. Een seuntjie is só jonk hy kan nog nie eens sy naam skryf nie.

Die kompetisie werk nie veel anders as spiesgooi, diskusgooi of gewigstoot nie. Die wenner is die een wie se projektiel die verste trek, maar met een belangrike verskil: Die afstand word nie gemeet tot waar dit grond vat nie, maar tot waar dit tot stilstand kom. 'n Goeie rolslag is dus baie belangrik.

Ongelukkig is die meeste koedoeprojektiele rofweg in die vorm van 'n voosgeskopte rugbybal, en omdat die kompetisie-oppervlak boonop 'n ruwe rugbyveld is (AstroTurf sal vir drolspoeg doen wat grafietrakette vir tennis gedoen het), het jy sommer baie geluk nodig.

Gou-gou is daar 'n duidelike 0.13-wenner – Reuben Barnard. Hy's van Despatch en het 'n indrukwekkende 10,1 m ver gespoeg!

My moed sak. Ek het nog nooit goed gespoeg nie. My broer, ja, hý kan spoeg. Hy was altyd 'n snelbouler en ek eerder 'n draaibalbouler. Spoeg is 'n kuns, maar nes kougomborrels blaas, is dit 'n talent waarmee ek eenvoudig nie geseën is nie.

Omdat ons so baie deelnemers is, word die grootmense in twee uitdunne verdeel. Ek's in die eerste groep. Ons kry elkeen vier drolletjies: een vir oefen en drie vir kompetisiedoeleindes. Ek rol myne in my hand soos warm albasters. Hulle lyk orraait ... spoegbaar.

Party deelnemers maak hulle s'n nat met 'n bietjie spoeg, ander weer met bier. Ander bekyk dit van naby asof hulle mediese studente is wat lintwurms soek.

Garth kondig aan dat verlede jaar se wenner weer hier is om sy titel te verdedig. Dis die ou met die Ferrari-hemp. Hy dra 'n swart Nissan-keps, jean en Puma-tekkies.

'n Lywige man tree na vore vir sy eerste skoot. "Looks like this guy was born to do this!" roep iemand. "Ja, hy't die maag daarvoor!" laat 'n ander een hoor.

Die man spoeg. Honderde pare oë volg die trajek met soveel aandag soos die Wimbledon-skare 'n Roger Federer-afslaan volg. Dis 'n goeie een.

Ek het my boereklere aan vandag: Kakiehemp en 'n trui met die woorde "Geelbek Merino" daarop geborduur. Boonop het ek 'n groot baard. Maar ek weet sommer almal kan sien ek's nie 'n regte boer nie.

"Voetsek, ek het genoeg vriende!" het pas gespoeg en nou's dit my beurt. Ek spoeg my toetslopie. Dit rol 'n patetiese 5 m. Ek het net nie daardie brute voor-in-die-mond-versnelling van mnr. Ferrari-hemp nie. Selfs jong Reuben het verder gespoeg as ek.

Nou die drie spoege wat tel. Met my tone agter die lyn trek ek my bolyf terug vir ekstra momentum, asem diep in en skiet dan my nek vorentoe soos 'n pap kettierek. Sptooo!

Die skare murmureer, die soort murmurering wat net een ding beteken: Jy gaan nooit wen nie, ou maat, maar ons sal jou pogings verdra, kry net klaar.

Ek het g'n enkele ondersteuner in die skare nie. Jules en sy vriende het my verlaat in my groot uur. Hulle drink bier.

Ek spoeg weer.

En dan 'n laaste keer.

My laaste projektiel beur deur die lug soos 'n miniatuur-Challenger en tuimel in 'n patetiese boog grondwaarts. Dit bons, hobbel, rol nog een slag en kom dan finaal tot rus – min of meer daar waar die drie ouens destyds vir Jules hospitaal toe ge-*tackle* het.

Ek's uit. Mnr. Ferrari-hemp en 'n paar ander dring deur na die finaal terwyl ek kantlyn toe hink.

Die eindronde is 'n naelbyt-affère. Dis nie eensydig in die guns van mnr. Ferrari-hemp nie. Sy naam, vind ek nou uit, is Shaun van Rensburg, van Addo hier naby.

Ek wonder of hy geoefen het. Dit lyk so, want hy neem dinge net so 'n bietjie ernstiger op as die ander deelnemers. Met net een kompetisiedrol oor is hy egter nog in die tweede plek, kort agter Quiksilver-hemp.

"Come on, Shaunie!" roep iemand, dalk sy afrigter. Shaun leun op een van die houtpaaltjies voor die paviljoen. Dit lyk asof hy sy volgende spoegslag in sy gedagtes visualiseer en terselfdertyd 'n ligte strekoefening doen.

Dan tree hy na vore. Koel. Lance Klusener met ses lopies om te wen en net een bal oor. Sy Puma-tekkies vat die doodgerypte gras vas.

Sptoooo!

Dis 'n manjifieke spoegslag en die rol is ewe goed. Sy 13,4 m beteken hy klop Quiksilver-hemp met enkele sentimeters. Shaun is die wenner!

Shaun kom na vore om die trofee en prysgeld te ontvang. Die skare begin weer koers kies na ander dele van die terrein en ek gaan soek iets om te eet. Ek mis toe die karate-demonstrasie, maar later sien ek vir Ollie die Nar. Hy knipoog vir my wanneer ek sy foto neem.

Volgende jaar is ek terug, en hierdie keer gaan ek in die af-seisoen oefen. En miskien Puma-tekkies koop . . .

In die greep van die tiekieboks

DANA SNYMAN

Onlangs tref klein 'n ramp my: Ek is aan 't swerf deur die Karoo en toe gee my selfoon die gees. Die ding is net dood. En Richmond, Hanover en Victoria-Wes, die naaste dorpe, het nie een 'n plek wat selfone regmaak nie. Vir die res van my trippie is ek toe aangewese op foonhokkies.

Tiekiebokse.

'n Mens sien deesdae mos nie juis meer foonhokkies nie. Daar is nie baie van hulle oor nie, want dit was nogal 'n gesukkel om een op te spoor elke keer wanneer ek wou bel. Jy kry nie eens meer by elke poskantoor 'n tiekieboks nie, en dit was gewoonlik die eerste plek waar jy na een gaan soek.

Een ding kan ek wel met dankbaarheid rapporteer: Omtrent al die tiekiebokse waarby ek gekom het, was in 'n werkende toestand en verbasend skoon. Op 'n manier het dit my vies gemaak, want hoekom het hulle nie ook destyds almal gewerk toe ons hulle baie meer as nou nodig gehad het nie?

Ek dink nie daar is 'n enkele reisiger in Suid-Afrika wat nog nie deur 'n stukkende tiekieboks beproef is nie. Jy is iewers op 'n vreemde plek gestrand en moet dringend jou vrou, jou ma of die AA of Rondalia – die AA se groot mededinger destyds – in die hande kry. Jy gaan na die naaste tiekieboks, lig die gehoorstuk en hoor poeeep-poeeep-poeeep aan die ander kant. Stukkend.

Of jy hoor niks nie. Slegs 'n dowwe stilte. Of jy vat na die gehoorstuk en . . . waar *is* die gehoorstuk?

As 'n tiekieboks gewerk het, het die gehoorstuk kirrrr gemaak, maar dit het nie noodwendig beteken jy kon bel nie. Baie van die tiekiebokse het jou geld ingesluk of wou glad nie die geld "vat" nie. Die muntstuk val net deur. Weer en weer.

Dis mos wanneer selfs 'n geduldige en vredeliewende mens 'n tiekieboks begin slaan en skop.

Nie dat ek self al ooit aan 'n tiekieboks geslaan of geskop het nie.

Ek? Nooit. Of, wel, ek het een keer ferm daarop getik om my geld te probeer terugkry. Goed, goed, dit was dalk effens té ferm, want toe ek weer sien, toe is hy morsdood. Poeeep-poeeep-poeeep. Ek is jammer daaroor.

As daar 'n soort waarheidskommissie op die been gebring word wat die skending van tiekiebokse in Suid-Afrika se geskiedenis moet ondersoek, sal baie van ons om amnestie moet aansoek doen.

Dis vreemd, gewoonlik onthou 'n mens die goeie eerder as die slegte van die verlede. Maar van tiekiebokse onthou ek hoofsaaklik slegte dinge: die gesukkel om een te kry wat werk, die geld wat ingesluk is, die uitgeplukte gehoorstukke . . .

Miskien is dit omdat 'n mens destyds op reis gewoonlik 'n tiekieboks gebruik het wanneer jy moeilikheid gehad het. Jy sou byvoorbeeld nie ná 'n besoek aan Bloemfontein se dieretuin gou jou mense van 'n tiekieboks af bel en sê "Jitte, Ouma, ek het nou die mooiste ou leeu in 'n hok gesien. Hy eet piesangs" nie.

Jy het jou gewoonlik net tot 'n tiekieboks gewend as jy teëspoed gehad het – gewoonlik wanneer jou kar gebreek het. Soms, as jou kar nie baie paraat was nie, het jou pa nog voor jy by die huis weg is, al gesê: "Ry nou mooi. En bel, hoor."

Dan was dit op elke tweede of derde dorp 'n gesukkel by 'n tiekieboks om die mense tuis op die hoogte te hou van jou vordering. Bloemfontein: "Nee, die kar loop nog mooi, Pa." Colesberg: "Sy loop 'n bietjie warm." Drie Susters: "Sy't gekook, Pa. Maar sy's nou weer orraait, daar's 'n effense wind van voor."

My eerste werklike kennismaking met die tiekieboks was in st. 6 toe ek in die skoolkoshuis op Nylstroom begin het.

Die tiekieboks was 'n naelstring na die buitewêreld. Na my ma toe. "Ma moet nog beskuit stuur," hoor ek myself sê. "Ons kry nie genoeg kos hier nie." Of: "Boesman, daai ou in matriek, het my in my hangkas toegesluit toe hy hoor ek skree vir die WP, Ma. En toe spuit hy Right Guard-*deodorant* by die sleutelgat in."

Daardie silwerkleurige tiekieboks teen die J.G. Strijdom-koshuis se portaalmuur het, buiten die wiel waarmee jy die nommer gebel het, twee gleufies gehad: Een vir 10c-munte en een vir 20c-munte. Onder elke gleuf was 'n swart knoppie. As jy daardie knoppie gedruk het, het die munt ingeval. Dan kon jy 10- of 20c-lank gesels, wat enigiets tussen 15 sekondes en 'n halfuur kon duur. Jy het nooit geweet nie.

As jy nie deurgekom het na die nommer wat jy gebel het nie of daar was nie antwoord nie, het jy 'n blink knoppie gedruk. Dan, as jy gelukkig was, het jou muntstuk deurgeval en onder in 'n holtetjie kom lê.

Ek moet darem ook bieg, ek het een middag byna 'n uur met Ronel Smit, my heel eerste meisie, van die koshuis af gesels – vir net 10c. Dit was nadat Oppies, een van my maats, my gewys het hoe om met sy langtiekie te bel.

O die langtiekie, wat van hoeveel van ons stille misdadigers gemaak het . . .

Dit was 'n ingewikkelde besigheid om met 'n langtiekie te bel. Oppies, onthou ek, het by die huis 'n gaatjie deur 'n 20c-stuk geboor en 'n stukkie tou daardeur geryg. Dan het hy die 20c-stuk aan die toutjie by die telefoon se gleufie laat insak. Presies op die diepte waarop die telefoon die muntstuk "geregistreer" het, het hy dit laat hang.

Elke keer wanneer jy weer moes geld ingooi, het jy net die toutjie 'n plukkie gegee, dan was dit asof jy weer geld ingooi en dan gesels jy maar verder.

Daar was natuurlik 'n ander metode ook om gratis te bel: die kollekteeroproep, 'n voorloper van die *please call me* wat jy deesdae op jou selfoon kry.

Om 'n kollekteeroproep te maak was maklik: Jy het 0020 gebel, dan het 'n stem aan die ander kant geantwoord (dikwels 'n ouer vrou met 'n heserige rokerstem): "Goeienaand, good evening, kan ons help, can we help."

Jy het vir haar die nommer gegee van die een met wie jy wil praat. Sy het dit gebel en terwyl jy luister, het sy vir die mens aan die ander kant, gewoonlik jou ma, gevra: "Ek het hier 'n meneer D.P.B. Snyman op die lyn. Is u bereid om die oproep te aanvaar?"

Hulle het jou altyd "Meneer" genoem, al was jy skaars 14 jaar oud.

Interessant, maak dit nie saak waar jy jou bevind het nie, die tiekiebokse was min of meer op dieselfde manier verniel. Hier onder iewers het altyd 'n vuil foongids met opkrulblaaie aan 'n ketting gehang, en áltyd was die voorblad afgeskeur. En dikwels het iemand in die gids gekrap met 'n bolpuntpen wat nie wou skryf nie.

In die hokkie was daar ook krapmerke: Name en nommers en ge-woonlik iewers ook iets beledigends: "Piet Skyfies is 'n urk," of "Ze-nobia jou teef." Of selfs leliker dinge.

Een ding is vir my sinoniem met tiekiebokse: Om te wag. En te wag.

Hoeveel uur het 'n mens nie by tiekiebokse staan en wag vir die mense voor in die ry om tog om hemelsnaam klaar te praat nie? En wanneer jy uiteindelik voor in die ry kom en jy lig daai gehoorstuk op, dan is dit al warm gevat en die hokkie ruik na sigaretrook.

Dit was 'n klassieke verloor-verloor-situasie: Jy moes wag vir ie-mand om klaar te praat, en wanneer jou beurt gekom het, kon jy nie alles hardop sê wat jy wou nie, want buite het almal jou gesprek staan en afluister.

Nou die dag, tydens my selfoonlose trippie deur die Karoo, wil ek gou van Sutherland af huis toe bel. By die kafee is darem 'n tiekie-boks. Ek hou daar stil, maar daar staan reeds 'n ou en gesels – so 'n maer kêrel in 'n vaal jas. Dit is koud, maar die ou se gesprek is warm. Hy is blykbaar aan die stry met 'n vrou aan die ander kant, want hy noem haar "Lovey".

Ek staan al hoe nader aan hom, want dis mos wat 'n mens doen as jy iemand in 'n tiekieboks wil aanjaag. Hy kyk na my en fluister weer driftig in die gehoorstuk.

Ek wens ek weet wat het "Lovey" gesê, maar die volgende oomblik toe bulder die ou kliphard in die gehoorstuk: "Billy het vir my gesê wat jy doen, oukei! Dink jy ek's onnosel? As ek nie daar is nie, sit jy die boks Omo in die kombuisvenster vir jou skelmpie om te sien! Omo – old man out!" En toe smyt hy die gehoorstuk neer en storm daar weg.

Uiteindelik het ek nie eens gebel nie. Ek het net daar in my bakkie geklim en reguit teruggery Kaap toe, terug huis toe.

Alternatiewe karre
op die alternatiewe roete

DANA SNYMAN

Dit gaan goed met die boompie wat daardie oom anderdag langs die pad vir my present gegee het.

Ek het 'n afspraak op Lephalale gehad en is effe laat uit Pretoria weg. En toe begaan ek boonop 'n oordeelsfout: Ek neem die R101, die "alternatiewe roete" deur Bela-Bela en Modimolle, eerder as om met die N1 tot by Kranskop te ry en daar af te draai.

Die R101 is wel korter Lephalale toe, maar deesdae is dit die ryplek vir almal wat die N1 se tolhekke en spietkops wil ontduik.

Of miskien moet ek eerder sê: Dis die ryplek vir almal wat waarskynlik nie die ekstra R80 of R100 tolgeld tot by hul bestemming kan bekostig nie, want lanklaas het ek so 'n stoet afgeleefde, ou rygoed gesien: Chev Chevairs, rokende Opel Asconas, Datsun Stanzas, selfs 'n verdwaalde Ford F100-bakkie uit die 1970's met drie oorblufte boerbokke agterop.

Dis vreemd, maar dit is amper asof daar 'n "survival of the *unfit*-test"-reël vir karre geld, want baie van daardie ou modelle wat jy op paaie soos die R101 sien, was op hul dag nie juis gewild of gesog nie.

Neem byvoorbeeld die Colt Galant, 'n model met 'n onelegante hangstert wat hom in 1980 die eerste keer in Suid-Afrika vir diens aangemeld het. Niemand wat ek ken, het destyds 'n Galant gehad, of selfs een begeer nie. Dit was die tyd van die Ford Granada, die Chev 4.1 en daardie droomwa vir elke aspirant-skoonheidskoningin en senior staatsamptenaar in die '80's: Die Alfetta.

En tog het ek nie een Granada, Chev of Alfetta daar op die R101 gesien nie. (Trouens, is daar iemand wat in die laaste 5 jaar *iewers* 'n Alfetta gesien het?)

Dit is asof al daardie mooi karre van destyds van die aardbol weggeraap is. Maar op die R101 was daar 'n hele optog van vanmelewe se lelike eendjies: 'n Chev Nomad, 'n Mitshubisi Tredia, 'n Hillman Vogue (hy het wel langs die pad gestaan, met die enjinkap oop), 'n Vauxhall Viva en twee Galants.

Byna al daardie ou karre op die R101 was oorlaai. Party se kattebak is met tou toegebind omdat dit te vol was. Byna al die bakkies – ou, lomp Mazda 1600's, Datsun 1200's, Chev LUV's – het kappies opgehad. En op die kappies was meestal 'n vrag goed en onder dit 'n vrag mense.

Ek was deksels haastig.

Maar as jy eers op die R101 is, is dit moeilik om terug te kom op die tolpad, mits jy omdraai en al die pad terugry na die afrit toe.

Boonop is die R101 se loopvlak smal en plek-plek vol slaggate en tussen Bela-Bela en Modimolle is allerhande skelm draaitjies en, wel, ek sê nie sulke ou karre se bestuurders is gevaarliker as ander nie, maar jy kry tog die vermoede dat hier iewers in die streek 'n plek is waar jy 'n rybewys kan bekom sonder om parallelparkering en die gevreesde driepuntdraai hoef baas te raak.

Ek moes maar op my tande kners en deurdruk.

Dis 'n anderster gevoel om in so 'n moedelose stoet ou karre aan te kruie, met 'n ratelende Datsun Stanza voor jou en agter jou 'n Galant wat geel was voor die son hom beetgehad het, maar nou 'n bleek deegkleur is.

Mettertyd het dit begin voel of ek terug is in die 1980's. Dit het ook bietjie gevoel of ek op pad is na 'n begrafnis – 'n begrafnis vir verlore drome. Ná 'n ruk kon ek darem daardie Stanza en die hele string rammelkaste voor my verbysteek.

Maar die R101 laat jou nie so maklik met rus nie. Net buite Bela-Bela kom sit 'n Nissan Langley op my stert. Ek kyk in my truspieëltjie en sien slegs 'n wit keppie wat net-net bokant die stuurwiel uitsteek.

Dis nooit 'n goeie voorteken nie. Ek is altyd lugtig vir 'n bestuurder met 'n hoed en donkerbril op (ongeag watter voertuig hy of sy ry), veral as hy so lekker laag agter die stuurwiel ingesink is.

En toe sien ek 'n volgende onrusbarende ding: Hy het nie 'n buffer nie en die enjinkap is rooi, terwyl die res van die bakwerk blou is. Die Langley het dus reeds 'n ongeluk, dalk twee, agter die blad.

Die volgende oomblik skuur die Langley op 'n sperstreep verby my, met sy deurgeslyte ringe wat vergeefse rookseine by die uitlaatpyp uitstuur.

Maar skaars 'n kilo verder, toe verminder hy opeens sy spoed drasties tot so 55 km/h en ry rustig voort, amper soos 'n vliegtuig wat pas sy kruishoogte bereik het.

Tipies. Tipies.

Maar ek bly kalm. Ek wag tot daar geen verkeer van voor af kom nie en gaan weer by hom verby. En in die verbygaan, tel ek: Agt passasiers.

Sulke oorlaaide karre se passasiers interesseer my. Dit lyk nooit of hulle met mekaar gesels nie. Party – veral dié agterop bakkies – sal soms 'n bottel wat in bruinpapier toegedraai is, tussen mekaar rondstuur. Ander sal met 'n geknakte nek sit en slaap, maar die meeste sit net en staar stil voor hulle uit, in jou rigting.

Wat is dit aan die manier waarop mense agterop bakkies altyd na jou kyk? Hoekom laat hulle jou altyd effe skuldig voel?

Baie van hulle is seker op pad na hul familie in die landelike gebiede, dink ek, terwyl die Langley ál kleiner in die truspieëltjie raak. Hulle werk in die stad as huishulpe of petroljoggies of messelaars en kry net nou en dan kans om na hul eintlike huis te gaan, gelaai met 'n klomp goed wat hulle in die stad gekoop het: Matrasse, fietse, stoele . . .

Ek sit nog so en dink, toe vang my oog 'n gedane Mazda-bakkie langs die pad. Hoog belaai. Sulke bakkies word dikwels deur 'n statige oompie bestuur. Soms is hy uitgevat in 'n effe deurgeskifte baadjie en as jy aan sy houding agter die stuurwiel moet oordeel, lyk dit of hy teen 180 km/h voortsnel: Hy is die ene konsentrasie, albei hande om die stuurwiel geklem, sy skouers waterpas, effens vooroor geboë, sy oë stip op die pad voor hom gerig . . . terwyl hy teen so 60 km/h aankruie.

Hierdie ooms se onvoorspelbaarheid agter die stuurwiel is meestal voorspelbaar: As dit lyk of hulle voor jou gaan indraai, dan gáán hulle. Maar as hul regterkantse flikkerlig aan is, is daar 'n goeie kans dat hulle links gaan swenk.

Of dís wat die oubaas in daardie Mazda-bakkie langs die R101 gedoen het: Hy het regs gewys en links gedraai.

Ek het rem getrap en uitgeswaai, toeter gedruk, ligte geflits en gevloek – omtrent alles tegelyk. En tersefdertyd, toe swenk die bakkie woes links van die teer af, en toe hy links swenk, toe swenk daardie hoë vrag op die kappie se dak in allerhande rigtings. En toe is dit net matrasse en sinkplate en sakkies aartappels waar jy kyk.

Ek kon aanry, want dit was nie 'n ongeluk nie. Ons karre het mekaar nie geraak nie, slegs sy goed het van die dak getuimel. Maar ek was dadelik vies. En toe hou ek stil en stoot terug tot by die oom wat intussen uit die bakkie geklim het.

"Wat gaan aan met julle, Oupa?" vra ek vir hom nog voor my deur oop is. "Wil julle 'n mens verongeluk?"

Die ou kêrel staan net daar tussen die klomp goed wat oor die gruis langs die pad gestrooi lê en kyk deur 'n ouderwetse swartraambril na my. Toe sê hy iets. Kalm sê hy dit in Sotho of Tswana of 'n taal wat ek nie verstaan nie.

Toe stap hy na die Mazda se agterkant en swaai die kappie se klap oop. En toe begin daar mense uitklim: Eers 'n groot tante met 'n bont kopdoek, dan 'n jong seun met 'n verlepte sokkerbal in die hand, dan 'n vrou met 'n baba, dan twee mans in blou oorpakke waarop staan Ted's Electrical, dan 'n meisie met kammetjies in haar hare.

Heel laaste klim 'n tante in 'n geblomde rok uit en sy is sommer omgesukkel. Sy beduie na my en sê allerhande goed vir die oompie in daardie taal wat ek nie verstaan nie.

Die ander begin van die goed optel wat rondom die bakkie gestooi lê: Die matras en die aartappels, twee sinkplate, 'n rol ogiesdraad, 'n deurkosyn, drie houtpale, 'n driebeenpot, 'n bliktrommel, 'n gebuigde kombuisstoel, twee reusepakke kaaskrulle wat wonder bo wonder nie oopgeskeur het nie.

Een na die ander bring hulle dit terug na die bakkie toe.

Maar die tante in die blomrok help nie. Sy sê iets vir die ou man, en die ou man sê iets terug en toe leun hy agter by die bakkie se kappie in, want daarbinne was nog goed: volgepropte seilsakke en 'n rol komberse en twee jong boompies in swart plastieksakke.

Toe haal die ou man een van daardie boompies uit. "I'm so sorry," sê hy, glimlag tandeloos en hou dit na my uit. "I'm so sorry."

Ek het die boompie maar gehou en toe ek weer terug by die huis in Pretoria kom, het ek dit geplant. Hy groei mooi, daardie boompie.

Iewers in aanstaande jaar behoort ek die eerste suurlemoene te kan pluk.

Spyskaart vir die pad

Die vleispastei: Vriend of Vyand?

DANA SNYMAN

Ek wonder hoeveel keer het ek my al voorgeneem ek koop nooit weer 'n vleispasteitjie wanneer ek op die langpad is nie. Nooit. Ooit. Weer. Nie.

Vleispasteitjies stel 'n mens net teleur. Dit is amper asof hulle doelbewus ontwerp is om jou spysverteringstelsel – trouens, jou menslikheid – te beproef. Of hulle is te droog, of te pap, of hulle gee jou sooibrand.

Ek het eenkeer selfs in die noodgevalle-afdeling van die hospitaal op Vryburg beland nadat ek 'n *steak and kidney pie* by 'n kafee op die dorp gekoop het.

Maar, ai, as ek my kom kry, staan ek maar wéér in 'n kafee iewers op 'n dorp voor 'n glasoondjie vol pasteitjies en beduie vir die een agter die toonbank na daardie hoenderpasteitjie derde van links in die agterste ry. Of ek staan in een van hierdie nuwe garage-winkels met 'n silwer tangetjie in die hand, besig om vir myself een uit te soek.

Miskien is dit omdat 'n pastei die perfekte langpadkos is, veral as jy haastig is. Dit is klaar gaar. Jy hoef nie daarvoor te wag nie. En, baie belangrik, jy hoef nooit lank na 'n pastei te soek nie.

Ek weet nie van 'n dorp of 'n gehuggie in Suid-Afrika waar jy nié vinnig 'n pasteitjie kan koop nie: Makwassie, Davel, Dundee, Hotazel – oral kry jy hulle. Pasteie is soos, wel, sooibrand. Byna alomteenwoordig.

In die laaste twintig jaar het baie dinge in die wêreld verander: Die ou Sowjet-unie het tot 'n val gekom, Pietersburg is nou Polokwane, die Toyota Cressida en Gold Dollar-sigarette het van die mark verdwyn en daar was meer as tien Springbok-afrigters.

Maar die *meat pie* is steeds met ons.

Gaan kyk maar op enige dorp in enige kafee, jy sal die vier "klassieke" pasteie daar bymekaar sien lê, tydloos soos die Beatles: die worsrol (langwerpig), die hoenderpastei (sirkelvormig), die *cornish pie* (ovaalvorming), en dan die immergroen Paul McCartney van pasteie, die *steak and kidney pie* (halfsirkelvormig).

In hierdie onseker wêreld waarin ons leef, bied 'n pastei jou 'n mate van vastigheid. Al gee dit jou 'n effense sooibrand, bied dit jou darem ook 'n tydelike geestelike sekerheid.

Tog is die pastei nie immuun teen verandering nie. Daar is deesdae 'n klomp nuwe kombinasies. Kyk maar . . . spinasie en fetakaas, gekerriede skaapvleis en gekerriede groente, varkpasteie, kaaspasteie, pampoenpasteie, selfs spek-en-eier-pasteie.

Jy kry selfs 'n pizzapastei. Wat sou die sin daarvan wees? As jy lus is vir pizza, waarom koop jy nie 'n pizza nie? Wat is volgende? 'n Pasteipizza?

Dit raak ook ál moeiliker om die verskillende pasteie van mekaar te onderskei. Daarom kry jy nou hiërogliefagtige simbole, gevorm deur 'n stukkie deeg, op die pasteitjie. Dit, tesame met die pasteitjie se vorm, is veronderstel om aan te dui watter soort dit is.

Die probleem is net, daar is nie eenvormigheid nie. Byna elke bakkery of plek waar pasteie gebak word, het sy eie simbole: Diamantjies, vierkantjies, sirkeltjies . . . asook 'n driehoekige simbooltjie met 'n kolletjie binne-in wat onrusbarend baie lyk na daardie een wat jy op 'n Amerikaanse dollarnoot kry, wat volgens party mense ook die simbool is van die Illumunati, 'n organisasie wat glo die wêreld in die geheim beheer.

Al hierdie vorms en simbole het al amper tot 'n insident tussen my en 'n Griekse kafee-eienaar gelei:

"What do you mean you don'ta want this pie? You just bought it."

"Yes, but it's lamb curry, Sir."

"So what's da problem? You take lamb curry, you eat lamb curry."

"But I wanted spinach and feta, Sir."

"Now why didn't you take the spinach and feta then? You blind or what?"

Ja, pasteitjies word toenemend 'n soort *lucky packet* vir grootmense. Jy koop hom deesdae sonder om regtig te weet wat jy daarin gaan kry.

Het dit nie tyd geword dat 'n nasionale beheerraad gestig word om die vleispasteitjiebedryf in Suid-Afrika tot orde te roep nie? As daar 'n raad is vir veerpyltjiespelers en duikkloppers, kan daar mos ook een wees om minstens te sorg dat die simbole op pasteie gestandaardiseer word.

Só kan daar ook gehaltebeheer oor pasteie toegepas word, want, die vet weet, dit sal my groot plesier gee om te sien hoe word iemand soos daardie kafee-eienaar op Vryburg beboet oor daardie *pie* wat my in die dorp se hospitaal se noodgevalle laat beland het.

Maar aan die ander kant, soms het 'n onwel vleispastei onverwagse voordele: Vir slegs R6,95 kan jy 'n volledige *cleansing and detox* in 'n openbare toilet op Trompsburg beleef – iets wat jou 'n paar duisend rand in 'n private spa in die Boland sou kos.

En tog, ondanks al my onaangename ondervindings, hou ek aan om pasteie te koop. Hoekom? Miskien is dit omdat ek weer een wil proe wat soos ouma Swannie s'n geproe het.

Al die lekker pasteie wat ek al geëet het, was 'n bietjie soos ouma Swannie s'n: Die vleis was geurig en die deeg was 'n bietjie soos die versiersuiker op 'n troukoek, net souterig pleks van soet.

Sy het die deeg met 'n koekroller op die kombuistafel uitgerol. Dan het sy vorms uit die deeg gesny, die vleis met 'n lepel daarin geskep en dit met die hande toegevou. Dan was dit oond toe met hulle. En ook nie lank nie, dan het daardie heerlike, onmiskenbare pasteigeur die huis vol gehang.

Dis vreemd, selfs slegte pasteie ruik ook lekker – behalwe pasteie wat jy in 'n plastieksakkie kry. Hulle ruik jy glad nie.

Terloops, ek glo nie ek het al ooit 'n lekker pastei geëet wat in 'n plastieksakkie was nie. Dié sakkies lê mos dikwels daar eenkant in die kafee se yskas. Jy neem een en dan sit die kassier dit in die mikrogolfoond agter die toonbank.

Dan, terwyl 'n Celine Dion-liedjie sag op die agtergrond speel, staan jy daar deur die mikogolfoond se deurtjie en staar asof dit 'n TV-skerm is.

Ook nie lank nie, dan is daar aksie daar binne: Terwyl die sakkie onrusbarend swel, plof die middelste gedeelte van die pasteitjie na binne, amper soos 'n hoë gebou wat met plofstof gesloop word.

Pieng! maak die mikrogolf. Nou is dit net julle twee: jy en die *pie* . . .

Buite in die motor kry jy dan gewoonlik met een van drie situasies te doen: Jy skeur die pakkie gulsig oop, hap deur die koue kors maar verbrand amper jou mond, want die vulsel van die pasteitjie is lawawarm; of die pasteitjie se kors is koolwarm, maar die binnekant is nog half gevries; of die plastieksakkie self is so warm dat jy dit met jou tande moet oopskeur, maar die pasteitjie – kors én binnegoed – is yskoud.

Ja-nee, die mensdom het 'n man op die maan geplaas, maar dis skynbaar tegnologies onmoontlik om 'n plastieksak-pasteitjie egalig warm te kry.

Natuurlik was daar ook die lekker pasteitjies wat ek al geëet het. Daar was baie van hulle. En ek onthou hulle almal. Daar was die worsrolletjie die middag op Grünau in Namibië, nadat ek die vorige nag tot drie-uur die oggend by oom Piet van Dyk op Karasburg na die modekanaal op DStv gekyk het.

O, en daardie wildspastei op Boshoff in die Vrystaat sal ek nie vergeet nie. Dit was koedoe. Die tante wat dit aan my verkoop het, het my persoonlik die gemerkte pakkie in haar vrieskas gewys.

Dan was daar ook daardie *cornish pie* die nag in 1995 nadat die Springbokke die Wêreldbeker gewen het. Ek het dit by die Rio-kafee in Pretoria gekoop. Puik. (Toegegee, die euforie van die oomblik het dalk my oordeel aangetas; daardie aand sou 'n hondebeskuitjie ook puik geproe het.)

Wat is die lekkerste pasteitjie wat ek nog geëet het? Miskien was dit daardie hoenderpastei wat 'n vrou verlede jaar persoonlik vir my gebak het, maar ek dink net so omdat ek nogal baie van die vrou gehou het.

Soms kry jy die lekkerste pasteie op die mees ongewone plekke. Dit was 'n gewone weeksoggend. Ek het deur die Vrystaat geswerf en het by 'n kafee op Petrusburg stilgehou. Ek het uitgeklim en die plek ingestap. Die pasteie het soos kleinerige skilpaaie daar in die glasoondjie gelê, goudbruin van kleur.

"Oe, my kind," het die tante agter die toonbank gesê terwyl sy vir my twee worsrolle uithaal. "Die mense staan tou vir hierie pasteie."

Dit het my ietwat bekommerd gemaak, want ek het om my gekyk en nêrens het iemand tougestaan nie. Ek was die enigste een in die tannie se kafee. Nietemin het ek dit gekoop en buite die dorp stilgehou, uit die motor geklim, en die eerste hap gevat.

Die mooi, vredige middag daar op die Vrystaatse vlakte was opeens nog mooier. Die deeg was nie te pap of te krummelrig nie, en, mmm, binne-in was regte maalvleis, met 'n koljandersmakie en 'n blatjang-gedoentjie daarby.

Lekker, lekkerder, lekkerste.

Met pasteie gaan dit min of meer soos met die lewe: Op die ou end onthou jy die lekkerte langer as die onaangenaamheid.

In Afrika
moet jy jou tee kan vat

CEDRIC PIETERSE

Ná twee jaar se reis deur Suider-Afrika was my geld uiteindelik op. Ek was in Malawi en het 'n werkaanbod uit Dar es Salaam gekry. Die enigste probleem was ek moes nog eers daar uitkom.

Ek het net genoeg brandstof in die tenk van my 1957-Land Rover gehad om tot by Inkhathabaai in die noorde van Malawi te ry. Ek het die Landie daar by 'n *backpacker*-herberg gelos en met my laaste $5 'n kaartjie vir die veerboot na Tanzanië gekoop. Ek was nogal benoud oor die grensprosedure omdat ek my Malawi-visum met twee weke oorskry het.

Die bootrit al langs die oewer van die meer sal ek nooit vergeet nie, want die boot se enjin het drie keer afgeval. Die kaptein het elke keer doodluiters sy Malawi Gold-daggazol neergesit en die enjin, wat met 'n tou aan die boot vas was, uit die water getrek. Dan het hy bloot die water uit die vergasser geblaas.

Maar ná die derde doop wou die enjin net nie meer vat nie. Gelukkig het die *domwera* (die westewind) oewer toe gewaai, waar die hele dorpie se mense saamgedrom en kom raad gee het.

Daar was egter geen gereedskap op die dorpie nie en een van die seuns is gestuur om na 'n ander dorpie te draf om te kyk of hy 'n paar *spanners* in die hande kon kry.

Die kaptein het by 'n gasvrye jong dame aangelê en sommer vir die aand by haar ingetrek, terwyl die res van ons maar op die strand moes slaap. Maar niemand het gekla nie en ons het dadelik vuur gemaak vir 'n koppie tee.

Die volgende oggend was daar steeds nie gereedskap nie, maar die enjin het gelukkig met die tweede probeerslag aan die gang gestotter. Toe sit ons ons vaart voort met 'n nuwe passasier: Mary, die kaptein se gasvrou.

Haar take was om te gil as dit lyk of die enjin loswikkel én om die kaptein se skywe te rol.

By die Kaporo-doeanekantoor blyk dit toe Mary het g'n paspoort nie. Die amptenaar wou dadelik "privaat" met haar gesels – en kyk toe nie te fyn na my paspoort nie. Hy't dit net vinnig gestempel.

By die Tanzaniese grenspos het die gebruiklike prosedure op ons gewag: Staan in 'n lang ry; hoor voor by die toonbank jy moet eers 'n vorm invul; staan in 'n ander ry; kry die vorm; vra vir 'n pen; wag in nog 'n ry vir 'n pen; vul die vorm in; staan in die eerste ry en wag dan baie lank, want die amptenare geniet middagete.

Ek doen toe wat twee jaar se ondervinding met Afrika-grensposte my geleer het: Ek wag. En uiteindelik is ek voor by die toonbank.

"Gee jou paspoort. En $50."

"Wat?!"

"Vir 'n visum."

Ná 'n lang gekibbel blyk dit toe my Tanzaniese visum het verstryk.

By die Malawiese grenspos het ek gehoop die beampte wat met Mary aan die gesels was, sou my weer vinnig deurwuif . . . maar hy was in 'n besonder slegte bui. Dalk het sy vrou kom inloer oor middagete terwyl hy en Mary gesels het. Hy het my visumoortreding raakgesien en my duidelik laat verstaan dat ek 'n onvergeeflike sonde gepleeg.

Ek het my bes probeer om hom te oortuig, maar kon netsowel met die muur gepraat het. Nou was ek 'n burger van niemandsland: Ek is vir 90 dae uit Malawi verban en het $50 nodig gehad om Tanzanië binne te gaan.

Ek het in die skadu van 'n kremetartboom gaan sit en peins. Ná 'n lang ruk het ek besluit om die probleme een vir een te takel.

Die eerste probleem was dat ek ek twee dae laas 'n sigaret gerook het. Ek het gewag tot iemand verbystap wat rook. Rokers behoort almal tot 'n soort broederskap, en as iemand vra, dan gee jy een. Die roker in my visier was 'n ouerige Malawiër. Hy was baie verbaas dat 'n *mzungu* (witman) 'n sigaret bedel. Die man, Mthandika, het sommer die res van sy pakkie sigarette vir my gegee.

My eerste probleem was opgelos.

"Wat soek jy in niemandsland?" vra Mthandika toe. Nadat ek my penarie aan hom verduidelik het, was hy omtrent meer omgekrap as ek. 'n Ruk lank het hy gestaan en tob.

En toe los hy my volgende probleem op: Kos. Mthandika het my aan die hand gevat – soos alle Malawiërs doen as jy hulle vriend is – en sommer by die naaste huis aan die deur geklop.

Die vrou wat die deur oopgemaak het, het na Mthandika geluister terwyl hy my hele storie met groot gebare en baie woorde aan haar verduidelik. Sy het omgedraai en die huis ingedraf.

"Ons drink eers tee," verduidelik Mthandika.

Op daardie punt was ek oortuig die lewe kan nie beter word nie. Maar ek was verkeerd . . .

Ná 'n heerlike koppie tee het ons 'n bord smullekker pap en hoender geëet én ons is 'n kamer aangebied waar ons kon slaap. Teen dié tyd het die probleme hulleself teen só 'n vinnige tempo begin oplos dat ek amper die proses wou vertraag.

Die volgende oggend ná 'n ontbyt van *mandasi* (iets soos vetkoek) en nog tee, het Mthandika my weer aan die hand gevat en na die Malawi-grenspos toe gelei. Hy het my buite gelos om 'n sigaret te rook terwyl hy met my paspoort die kantoor in is.

Ek het vertrou dat agt sigarette en die wêreld se tyd my groot probleem sou oplos. 'n Entjie weg het 'n paar hoenders in die stof geskrop en 'n klompie donkies het net in die niet gestaar.

Ná 'n uur of wat het Mthandika uitgekom – met my paspoort triomfantelik in die lug. "Jy kan vir 'n maand in Malawi bly," het hy gejubel.

Met 'n swaar hart het ek van my vriend en held afskeid geneem. Ek het na die meer gestap, waar my volgende probleem op my gewag het: Ek moes – sonder geld – uitkom by my Landie, wat per boot drie dae suidwaarts by Inkhathabaai gestaan het.

Maar ook dié probleem is vanself opgelos toe 'n booteienaar my komplimenteer op my mooi hoed en skoene. Dit het vir my rit na die suide betaal. In die daaropvolgende dae het ek my rugsak en al die klere daarin verruil vir kos, sigarette en bier. En tee.

Toe ek by Inkhathabaai aan wal stap, het ek net die kortbroek aan my bas oorgehad. Maar al my probleme tot dusver was opgelos.

Die eienaar van die herberg waar ek die Landie gelos het, het simpatiek na my storie geluister en aangebied dat ek maar daar kon bly totdat ek die Landie vol reisigers kon kry.

In die vorige paar maande het ek geleer 'n ou Landie in die middel van Afrika het dieselfde aantrekkingskrag as 'n Ferrari voor 'n straatkafee in Kampsbaai. Die passasiers betaal die brandstof en ek vat hulle na waar hulle ook al wil gaan.

Dit het nie lank geneem om die Landie vol mense te kry nie: Daar was twee Hollandse meisies, 'n Amerikaner en een Oostenryker. Dit het my vyf maande geneem om in Suid-Afrika te kom, want my passasiers wou eers sien wat in Zambië aangaan.

Uiteindelik is ons op 'n Vrydagaand deur die grenspos Zambië binne. Die beamptes was heel vrolik (ek dink die bierlorrie waarop hulle beslag gelê het, het iets daarmee te doen gehad).

Iets het net vir my gesê dit was te maklik. En my agterdog is bevestig toe ons skaars 'n kilometer verder by 'n padversperring voorgekeer word.

"Jy het 'n probleem," sê die een beampte. "Jy het nie weerkaats-stroke op jou kar nie en jy het nie derdepartyversekering vir Zambië nie!"

"Hoe weet jy ek het nie versekering nie?" vra ek.

"Die versekeringskantoor sluit om vyfuur." 'n Fyn uitgewerkte lokval.

"$200," dring die polisieman aan.

"Ek het nie $200 nie."

Ná lang onderhandelings daal die prys tot $100, maar dit help niks nie, want ek het nie 'n sent by my nie en my passasiers, almal *backpackers*, gaan beslis nie van $100 afstand doen nie.

Dooiepunt. Dit was duidelik die polisiemanne sou ons nie laat gaan sonder betaling nie. Ek sê toe maar vir my passasiers hulle moet kyk of hulle tot op die volgende dorp, Chipata, kan duimgooi.

Ek het my tent uit die Landie gehaal en dit begin opslaan. Dit het die polisiebeamptes onkant betrap, maar die ou met die meeste strepe het kopgehou en my beveel om die tent af te slaan. "Dis onwettig om langs die pad te kamp in Zambië."

Die man was kwaad. Hy het gedreig om my in hegtenis te neem en geweier om my passasiers te laat gaan. Ek moes dringend 'n plan bedink.

Toe vra ek toestemming om 'n koppie tee te maak. Toestemming verleen. En ek bied vir die polisiemanne ook tee aan. Aanbod aanvaar.

Terwyl ons nog so aan die koppie tee drink, sê die man met die strepe ons kan maar ná die koppie tee gaan. "Julle het duidelik meer tyd as ons."

En só is nog 'n probleem opgelos. Jy moet net 'n koppie tee drink.

As jy nie kan reis nie, drink koffie

BUN BOOYENS

'n Reis hoef nie na 'n ver plek te wees nie. Trouens, vir my tel 'n besoek aan die naaste koffiekroeg as 'n reis. Jy gaan sit rustig, skink 'n koffietjie en reis dan sommer in jou kop na die uithoeke van die aarde – of tien, twintig, dertig jaar die verlede in.

Maar dis met die skink – spesifiek van die melk uit daardie silwerkleurige bekertjie – dat my koffiewinkelreis gewoonlik in sy spore gestuit word.

Dié metaalbekertjies is waarskynlik so oud soos die Suid-Afrikaanse restaurantbedryf, of selfs die melkbedryf. Vandat ek my verstand het, kry jy hulle in omtrent elke eetplek in Suid-Afrika. Ek sal nie verbaas wees as 'n argeoloog 'n paar van hulle iewers in 'n Strandlopergrot opgrawe nie.

En hier's die deel van die skinkery wat my kopreis laat ontspoor: Dié tydlose melkbekertjies *werk* nie.

Ek beskou myself as 'n ervare koffiedrinker, maar ná al die jare kan ek steeds nie melk uit so 'n bekertjie skink sonder om te mors nie. Trouens, dis asof dit spesiaal ontwerp is om te mors. Wanneer jy die melk in jou koffie skink, kleef die straaltjie onderaan die bekertjie se tuit vas en loop af tot in jou piering of op die tafel.

Dit boul my telkens uit. Hoe op aarde het só 'n swak patent dit reggekry om te bly voortbestaan in 'n hoogs mededingende en snel veranderende wêreld? (Jy kry dié melkbekertjie steeds oral; gaan kyk maar.)

Dan sit en dink ek nie meer aan Patagonië of Gaboen in die koffiewinkel nie. Ek staar na die poeletjies melk op die tafel en wonder of die ouens wat hierdie bekers maak, nou nog nie agtergekom het hulle vlagskip-produk het 'n *ernstige* gebrek nie?

Hierdie mense moet tog sekerlik 'n jaarvergadering of bosberaad hou waar iemand – dalk 'n jong ou wat die direksie se oog wil vang – sou kon opstaan en hoflik sê: "Kollegas, ek wil nou nie op tone trap nie, maar as ons wil hê ons maatskappy moet in die 21ste eeu bly floreer soos in die 20ste, moet ons dit dalk oorweeg om ons melkbeker se tuit so effentjies aan te pas . . ."

Ek het al op dié bekertjies probeer kyk vir 'n kontaknommer of webadres, maar daar's niks. Ek het al vir koffiewinkeleienaars gevra waar koop hulle die bekers, maar hulle haal gewoonlik net die skouers op en sê die goed was hier toe hulle die plek by die vorige ou oorgeneem het. Dis asof die bekers hulle in die geheim in Suid-Afrika se koffiewinkels kom aanmeld en dan teen wil en dank bly.

Jammer oor die tirade. Dalk moet ek eerder my koffie swart drink. My beheptheid met hierdie melkbekers spruit waarskynlik uit die feit dat ek die afgelope jaar of twee nie juis tyd gehad het om te reis nie. Om te kompenseer het ek 'n vreemde belangstelling in koffiewinkels ontwikkel. Ek bestudeer hulle soos ek in die ou dae Frankryk of Zambië sou bestudeer. (Ek sit nou juis in 'n koffiewinkel en skryf.)

Laat ek dus gou die hele koffiewinkel-ding van my hart af kry. Vir my lyk dit redelik maklik om 'n koffiekroeg te bedryf. Jy het oënskynlik net sewe goed nodig: 'n Paar tafels wat stewig staan en nie wankel nie, ordentlike koffiebone, 'n kelner wat sowat tien treë ver kan sien, suiker (wit én bruin), melk (warm én koud), 'n wortelkoek wat darem nog in die huidige boekjaar uit die oond gekom het, en skaflike agtergrondmusiek. Vergelyk dit nou met die letterlik dosyne dinge waarvan jy die leisels moet vashou as jy, sê maar, 'n slaghuis, duikkloppery of tuindiens wil bedryf.

Wat my veral interesseer, is hoeveel koffiekroeë nie 'n enkele een van dié Groot Sewe kan bemeester nie, maar – net soos daardie melkbekertjies – nogtans bly voortbestaan.

Gaan toets maar die Groot Sewe wanneer jy weer gaan aansit vir 'n koppie koffie. Vat die tafel aan weerskante vas en skud dit liggies. Die kans, het ek geleer, is omtrent 85% dat dit gaan *wobble*. (Die oplossing? Skuif 'n suikersakkie onder die poot in . . . mits daar suikersakkies ís.)

Probeer nou die kelner se aandag trek. Eers steek jy jou vinger hoflik in die lug. Later wuif jy soos 'n drenkeling, maar 'n Suid-Afrikaanse koffiekroeg-kelner het die vermoë om alles mis te kyk. Hulle staar oor al die geroesemoes soos 'n boer wat na reënwolke soek.

Wanneer die koffie uiteindelik opdaag, is daar gewoonlik nie bruinsuiker nie, die melk is koud en die koffie self is niks besonders nie. Nul uit ses, tot dusver.

En dan is daar nommer sewe: die agtergrondmusiek. Ek het gedog ek het 'n redelike weerstand teen steurende musiek, totdat ek een goeie Woensdagoggend die Bee Gees se "Night Fever" saam met my oggendkoffie gekry het. Ek loop nou nog met 'n effense sielkundige letsel rond.

'n Koffiewinkel is mos veronderstel om 'n stemmige plek te wees. As jy saam met 'n vriend daar kuier, moet die musiek 'n rustige gesprek orkestreer. As jy alleen daar is, is dit omdat jy 'n bietjie wil dink oor dinge – en die musiek moet help om jou in daardie effens melancholiese luim te plaas vir 'n goeie kopreis.

Maar kyk nou watter liedjies is onlangs op my losgelaat terwyl ek niksvermoedend my koffie probeer drink het: "The Final Countdown", "Eye of the Tiger" uit *Rocky III* en daardie hiper-irriterende "Nothing's Gonna Stop Us Now" van Jefferson Starship – daai liedjie waar hulle heeltyd sing: "And we can build this thing together . . ."Wat wil hulle bou? 'n Strandhuis? 'n Nuwe hoofkantoor? 'n Seepkiskar? En wie probeer hulle keer?

Die koffiewinkel waar ek nou sit en skryf, is 'n baie spesiale plek: Dit breek ál sewe reëls, plus nog 'n paar wat ek nog nêrens elders teëgekom het nie. Tog ry ek omtrent elke Sondagoggend met my motorfiets hierheen – uit morbiede belangstelling, eerder as om koffie te drink.

Die naam van die plek maak nie saak nie, maar dit is, soos die ou mense sou sê, 'n geleë plek: Eenkant lê Valsbaai en aan die ander die pragtige Kogelberge met hulle honderde spesies fynbos.

Wanneer jy hier koffie drink, kyk jy egter nie na die see of die berge nie, want dié koffiewinkel spog met waarskynlik die grootste televisieskerm in die Suidelike Halfrond. Dis altyd aangeskakel, gewoonlik op 'n obskure sportkanaal wat ek nog nie lekker kon plaas nie. (Onlangs het ek 'n rugbywedstryd gesien waarin Jonah Lomu nog speel.)

Meestal is daar egter boks op die TV, gewoonlik oor-die-muur swaargewigte en feitlik sonder uitsondering 'n middeljarige Mexikaan teen 'n oorgewig Amerikaner. Op die oomblik werk ene Guido Jiminez en Leroy Jones jr. mekaar se sake. Dis die tweede ronde en Guido was al 'n slag planke toe.

Op Sondae is dié gevegte iets besonders, want die eienaar sit dan gewoonlik die televisie se klank af en speel panfluitmusiek op die koffiewinkel se hoëtroustelletjie. Danksy Gheorghe Zamfir slaan Guido en Leroy mekaar vanoggend dus in 'n amper gewyde atmosfeer.

Hierdie koffiekroeg verras my klokslag. Op een van my eerste besoeke hier het ek vir die kelner vir warm melk by my koffie gevra. "*Warm* melk?" het hy ongelowig gevra en letterlik vir vyf sekondes oorbluf bly staan. Dit was klaarblyklik die eerste keer in sy loopbaan dat hy met so 'n vreemde versoek gekonfronteer is.

Later die oggend het sy seuntjie – ek het hom so drie jaar oud geskat – by my tafel kom staan en een vir een die tjips uit my bord begin eet.

Ek het al een oggend vroeg hier opgedaag en amper veroorsaak dat twee kelners handgemeen raak omdat hulle nie kon saamstem oor hoe laat die plek oopmaak nie.

Ek het al elke denkbare kombinasie van gebrekkige koffie hier teëgekom: Koffie met koue melk, maar sonder bruinsuiker; koffie met warm melk én bruinsuiker, maar sonder 'n teelepel en op 'n wankelrige tafel . . . Noem maar op.

As jy by dié plek 'n tweede koppie koffie wil hê – soos tans die geval is – moet jy opstaan en die kelner op sy skouer gaan tik daar waar hy op die toonbank leun en kyk hoe Guido met een hand op die onderste kryttou weer die verpligte telling van agt aanhoor.

Maar wag, dis asof die panfluitweergawe van Elton John se "Candle in the Wind" vir Guido nuwe krag gee. Hy's terug op sy voete. Dis nou die sesde ronde en Leroy se 130 kg begin hom inhaal.

Een merkwaardige wintersoggend het ek al selfs 'n tweede koppie koffie hier gekry *sonder* om te gaan vra. Maar toe vergeet die kelner die ekstra melk.

Wat kom maak ek dus hier? Want ek wag nou nog vir my tweede koppie koffie.

Dis die negende ronde. Die Bee Gees is nou aan die sing en op daardie groot TV-skerm word Leroy uitgetel op die maat van "How Deep Is Your Love".

Wat 'n koffiewinkel! Wat 'n reis! Volgende Sondag is ek terug. Ondanks daardie flippen melkbekertjie.

Reis en die groot dors

DANA SNYMAN

Nou die dag staan ek voor 'n koeldrankkas in die Ultra City op Leeu-Gamka in die Karoo. Buite brand die son om dood te brand en ek is dors. Of altans, ek vermoed ek is dors.

Miskien is dit nou tyd vir 'n Iron Brew, besluit ek, maak die yskas oop en haal daardie bruin blikkie uit. En toe, terwyl ek staan en wag om te betaal, tref dit my: Ek weet nie regtig hoe lyk Iron Brew nie.

Ek vermoed dis bruin en dit borrel, maar ek het dit nog nooit in 'n glas gesien nie, want ek drink Iron Brew net wanneer ek reis – en dan altyd uit die blikkie en sonder 'n strooitjie.

So dink-dink oor die rol wat koeldrank op die ooppad speel, ry ek toe verder noord. Ja, daar is seker dieper en gewigtiger sake om oor te besin, maar die lekker ding van reis is dat jy oor enigiets kan sit en dink, selfs koeldrank.

Kyk, om 'n koeldrank te koop is nie altyd eenvoudig nie. Daar's be-sluite wat geneem moet word. Gewone Fanta of Fanta Grape? Apple-tiser of Grapetiser? Coke of – as jy lus voel om die *underdog* 'n hup-stootjie te gee – dalk 'n Pepsi? Selfs al koop ek net 'n Coke, wik en weeg ek eers of dit 'n blikkie of 'n bottel moet wees. En as dit 'n bot-tel is, moet dit van glas wees of van plastiek? En watter grootte?

By die huis is dit maklik: Ek is 'n glasbottel-man, want Coke proe beslis beter uit glas. Dit is vir my die lekkerste as jy dit net so uit die bottel staan en drink voor die oop yskasdeur terwyl jy ietwat panieke-rig luister of een van die huismense nie die kombuis gaan instap en jou betrap nie.

Op die ooppad werk glas egter nie goed nie, want dit irriteer die dinges uit my uit wanneer die bottels so onder die sitplek rondrol en teen mekaar klingel.

Wanneer ek reis, eet ek wegneemkos, en dan koop ek byna altyd 'n blikkie Coke. Dit voel vir my – hoekom weet ek nie – of Coke in 'n blikkie jou spysverteringstelsel beter ondersteun, veral nadat jy 'n ef-fens verdagte vleispastei teen jou beterwete geëet het.

Ek gebruik selde 'n strooitjie, eintlik net wanneer die kafee-eienaar vir my een in die hand gee. Dan, wanneer ek drink, voel ek weer soos daardie laaitie van tien of elf wat op die stoep van oom Wessel Badenhorst se kafee op Daniëlskuil aan 'n blikkie Groovy deur 'n papierstrooitjie sit en suig het.

Onthou iemand nog Groovy-koeldrank? Dit was die eerste koeldrank wat ons in blikkies op Daniëlskuil gekry het, sulke harde blikkies wat jy nie sommer kon papdruk nie. Net oom Sterk Niek Louw kon. En die ringetjie bo het los gekom sodat jy dit vir 'n rukkie soos 'n ring om jou vinger kon dra.

Toe ek tien was, was dit 'n belangrike gebeurtenis in jou lewe wanneer jou ouers jou toelaat om gaskoeldrank te begin drink. Tot dan mag jy net aanmaakkoeldrank soos Oros en Kool-Aid gedrink het.

Maar vir die lang pad Margate of Hartenbos of Windhoek toe het jy iets sterkers nodig. Dan breek die dag aan wanneer jy jou eie bottel gaskoeldrank kry. Al die gaskoeldrank, behalwe die Groovy, het in daardie jare ook nog in glasbottels gekom, bottels waarvoor jy geld – was dit 10 sent? – gekry het wanneer jy dit ingee.

Natuurlik was Coke toe al daar, maar daar was soorte en smake wat ek vandag nie eintlik meer sien nie: Hubbly Bubbly, 7 Up, Canada Dry, en my gunsteling destyds, Peppadilla, so 'n gele met 'n vae grenadella-smaak.

By elke garage het 'n platterige koeldrankkis gestaan, almal ewe verweer, met 'n blink oopskuif-deksel.

Dis 43 °C op Karasburg. Julle hou by die garage stil en jou pa sê vir die petroljoggie: "Maak vol." Dan gaan druk jy jou kop by daardie koeldrankkis in op soek na genade.

Gewoonlik was dit 'n gevroetel om jou Creme Soda, Pine Nut of dalk 'n Peppadilla op te spoor, want in daardie kiste het die bottels dikwels plat gelê.

Binne-in die koeldrankbottel se doppie was 'n ronde stukkie plastiek. As jy dit afgetrek het, was daar 'n nommer of kode wat jy na 'n adres in Doornfontein kon pos as deel van 'n wedstryd waarin jy 'n Ford 20 M of iets kon wen.

Niemand van Daniëlskuil wat ek ken, het ooit iets gewen nie.

Soms, wanneer jy geweet het die volgende dorp is ver en jou pa gaan nie gou weer stop nie, het ek 'n gaatjie in die proppie gekap, sag, versigtig dat die bottel nie breek nie. Dan kon jy koeldrank bietjie-bietjie deur die gaatjie suig en het 'n Hubbly Bubbly jou maklik 200 km gehou.

Iets van die Hubble Bubbly-bottel sal ek nooit vergeet nie: Die onderste gedeelte was vol riffels met holtetjies. Ek sien myself nog daar op ons Valiant se agtersitplek met 'n bottel Hubbly Bubbly in die hand. Die koeldrank is op, maar ek sit steeds met die bottel in die hand en voel-voel met my vingers aan daardie holtetjies.

Ek het nou die dag in 'n Quick Shop probeer tel tussen hoeveel verskillende koeldranke, energiedrankies, ystee, en gewone en gegeurde water (met of sonder borrels) en vrugtesappe 'n mens kan kies in daardie koelkaste waarin ek al mense aan die agterkant van die rakke sien rondstap het. By veertig het ek ophou tel.

Ons was destyds effens agterdogtig toe die eerste vrugtesappe in die 1970's hulle verskyning in oom Mike se koeldrankkas gemaak het. Daar was net twee soorte: lemoen en koejawel, in dieselfde soort plastiekbottels waarin jy ook melk gekry het.

My ma het my belet om koejawelsap te koop, want sy het geglo dit gee 'n mens hooikoors en kan selfs 'n asma-aanval veroorsaak.

Deesdae kry 'n mens selfs bloubessiesap. Ek het onlangs op Colesberg in die middel van die Karoo vir my 'n botteltjie gekoop. Proe dit regtig na bloubessie? Ek sal nie kan sê nie, want ek het nog nooit 'n bloubessie gesien of geëet nie. Ek dink nie dit kom in Suid-Afrika voor nie.

Ek het al gewonder of 'n mens aan koeldrank, nes aan drank, verslaaf kan raak – veral wanneer jy op die langpad is.

Ons almal ken waarskynlik die gevoel. Jy reis van die Kaap af Gauteng toe. Dis 'n warm dag en sommer op Worcester al hou jy stil en koop 'n Coke. Op Laingsburg koop jy nog een, en dan slaat jy daai vlakte, verby Prins Albertweg tot by Leeu-Gamka, waar jy petrol ingooi en maar weer oorstap na die kafee en, wel, jy is nou nie heeltemal lus vir nog 'n Coke nie . . .

Dis wanneer die reisiger begin soek na ander moontlikhede. En dís wanneer ek my tot Iron Brew wend, soos nou die dag op Leeu-Gamka.

Iron Brew is die koeldrankwêreld se impakspeler; die een wat jy nader roep as jy die dors op 'n nuwe manier wil uitoorlê. Dis 'n soort tussenganger tussen Coke en al die ander koeldranke, sappe en drinkgoed waarmee ek nog later die dag my dors op die langpad gaan probeer les.

Met 'n blikkie Iron Brew in die hand ry jy dan paraat verby Beaufort-Wes, Drie Susters . . .

Ai, ek het al probeer, maar kry dit nie reg om verby Drie Susters te ry sonder om 'n koeldrank te koop nie. Wat sal dit dié keer wees, want tot dusver kon niks my dors les nie? 'n Energade of Powerade? Miskien 'n blikkie Tomato Cocktail? Dalk selfs 'n Yogi Sip? Maar kwalifiseer al hierdie nuwe jogurt-goed as koeldrank?

Dis wanneer jy weet. Die oomblik het aangebreek. Dis tyd vir 'n Stoney.

Hoe het daardie ou met die testosteroon-growwe stem destyds in die advertensie gesing? "Nee, dis nie flou nie, dis Stoney." 'n Stoney, so redeneer ek, is nie heeltemal koeldrank nie. Dis darem gemmerbier ook, en miskien sal dít my dors les.

Wanneer jy daardie leë blikkie neersit, is die arsenaal van padkoeldranke uitgeput. En dis hoekom ek bereid is om met volksvreemde drankies soos bloubessiesap te begin eksperimenteer teen die tyd dat ek op Colesberg aankom.

Ek het dit nou al hoeveel keer ervaar, van kleins af al. Iewers, laatmiddag of vroegaand, wanneer jy by 'n slaapplek aankom, onthou ek skielik van water. Gewone kraanwater. Dis asof die langpad jou van water laat vergeet het.

Ek sien nog vir Pa ná so 'n lang dag in ons kombuis met 'n *enamel*-beker – hy't altyd water uit daardie vaalblou *enamel*-beker gedrink – in die hand. In een asem drink hy daardie beker leeg terwyl 'n smal stroompie water teen sy ken afloop.

Dan laat sak hy die beker en sê: "Niks les darem jou dors soos water nie, nè?"

Om weer op 'n basaar te kom

DANA SNYMAN

Nie te lank gelede nie ry ek een Saterdagoggend deur 'n Vrystaatse dorp, verby die garage en die Spar. Toe ek by die kerk kom, is dit net karre en braaivleisrook waar jy kyk.

Toe weet ek sommer: Hier word vandag basaar gehou. En ek hou daar stil. Ons in die stad hou mos nie meer basaar nie. Ons het vlooimarkte. Ons het *fêtes* en kermisse. Maar 'n basaar is meer as dit – baie meer.

Ek verwonder my telkens aan hoe 'n mens se geheue werk. Ek was skaars by daardie kerk se hek in, toe onthou ek skielik mense wat ek gedink het ek het al van vergeet: oom Anneries Grové en oom Niek Louw, tant Berdina Smit, tant Baby van der Ryst, tant Hester van Niekerk . . .

Dit is van die bedrywige basaar-ooms en -tantes op die dorp waar ek jonk was. Ek het hulle weer voor my gesien: Oom Anneries met die swepe wat hy self gevleg het, oom Niek met sy sosaties, tant Berdina met haar hekelwerk; tant Baby met haar tjoklitkoeke; en tant Hester . . . o, jy was gelukkig as jy een van tant Hester se tuisgebakte brode te koop kon kry, want nog voor Dominee die basaar met Skriflesing en gebed geopen het, het mense al by die broodtafel saamgepak.

Wat ek nou die oggend daar gesien het, het nie veel verskil van die basaars wat ek leer ken het nie. Buite die kerksaal het tafels in rye gestaan onder stellasies wat met ou Spoorwegseile oorgetrek was. En oral was plakkate wat aandui wat waar verkoop word: Sosaties, pannekoek, vetkoek, *jaffles*, poeding, koeksisters, groot koeke, klein koekies, terte, lekkergoed en gemmerbier.

In die saal was ook tafels, sulke lang houtblaaie wat op driehoekige pote rus. Dis waar die naaldwerk, handwerk en speelgoed te koop was.

Op die verhoog was die tombolatafel, met 'n rak agter dit, gepak met tennisballe, waterpistole, fluitjies – alles wat jy kon wen afhangende van die nommer wat jy getrek het uit die kartondoos wat met bruin-papier oorgetrek was.

Ek het na die pannekoektafel gestap. Twee of drie pannekoeke is net die ding om 'n mens in die regte luim vir 'n basaar te kry. Agter die tafel het vier vroue voor Cadac-gasstofies gestaan.

Hulle was veteraan-pannekoekbakkers, dit kon jy dadelik sien. 'n Goeie pannekoekbakker herken jy aan haar pan. Jy sal nie sommer een van hulle betrap met een van hierdie gebruik-geen-kookolie-panne wat op die TV geadverteer word nie. Nee, jy sal haar sien met 'n alu-miniumpan met 'n dik boom. Die pan is al swart gebrand, en dikwels is die handvatsel met 'n stukkie hout vervang.

"Kan ons help?" het een van die vroue gevra.

Die gaar pannekoek het in 'n glasbak oor 'n pot kokende water op 'n stofie gewag. Op die tafel was 'n deksellose roomysbak vol kaneelsui-ker en velletjies waspapier waarin die gaar pannekoeke toegedraai is.

"Drie pannekoeke, asseblief." Ek het 'n noot uit my sak gehaal en dit vir die vrou gegee.

"Nee, Meneer, ons vat net kaartjies, hoor."

Hoe vinnig vergeet 'n mens nie. Op 'n basaar kan jy mos slegs iets met "kaartjies" koop.

Die jaarlikse kerkbasaar was een van die hoogtepunte op ons dorp se sosiale kalender. Eintlik was daar elke jaar drie basaars op die dorp: een deur die NG gemeente, een deur die Hervormers en een deur die Doppers. 'n Dopper sou miskien as vriendskapsgebaar 'n sjokolade-koek op die Hervormers se basaar gaan koop. Of 'n Gatjieponder – dis hoe die NG mense genoem is – sou 'n vinnige draai by die Dop-pers s'n gooi, net om om te kyk of die basaar nie dalk, wel, beter as hulle s'n is nie.

En 'n goeie basaar gebeur nie sommer oornag nie. Maande vooraf is 'n reëlingskomitee op die been gebring. Die gemeente is verdeel in wyke en aan elke wyk is 'n "tafel" toevertrou. Soms het dit tot onenig-heid en selfs 'n kortstondige kwaaivriendskap gelei: Wyk 3 se mense sou byvoorbeeld vies wees omdat wyk 10 die vleistafel gekry het en hulle al weer met die naaldwerktafel sit.

Maar op die Saterdagoggend van die basaar was die hele gemeente weer die ene vrolikheid en eensgesindheid.

My pa en ma was altyd by die basaar betrokke en ek moes dikwels help om pannekoekdeeg in roomkanne aan te maak, of fudge en klapperys in sakkies te pak, of help klits aan die Moirs-kitspoeding. As beloning het my ma my altyd toegelaat om die bakke uit te lek.

Dit was nog halfdonker wanneer ons in die Valiant by die kerksaal stilgehou het. Oral was mense reeds doenig om tafels op te slaan, om seile oor stellasies te trek, om kartonbokse en skinkborde vol goed nader te dra.

Ook nie lank nie, dan het 'n vrolike konsertinaplaat weerklink oor die luidsprekers wat aan een van die takke van die doringboom voor die saal gehang het, terwyl tant Berdina roep: "Nee, herder, kry 'n mens nie koffie hier nie?" Die koffiewater is altyd in die saal se kombuis gekook in 'n groot, silwerkleurige urn.

Oom Spikkels van der Poel, wat nooit juis in die kerk gekom het nie, het elke jaar die basaar se skyfskiet gereël. Hy het in die Tweede Wêreldoorlog in Noord-Afrika geveg en het altyd 'n bruin oorpak aangehad met stewels wat só blink was dat jy jou eie weerkaatsing in die punte kon sien.

Hy het 'n muur van hooibale agter die saal gepak, en dan kon jy vyf skote met 'n windbuks skiet na 'n teiken – 'n klomp swart kringe met 'n kol in die middel – wat teen 'n baal gehang het.

En jy mag nie dooierus gevat het met die windbuks nie. Oom Spikkels het 'n wit lyn met kalk op die grond gegooi. Daar moes jy gaan staan, en dan het oom Spikkels geroep: "Gereed? Laai!" Dan het jy een van die koeëltjies – dié het jy altyd in jou mond gehou – in die windbuks se loop gedruk en aangelê.

Agterop oom Spikkels se groen Datsun-bakkie, wat daar naby geparkeer was, het 'n skaap vasgemaak gestaan. Die een wat die dag die meeste punte met vyf skote aangeteken het, het die helfte van daardie skaap gewen. Die ander helfte was 'n prys in die tombola. Oom Spikkels het die skaap altyd weer huis toe geneem, dit geslag, en dan die helftes aan die wenners besorg.

Hier teen agtuur die oggend was die braaivleisvure aangesteek en die tafels opgeslaan en volgepak met van jêmtertjies en vyekonfyt tot een van tant Breggie Nienaber se toilettooisels.

Tant Breggie het haar eie, volledige, gehekelde reeks gehad vir die sindelike, plattelandse toilet: Sy het oortreksels vir die sitplek gehekel, asook vir die deksel, die waterbak se deksel, en vir die ekstra toiletrol wat op die waterbak staan. Sy het ook 'n sak gemaak waarin 'n bykomende arsenaal toiletrolle agter die toiletdeur, langs die kerkalmanak, kan hang.

Om alles mooi af te rond, het sy ook 'n matjie gemaak waarop jy jou voete sag voor die toilet kon laat rus.

Maar agtuur die oggend mag jy nog niks gekoop het nie – behalwe koffie. Almal moes eers wag tot negeuur wanneer Dominee die verrigtinge met Skriflesing en gebed geopen het, nadat oom Koos Louw, voorsitter van die reëlingskomitee, almal teenwoordig hartlik verwelkom het terwyl die luidspreker se gefluit hom kort-kort in die rede val.

Miskien die eerste keer in my lewe dat ek werklik erge gevoelens van gierigheid en afguns gehad het, was onder gebed by 'n speelgoedtafel op basaardag.

Jy is ses jaar oud. Jy staan ingedruk tussen 'n klomp ander kinders by die speelgoedtafel. Jou oë is op 'n speelgoedgeweer wat oom Seppie Grip uit hout gekerf het. Langs jou staan Johnny Virtue. Sy oë is ook op daardie geweer.

Al die seuntjies se oë is op daardie geweer, terwyl Dominee klaar uit die Bybel lees, en sê: "Kom ons buig die hoofde in nederige gebed . . ."

Jy probeer jou oë toehou, maar hulle gaan vanself oop. Jy begeer daardie geweer met jou hele hart en jou hele siel en jou hele verstand.

En dan, terwyl Dominee nog besig is om te bid, skiet Johnny se hand langs jou uit tot op die houtgeweer. Jy gaan Johnny se hand nie weer daar afkry nie, besef jy vol wrewel en afguns, en loer om jou rond: By die broodtafel staan ook 'n klomp mense wat maak asof hulle na Dominee se gebed luister. Party het hulle hande op van tant Hester se brode.

Ek het toe nou die oggend daar in die Vrystaat eers kaartjies gaan koop voor ek terug is na die pannekoektafel toe. Op pad het ek sommer gou vir my 'n *jaffle* ook gekoop.

Dis amper asof 'n basaar ontwerp is om jou 'n hele dag aan die eet te hou: Jy sal byvoorbeeld afskop met 'n pannekoek en dan sien jy die *jaffles*, en dink: Miskien moet ek enetjie vat om die soet smaak van die pannekoek uit die mond te kry. En dan ruik jy oom Niek Louw se sosaties, wat jou reguit poedingtafel toe dryf.

Wie het nog nooit basaarpoeding geëet – en liefgekry – nie? 'n Skeppie koue dadelpoeding, 'n skeppie jellie, 'n skeppie Moirs-kitspoeding, 'n skeppie skuimpoeding – en heerlike vla.

Nou die oggend het ek ook vir my 'n bakkie poeding gekoop en toe eenkant gaan staan en alles dopgehou: Die mense by die tafels en die laaities by die skyfskiet. Onder 'n boom was 'n man besig om goed op te veil. By die speelgoedtafel het 'n ma gedreig om haar skoen uit te trek en haar lastige kind sommer net daar op die plek 'n goeie pak slae te gee.

Ons lewe in 'n wêreld waarin dinge vinnig verander. Soms is dit lekker om te sien party dinge is nog min of meer dieselfde.

Die reise wat ons verander

Landsreën, ubuntu
en bedelaars in die Dorsland

KOOS KOMBUIS

Iewers in die Bybel, ek dink dis in Jesaja, is daar 'n versie oor die woestyn wat sal blom soos 'n roos. Ek kon aan niks anders dink toe ek in Maartmaand die pad oor die grens vat nie.

Anders as ander kere, was ons nie hierdie keer van plan om die hele Namib te doen nie. Sesriem, Etosha, die kokerboomwoud en al die ander ver-uitmekaar-geleë-besienswaardighede is reeds vantevore besigtig – eintlik het ek net 'n verskoning gesoek om vir *een maal* asseblief tog die mallemeule en die waansin van die Oudtshoornfees vry te spring. Ek was op pad, via Windhoek, na 'n strandhuis op Swakopmund wat my vrou op die internet opgespoor het, waar ons tien dae lank sou gaan uitspan en aan niks dink nie.

Maar ons was in vir 'n *surpraais*.

Landsreën. Dis wat ou Suidwesters hierdie fenomeen noem, die verskynsel wat laas in die sewentigs hier gebeur het. Wanneer dit *orals tegelyk* reën. Vir 'n hele seisoen. Dis 'n spesiale geleentheid hier, soos Mandela se vrylating by ons. Of soos as Vrystaat die Curriebeker wen.

Ja, dis 'n ander Namibië wat my hierdie keer begroet het. 'n Namibië in paartie-klere. Telkens, as ek my oë op skrefies getrek het, het ek my verbeel ons is op reis iewers deur KwaZulu. Durban lê daar voor iewers, het ek myself wysgemaak.

Twee keer sak digte buie reën uit oor ons voor ons by Keetmanshoop stop vir lafenis in die hotel se kroeg. Die lug is vol swaar wolke. Die parkeerarea voor die hotel, merk ek op, het onlangs verspoel; daar is orals miniatuur-dongas en rivierlopies.

Net toe die son sak, *strike* ons ons eerste slaggat teen topspoed. Dis 'n baie groot slaggat. Hy heet Mariental.

Ja, inderdaad, dis die enigste merkbare *downside* van hierdie rekord-reënseisoen; Mariental is byna uitgewis. Oukei, ek oordryf. Daar is nog mense op straat, maar geen winkels, *keffies* of restaurante is oop nie. Die geweld van die vloed het letsels orals gelaat. Huise staan oop sonder deure, vensters is uit, die pad is vol padwerke. Ook maar goed ons is bespreek om 'n entjie verder te oornag en nie hier nie.

Ons haal die Hardapdam net voor die kafeteria toemaak en dra ons half slapende kinders na 'n oop sitplek. Ons eet heerlike vars kurper (hul "catch of the day") langs groot, donker ruite – in die dag sou hier 'n manjfieke uitsig wees oor blou water en sluise, maar nou sien ek net goggas, goggas, goggas wat spartel teen die glas. Gelukkig is daar gaas voor die openinge in die bungalow waar ons oornag.

Die volgende oggend is die teerpad na buite glad van die dooie koringkrieke wat en masse uitgebroei het ná die reën, net om hier te eindig as *road kill* onder talle motorbande.

Windhoek, waar ons vier aande moet oornag sodat ek 'n paar konsertjies kan doen, is 'n rowwe *wake up call* ná soveel ure op die pad met net die stilte en die veraf einders om ons. Dis deesdae 'n groot stad en die verkeer is 'n nagmerrie. Ek stamp my nuwe, geborgde Toyota Quantum teen 'n dronk boom in Joe's Beerhouse se agterplaas en skielik begin dit lyk asof die vakansie op 'n verlies kan afstuur.

Voeg daarby die enorme hoeveelhede alkoholiese verversings wat ons Windhoek-vriende geneig is om te verorber (op ons rekening) en mens verstaan beter hoekom ek een oggend met 'n skreiende hoofpyn en 'n halfgeëte koedoe-skenkel vir brekfis die volgende gedig neerpen in my reisverslag:

Hoekom is daar soveel stukkende aande?
Hoekom kan mense nie net 'n paar drankies drink
En huis toe gaan nie?
Hoekom moet 'n aand altyd gewurg word
Tot hy breek?

Maar ag wat, dis nog steeds in *high spirits* dat ons die Sondagaand opnuut ons seile span op die *highway* en die soutpad na Swakop aandurf.

Langs die pad staan koedoes in die lang gras. Swakopmund is naby, volgens Namibiese maatstawwe; slegs sowat vier Red Bulls verder verrys die Spitskoppe op regterhand. Hier sien ons ons eerste kaal sandvlaktes.

Herkenning kom sit op my hart soos 'n duif. Dis die Swakopmund wat ek onthou. Dis my ander tuiste. Die plek waar ek weer mens word.

Hierdie keer het my vrou, Kannetjie, se organisasievermoë al haar vorige pogings oortref. Sy het jou wrintiewaar 'n eiendomsagent opgespoor wat die honderd-jaar-pag-huisies uithuur in die ou dorp – daai huisies wat met hulle agterdeure op die sand van die strand staan, met die golfies slegs sowat 30 m weg. Die agent wys ons deur die huis. Die ontbythoekie het *bay windows* en kyk uit oor die see. Agter die huis loop die bekende palmlaning, wat na rioolwater ruik (want dis wat hulle hier gebruik om die munisipale tuine mee te besproei).

Mens voel soos plaas.

Ons gaan eet die eerste aand uit in die Tug (spreek uit: "tak"). Die restaurant is binne stapafstand van ons huis af, skaars honderd meter, en dis gebou om soos 'n boot te lyk. Die nuwe jettie word gebou. Die son sak oor die see.

Iewers het ek oorgeslaan van verlede tyd na teenwoordige tyd. Want waar ek hier sit, terug in my studeerkamer in Suid-Afrika se gespanne suburbia, is my hart nog daar in Swakop.

Voor my op my CD-rakkie pryk die bierfles vol Gotiese skrif wat ek by die Nazi in sy tweedehandse winkel gekoop het. Op my boekrak staan die rooi-en-wit vuurtorinkies. In die hoek van die kamer: skulpe en stukke dryfhout. Orals is herinneringe aan my beste vakansie nog. Die plek waar ek tot rus gekom het.

Ons besef nie aldag hoeveel stres ons beleef in Suid-Afrika nie. Party van ons dink aan emigreer, maar min van ons besef die rus is nie elders nie. Die rus is ook in Afrika. Mens moet net wegkom van jouself, en jou gewoontes, en jou vooroordeel.

Een ding wat hierdie keer gebeur het, wat ek voorheen nooit op Swakopmund geken het nie, was die teenwoordigheid van bedelaars. Mense het al vir my gesê dit raak erg in die seisoen en ek weet – omdat ek nuus kyk – dat Namibië nie geheel en al vry is van die misdade wat Suid-Afrika daagliks teister nie.

Maar wanneer iemand in Namibië geskiet, of vermoor word, is dit hoofnuus. Vir weke lank. Ons het gewoond geraak daaraan om te woon, en asem te haal, en so normaal as moontlik te funksioneer, ons dagtake te verrig, ons kinders skool toe te vat, ons skroewe by die hardewarewinkel te koop in 'n land wat reeds veertig jaar lank waansinnig is en steeds meer waansinnig word.

Die eerste bedelaars wat kom klop aan die deure van my paghuisie, jaag ek weg. "Gaan *sort* jouself uit." "Kry 'n *job*." "Ek wil skryf, los my uit."

Teen die derde dag is ek al bereid om die emmer beskuit wat die miere geannekseer het, vir hulle in 'n plastieksak uit te gooi en te los op die stoep.

Teen die sewende dag smeer ek vir hulle die vorige dag se *Brötchen* en knoop ons gesprekke aan in Afrikaans.

Op die laaste dag groet ek al die bedelaars met 'n handdruk. Ons is mede-landgenote. Iets het in my gesmelt. Die hardheid is weg. Ek het vergeet dat ek 'n witman is en dat ek met swartmense gesels. My aksies word nóg gedryf deur vooroordeel nóg deur skuldgevoelens. Ek verwag geen beloning in die hemel nie.

Ubuntu is opnuut in my gebore en dit sonder dat ek 'n voet in die kerk gesit het, of hoegenaamd die woorde van Nkosi Sikelel' iAfrika ken.

Ek is 'n boer. Ek is 'n mens. Ek is 'n Suid-Afrikaner. Ek is 'n Afrikaan. Ek is 'n inwoner van Afrika. En ek moes vier dae ver reis en langer as 'n week hier bly, om my *roots* te herontdek, want met al die bekgevegte en die *phony* regstellende aksie en die politiekery en die hardegat-beskuldigings wat alles aangaan in Die Kastige Nuwe Suid-Afrika, in die sogenaamde Reënboognasie, het ek vergeet dat sommige dinge kan bestaan sonder slagspreuke, sonder omkopery en sonder 'n gekyf.

Ek wil nie politiek praat nie, ek wil net my hart uitstort. Ek wil sê, en erken, en bieg, dat Swakopmund, soos soveel male tevore, my lewe gered het. Dat ek, ná 'n tyd op hierdie goue strand, weer kon terugkeer na die rompslomp van my geroetineerde lewe met nuwe hoop, 'n nuwe insig.

Ons mense kan ook word soos die mense in daardie land. Ons het nie 'n Taalstyd nodig nie. Ons hoef nie eens die regering te vervang nie. Is Namibië se regering bo verdenking? Hoegenaamd nie. Hulle is kroeks, soos alle politici kroeks is.

Ubuntu is nie iets wat deur *spin doctors* georganiseer kan word nie. Party lande het dit, ander het dit nie. Namibië het dit. Ons het dit verloor, iewers tussen die Thabo's en die Bothas.

Landsreën.

Selfs ek, geharde sondaar, weet: Net die Here kan dit vir ons gee.

'n Taxi gee jou vlerke

PETER VAN NOORD

Ek was nog nooit eintlik een vir die spul sepies op TV nie. Daar's net te min van 'n storie en te veel drama, uitgerek oor dae, weke, maande – selfs jare. Te veel mooi gesiggies met pruilmondjies. Te veel aangeplakte fronse.

Eintlik is die groot probleem dat daar te min skop, skiet en donder is.

Nou moet ek erken ek weet hierdie dinge omdat ek doer in die beginjare van *Egoli* tog partykeer voor die TV gaan stilstaan het. En ja, so af en toe het ek meegevoer geraak en daardie gevoel op my maag gekry wat in die jare tagtig so gereeld opgeduik het wanneer Chris Evert en Martina Navratilova sake uitgespook het om daai gesogte Wimbledontrofee. (Moet my tog nie vra wát die stomme Louwna aangevang het om my in dié toestand te kry nie.)

Ek sou nooit kon raai dat ek my nog midde-in 'n sepie sou bevind nie . . .

Maar wag, laat ek verduidelik: Nou onlangs besluit ek om die stad waar ek al dertien jaar my daaglikse brood verdien, ook my tuiste te maak. Daar was 'n hele paar redes vir dié skuif, maar die vernaamste was dat ek dit nie meer op die N1 kon uithou nie. Daai uitmergelende 52 km tussen die Boland en die berg waar die woedendes, die slaperiges, die ongeduldiges, die regterbaan-aankruiers en die sommernet-onplesieriges elke dag sake uitspook om eerste by dié nasionale pad se suidelikste punt uitgespoeg te word, het my begin onderkry.

Bo in Kloofstraat, in my nuwe blyplek, het dinge alte lekker gegaan. Alles was naby: die bakkery, die kitsbank, die 7Eleven, die pizzaplek, die skoenherstelwerkwinkel, noem maar op. (En as enigiets te ver is, is daar altyd Mr Delivery . . .)

Maar die werk was net-net te ver om te stap en te na om te ry. Die beste uitweg? Om elke dag 'n taxi te haal, een van dié wat digby by my voordeur stilhou en dan afskiet middestad toe.

Nou, laat ek dit duidelik stel: Ons praat nie van 'n huurmotor of 'n Rikki of een van die spul *London cabs* wat 'n mens deesdae oral sien rondrits nie. Nee, hier praat ek nou van jou gewone minibustaxi, een van daai Afrika-broodwaens waarop jy waarskynlik al iets gelees het soos "When days are dark, friends are few" of "Armageddon" of "I'm a taxi driver, not a woman driver". Óf dalk iets soos "Don't get too close – this taxi stops anytime anywhere".

Ja, dis een van dáái taxi's vir wie die meeste van ons al 'n lelike teken gewys of 'n woord toegesnou het wat jy nooit, ooit voor jou ma sou sê nie.

Daar staan ek toe, op 'n druipnat Maandagoggend in Junie, op die sypaadjie en wag om opgepik te word. En skielik voel ek effens hulpeloos, so al asof daar 'n vlaag van paniek saam met die reën oor my stort. Moet 'n mens jou hand in die lug steek of met jou vinger grond toe wys? (Iewers het ek gehoor as jy boontoe wys, beteken dit jy wil langpad vat en ondertoe sê jy wil sommer nou-nou weer afspring.) Hoeveel kos 'n rit deesdae? Wanneer moet ek die geld gee? En vir wie? Waar moet ek afklim? Gaan daar *hoegenaamd* 'n taxi verbykom?

Ek stap soos Lot van ouds teen die berg af, loer-loer oor my skouer, en besluit op 'n neutrale gebaar, so iets tussen bo en onder – amper asof ek 'n vlieg wil wegja. Net om veilig te speel. Maar voor ek my hand kan lig, hoor ek dit al, so al asof iemand dit van die onderste sweefspoorstasie af uitbasuin: "Cape Tiaauwn! Cape Tiaauwn!"

Dís die ding van taxi's in die Kaap: Hulle blaas toeter, hulle fluit, hulle skreeu, hulle hou stil waar jy ook al is, en hulle laai jou af net waar jy wil wees – want hulle sóék jou klandisie. ('n Kollega vertel die taxi-mense het haar later só goed geken dat sy soggens in 'n koffiewinkel gaan sit en wag het. Dan het hulle daar stilgehou en selfs gewag dat sy haar laaste sluk neem.)

In die taxi is dit 'n sepie met 'n spulletjie uiteenlopende, kleurryke karakters: Daar's die bestuurder, wat jy altyd "driver" noem. Altyd. Nie dat jy sommer met hom praat nie. Jy val hom selfs nie lastig as jy jou R3,50 wil oorhandig nie. Vir enige kommunikasie is die *guardtjie* daar, hy wat by die die venster uithang en saam met die toeter 'n duet in die systrate uitbasuin.

En dan is daar die passasiers: oud en jonk, mans en vroue, dik en dun, swart en wit en bruin – letterlik die hele reënboog in een klein bussie.

Die rit is gewoonlik ook in drie fases, amper soos die aanloop, klimaks en ontknoping van 'n regte sepie. (Dit duur net veel korter.)

Eers is dit af in Kloofstraat, en die groot lawaai om boude op die sitplekke te kry. Dan pla jy selfs nie die *guardtjie* nie. (Kyk maar, as jy jou geld in hierdie aanloopfase aangee, kry jy net 'n hand wat jou stilmaak, dalk 'n kortaf "later".)

Teen die tyd dat die bussie uit Kloofstraat draai, breek die klimaks aan, wanneer die *driver* vetgee in Loopstraat af. Dan gebeur goed vinnig: Die geld kom in golwe van agter af aangesweef; die geld word getel; en die kleingeld word uitgedeel (en daai *guardtjie*, glo my, het 'n geheue soos 'n olifant – elkeen kry wat hom of haar toekom, sonder dat hy ooit vra). Op dié strook klim niemand meer op nie, en net hier en daar begin die eerstes afklim, gewoonlik by die Christiaan Barnard-gedenkhospitaal of Kasteel- of Kortmarkstraat.

Ons stop hoeka daai eerste dag voor die hospitaal, waar 'n tannie moeisaam inklim. "Nou hoekom sukkel Ma so vanoggend?" vra die *guardtjie* agter haar.

"Nee, man, ek het my voet gevertrap gister," verduidelik sy. En dan sien ek hoe saggies hy sy hand op haar agterstewe sit en haar met so 'n ligte stootjie inhelp.

Dis die ander ding van taxi's: Daar's 'n sekere ordentlikheid, 'n medemenslikheid, 'n geheime kode waarvolgens hulle hulle kosbare klante behandel. As jy byvoorbeeld 'n ou tannie is, word jy altyd eerbiedig aangespreek, en jou aanspreekvorm word deur jou kleur bepaal: Die wit tannies word "Lady" genoem, die swart tannies, veral dié met 'n imposante hooftooisel, "Mama" en die bruin tannies "Ma" of "Antie". (Ek weet nie of dit oor die ou tannies in die taxi is nie, maar die *drivers* saam met wie ek al gery het, bestuur heel bedagsaam, glip nie oor oranje of rooi verkeersligte nie en speel nie die onbeskofte musiek wat ek al in taxi's gehoor het nie . . .)

Hulle is ook nie lief om, soos die meeste van ons dink, die bussie te oorlaai nie. As die taxi vol is, is hy vol. En as nog iemand wil in, dan sal daardie een en die *guardtjie* so 'n paar minute kibbel – totdat die *driver* sy kop omdraai en ferm ingryp: "No, Sistah . . ." Dan kan jy sien die trane sit vlak en die mooi jong meisie retireer maar.

Die humorsin bly ook nooit agterweë nie. Jy sal byvoorbeeld in die voorsitplek klim en as julle klaar weggetrek het, die plakker voor op die *dash* sien: "No Heavy Weights Allowed in This Seat." En as jy ongemaklik begin rondskuifel en vra of dit reg is dat jy jou daar neerplak, sal jy waarskynlik die voorreg hê om die *driver* se stem te hoor: "Nee, jy's reg, my broer. Dis net: Ék's die enigste *heavy weight* wat hier sit."

Die laaste deel van die rit breek aan wanneer ons uit Loopstraat draai en stasie toe mik. Dán sal die *driver* uit die bloute vra: "First stop?"

Dan swaai die *guardtjie* se kop om en hy eggo: "First stop?" Iemand wikkel hulle uit die slaapnewels los en laat weet van agter: "Imperial, please." Dan swaai die *guardtjie* se kop terug en hy herhaal: "Imperial, please." Wanneer die bussie uiteindelik voor die motorhuurplek stilhou, kondig die *driver* so effens formeel aan: "First stop: Imperial, thank you."

Jy moet ook baie duidelik – en vroegtydig – laat weet waar jy wil afklim. As jy nie in die pekel wil beland nie, dan roep jy 'n bekende baken, iets soos "Imperial", "Pick 'n Pay" of "Pep Stores, asseblief, *Driver*". Bekende strate soos Kasteel- of Kortmark- of Weltevredestraat sal ook deug, maar moenie jou woonstelgebou of een of ander onbenullige systraatjie noem nie. Dán kry jy te doen met die toorn van 'n *driver*.

Ek het al gehoor hoe een ou van agter af iets van "biek" mompel . . .

"Excuse me?" kom dit van die *driver*.

"Overbeek," kom die stem, in 'n sterk Engelse aksent, dié slag effentjies duideliker.

"Over-*biek*? Wat's daai?"

Ek besef ek het al die gebou gesien. "Dis by 7Eleven," probeer ek uithelp.

"Listen here, tell me you want to go to 7Eleven – don't come to me with funny places and buildings like that," sê hy terwyl hy die man in die truspieëltjie in die oë kyk. "Places like that is your geheim and your problem!"

Wanneer die man sy koffer uitlig en dan self uitspring, dúrf hy mos grinnik . . . "You think that's funny! Next time you pay for the suitcase!"

Die taxi hou in Strandstraat stil, net 'n paar meter van ons vorige stop, Pick 'n Pay, af.

"Pep," sê die *guardtjie*.

"Pep Stores, thank you," sê die *driver* as ons stilhou. Ek wip uit en begin in St. George's Mall af draf. Dis nog donker, maar die stad is bedrywig. Van die N1 af kom die karre gestroom, oor die pleine en sypaadjies stryk mense aan werk toe.

Ek kyk die taxi agterna terwyl hy wegbrul. Ja, dis 'n lekker sepie dié. Maar een wat g'n draaiboekskrywer sou kon uitdink nie.

Ek reis vir Skroef raak

DANA SNYMAN

Onlangs stap ek by 'n Wimpy Bar in die Bosveld in en daar sit ou Skroef by 'n tafeltjie teen die venster, geboë oor 'n hamburger en 'n koppie koffie.

Eers het ek effens getwyfel of dit wel hy is, want toe ek hom hoeveel jare gelede die laaste keer gesien het, was sy hare donker en het hy so 'n waterpas Beatles-kuif gehad. Die hare van die ou daar by die tafeltjie was grys en aan die yl kant.

Maar toe my oog sy linkerhand vang, toe weet ek dit móét Skroef wees: Hy het doerie tyd al net drie en 'n halwe vingers aan daardie hand gehad.

Hoe ouer 'n mens word, hoe meer gebeur dit met jou: Jy is iewers op reis of stap in 'n winkelsentrum, dan doem 'n vaagweg bekende iemand voor jou op. Soms weet jy byna dadelik wie dit is; ander kere sukkel jy om 'n naam te kry vir daardie gesig wat nou die tekens van ouderdom saamdra.

Ek het by 'n tafeltjie skuins agter Skroef gaan sit, en toe ek afkyk na die vloer, het ek glad nie meer getwyfel of dit hy is nie: Aan sy voete was Grasshopper-skoene – ligbruines wat met militêre bruin politoer rooiblink gepoets is. Destyds was sy skoene altyd op dié manier blinkgemaak.

Dis vreemd hoe 'n mens se geheue werk. Opeens was ek lus en skreeu daar voor al die mense in die Wimpy vir Skroef: "Jaag maar aan, ou bul! Neuk op! Oor alles hou die wurm wag!"

Dis wat Skroef eenkeer vir my geskreeu het omdat ek 'n gat skeef geboor het in die boekrakkie wat ons by hom in die klas moes maak.

'n Ander keer, terwyl hy besig was om iets aan die klas te verduidelik, het ek ingedagte met die bankskroef by my werkplek staan en vroetel. Skielik het hy stilgebly en gebulder: "Snyman, ek draai jou peester in daai skroef vas en smyt die slinger by die venster uit! Verstaan! Jy! My!"

Daar in die Wimpy was ek toe sommer van vooraf vies oor die keer toe hy my drie houe geslaan het net omdat ek 'n beitel laat val het. Hy het my nou wel met die linkerarm geslaan, maar dit was steeds deksels seer.

Ou Skroef mag nie regs geslaan het nie. Kopbeen, die hoof, het hom dit glo verbied nadat Boesman Pretorius se pa gaan kla het omdat hy Boesman se boude stukkend geslaan het toe hy hom gevang rook het.

Party kinders het vertel dat Skroef eens op 'n tyd "vir die polisie geslaat" het. Destyds kon die hof nog jeugmisdadigers vonnis tot byvoorbeeld "ses houe met 'n ligte rottang" oftewel "latjies" en Skroef, met sy formidabele regterhand, het glo daarmee gehelp.

Een ding besef ek al hoe meer: Die reise wat 'n mens deur jou geheue onderneem, kan net so avontuurlik wees as enige reis padlangs. Ek het skielik weer allerhande dinge van Skroef onthou, want houtwerkonderwysers was mos effens anders as "gewone" onderwysers.

Nie net was hulle klaskamer eenkant op die skoolterrein nie; hulle was ook so half eenkant van die ander onderwysers. Hulle het nie 'n das soos die res gedra nie, want 'n das kon in 'n saag of 'n ding beland.

En vra maar enige seun wat in daardie jare op skool was: Baie houtwerkonnies het 'n vinger of twee kortgekom – iets wat nogal 'n indruk op jou maak as jy as standerdsessie die eerste keer by die houtwerkklas instap.

Houtwerkonderwysers het ook byna altyd 'n sterk bynaam gehad: Hamer, Ore, Bees, Galtros, Spyker, Krummels, Boel, Snor . . .

Ou Skroef, onthou ek, het ook nooit juis lank saam met die ander onderwysers in die personeelkamer gekuier nie. Hy het gewoonlik pouses iewers op die speelterrein met oubaas Oosthuizen, die skool se nutsman (oftewel "ons faktotum," soos die hoof altyd na hom verwys het), gestaan en gesels en 'n Texan Plain gerook.

Ek kan ook nie aan een keer dink dat Skroef die oggendgodsdiens in die skool se vierkant waargeneem het nie. Dít terwyl elke ander onderwyser 'n beurt gekry het.

Die meeste houtwerkonderwysers met wie ek te doen gekry het – Skroef ook – het nie soos ander onderwysers met 'n gewone rottang straf uitgedeel nie. Hulle het meer gevorderde, soms doelgemaakte toerusting gebruik – 'n plank met 'n naam (Skroef s'n se naam was Doors), 'n bordpasser of een van daai lang liniale.

Hulle rygoed was ook anders, gewoonlik 'n bakkie wat hulle nie by die ander onderwysers se motors geparkeer het nie. Hulle het tot langs hulle klaskamer gery, want 'n houtwerkonnie het gewoonlik 'n projek of twee aan die gang gehad waarmee hy sy salaris aangevul het. Op 'n dorp soos ons s'n het die houtwerkonderwyser 'n soort ereposisie beklee, want hy kon met 'n draaibank werk en dus stoel- of tafelpote "draai".

Eenkeer het Skroef ook vir byna 'n maand elke dag 'n ou Lee-Enfield-.303, 'n geweer wat deur die Engelse soldate in die Anglo-Boereoorlog gebruik is, skool toe gebring. "Oukei, bulle," het hy dan gesê wanneer hy in die klas kom. "Gaan aan met julle projek. Ek soek nie moeilikheid nie, oukei?"

Dan het hy by sy bank aan die Lee-Enfield gewerskaf om dit in 'n slanke jaggeweer te omvorm terwyl ons met ons projek aangegaan het: die maak van 'n boekrakkie. Of, liewer, toe het almal behalwe Kosie Pronk aangegaan met die maak van 'n boekrak.

Kosie, wat in die weeshuis was en al die tweede jaar in standerd ses gesit het, het besluit om 'n skip te bou, 'n replika van die passasierskip die SA Vaal, rofweg gegrond op 'n foto wat hy uit die jeugtydskrif *Patrys* geskeur het.

Skroef het nie dadelik van Kosie se boot uitgevind nie, want hy was besonder besig. Dit was daardie jare hoogmode om 'n klein duiwehok op 'n hoë paal in jou voortuin te hê vir jou *fantail*-duiwe, en Skroef kon nie voorbly om vir die mense van ons dorp sulke hokke te maak nie.

Tog, tussen alles deur, het hy gesag afgedwing én ons die basiese beginsels van houtwerk geleer: Om sáám met die hout se grein te skaaf, om weg van jou lyf af te beitel, en, bowenal – blykbaar die sleutel tot 'n blink houtwerktoekoms – om áltyd 'n B-potlood te gebruik en nié 'n sagte 110-HB soos in die gewone klasse nie.

Een van Skroef se gedugste wapens was die onvoorbereide toets. Op 'n goeie dag, dikwels nadat hy 'n duiwehok of twee voltooi het, sou hy ons skielik tref met 'n onvoorbereide toets, met vrae soos: Noem die kenmerke van die penbankhamer. Of: Watter gebruik het balsahout?

En dan, sommer dadelik, het hy die toetse gemerk, besluit almal met minder as 15 uit 20 kry drie houe, vir Doors uit die kas gehaal en ons boude met die linkerarm warm gewiks.

Ek weet nie of Skroef iewers 'n traumatiese ervaring met 'n vallende beitel gehad het nie, want jy kon maar 'n hamer in sy klas laat val, of 'n plank, of jy kon selfs self op die vloer neerslaan, Skroef sou niks sê nie . . . maar die oomblik dat 'n beitel geval het, het hy onmiddellik geroep: "Daai man wat die beitel laat val het, kom hier!" En dan is Doors maar weer uit die kas gehaal.

En as die een wat die beitel laat val het, nie na vore gekom het nie, het Skroef maklik-maklik almal in die klas in 'n ry laat staan en ons almal met Doors deurgedraf.

Nadat ek my koppie Wimpy-koffie gedrink het, het ek opgestaan en na Skroef gestap en hom gaan groet. Hy kon my nie onthou nie, maar was nogtans bly iemand het hom herken.

Ons het maar gewone dinge vir mekaar gesê: Hoe die tyd vlieg, hoe niks meer dieselfde is nie en, ja, hoe houtwerk deesdae by talle skole nie eens meer as vak aangebied word nie.

Skroef woon nou in 'n aftreeoord in Polokwane.

Op pad terug Pretoria toe kon ek hom net nie uit my gedagtes kry nie. Om só op 'n geheuereis te gaan laat jou soms met sagter oë na mense uit jou verlede kyk, het ek in die ry besef.

Ek het oor en oor gedink aan daardie dag toe Skroef uitgevind het Kosie Pronk is besig om 'n skip pleks van 'n boekrak te maak.

Kosie se skip was al halfpad toe Skroef die dag in daai Grasshoppers van hom by sy werkbank vassteek en uitroep: "En wat de bloemin hel gaan hier aan, Pronk?!"

Toe is hy met Kosie aan die oor en Doors in die hand in die pakkamertjie agter in die houtwerkklas in. As Skroef jou dáár ingevat het, moes jy geweet het: Hy gaan Kopbeen se verbod oortree; hy gaan regs slaan.

Nog voor ons die eerste hou op Kosie se boude kon hoor klap, het Kosie begin skree: "Ek wou net 'n bootjie bou, Meneer! Ek wou net 'n bootjie bou!"

Toe het die eerste hou geklap.

Ons het daar by ons werkbanke gestaan, doodstil, terwyl nog 'n hou klap, en Kosie wat bly skree: "Ek wou net 'n bootjie bou, Meneer! Ek wou net 'n bootjie bou!"

Daar het nie nog 'n hou geklap nie. 'n Paar oomblikke later het die pakkamertjie se deur oopgeswaai en Skroef en 'n huilende Kosie het uitgestap gekom. "Julle kan maar verdaag as die klok lui," het Skroef met 'n stroewe frons gesê. Toe het hy die res van die periode in die son voor die klas gestaan en aan 'n Texan geteug.

Die volgende keer toe ons weer by hom in die houtwerkklas kom, het Kosie Pronk se halwe skip vir hom op sy werkbank gewag, met 'n paar noukeurig gesaagde plankies daarby. Amper soos 'n legkaart wat net voltooi moet word, het dit daar gelê. Gereed vir Kosie om sy houtskippie klaar te bou.

Ek's die skrummie se mammie . . .

HELEN FRASER

Ek't my nie veel aan sport gesteur voor my drie tjokkertjies gebore is nie, maar sedertdien het ek 'n oordosis gekry. Uiteindelik het ek maar boedel oorgegee en ook sportmal geword – ter wille van oorlewing.

'n Mens moet seker nie kla nie, want my kinders se rugbytoere het my al na 'n paar eksotiese plekke geneem: Johannesburg, Durban, Port Elizabeth, Bloemfontein en Wellington (die een in die Boland).

Glo my, skoolrugbytoere (of tennis-, hokkie-, waterpolo-, musiek-, dambordtoere) is 'n anderster soort manier van vakansie hou. Een van die eerste goed wat jou opval, is dat die mense wat saam met jou reis amper nes jy is: ma's in gemaklike klere, met pakkies Band-Aid in hulle handsakke.

Vandat ons klompie ma's se seuntjies vir die eerste keer saam skool toe is, sien ons mekaar by toernooie: "Oe, kyk, dis daai vrou wat so kan kekkel! Onthou jy? Van die o.14-toer? Kom's gaan sit liewer doer anderkant . . ."

Ek het van kleins af gedroom my reise gaan soos die Amerikaanse skrywer John Steinbeck s'n wees: net hy en sy Franse poedel, 10 000 km deur Amerika (lees maar sy wonderlike boek *Travels with Charley: In Search of America*). Maar nee, ek reis saam met ander rugbyma's. Skouer aan skouer langs sopnat rugbyvelde het ons oor die jare heen geheg geraak aan mekaar. Later het ons boesemvriende geword rondom *doughnuts* en kitskoffie uit *foamalite*-koppies. Ek kla nie. Dit was eintlik van my beste vakansies nog.

Saam-saam het ons selfs ons onskuldige bloedjies 'n slag oorsee gestuur om rugby te gaan speel teen die "I-say-old-chaps" van Eton en teen die Paryse Stade de France se gemengde spanne van seuns en dogters.

Ek sal nooit die verwilderde uitdrukking op my 13-jarige se gesig vergeet toe hy my vertel het nie: "Ma, ons het teen meisies gespeel! En ons mag hulle nie ge-*tackle* het nie!" Ek's nie seker watter deel van sy ego die seerste gekry het nie.

Ons seuns het voor ons oë grootgeword, van outjies met speekbene tot bulletjies met stoppels op hulle wange. Nou dra hulle tokse so groot soos hansworsskoene en harde pantsergoeters onder hulle rugbytruie. Hulle tol ovaalballe op hulle pinkies en praat 'n eienaardige dialek: "Ek het hom platgetekkel, bru."

Om te sê ons seuns is bevoorreg, beskryf nie naastenby hoeveel interessante plekke hulle op hul sporttoere sien nie – of hoe gekonfyt hulle ma's is om goedkoop saamrygeleenthede iewers agter die paviljoen of in die snoepie te bedel nie.

Die geld vir al hierdie toere, plaaslik én oorsee, moet natuurlik iewers vandaan kom. Daar's eintlik net een manier . . . ek kan die woord amper nie meer oor my lippe kry nie. Fondsinsameling.

Kyk, ek is al deur 'n hele paar boereworsbraaie, kattebakverkopings, gholfdae en selfs 'n whiskey-proe of twee. Ek onthou een marathonfondsinsameling baie goed. Ons het enigiets opgeveil van sjokoladekoek tot Percy Montgomery se linkerstewel vir 'n waterpolo-oefenkamp in Hongarye. Daar oorkant geland, is ons seuntjies gedril deur gesette afrigters met rasperstemme, so reg uit 'n strafkamp: "Svim! You *vill* svim!"

Ons, die toerma's, is gesoute sporttoeskouers en is veral tuis in daai gevaarsone op die kantlyn van 'n rugbyveld. Ons skroom nie om vae beskuldigings na 'n skeidsregter te slinger nie en ons por ons kannetjies luidkeels aan as hulle onder 'n losskrum uitkruip met 'n stuk sooi tussen die tande.

Ons troos maar as hulle met 55-0 platgeloop word deur 'n omgekrapte span ossies in tokse wat op die Vrystaatse mielievelde grootgeword het en hooibale soos Lego-blokkies kan rondgooi.

Ons, die toerma's, gebruik soms in die hitte van die stryd per ongeluk resepteboek-terminologie. ("Knie hulle!" het nogal 'n paar wenkbroue laat lig.)

Ons verwar ook nou en dan rugby se reëls met waterpolo en krieket s'n, maar laat niemand jou vertel ons is nie entoesiasties nie. Eenkeer, tydens 'n waterpolotoernooi waarin een van ons groepie se seuns amper verdrink het onder 'n warboel bene en arms, trek sy ma los uit die paviljoen: "Hei, ref, die skrum *collapse*!"

Net soos ons seuns al hul spesiale sportgoed – mondskerms, knieskerms, Deep Heat en voosgeblaaide uitgawes van *Sports Illustrated* se baaikostuum-uitgawe – in hulle toksakke pak, het ons ons doepa in ons handsakke. Dinge waarsonder ons nie kan klaarkom nie. Een van ons groepie het altyd 'n voorraad Fisherman's Friend-hoeslekkers en 'n paar botteltjies kruiekalmeermiddel. Ons drink dit soos water as die wedstryd baie spannend is.

Een ma hou pynlik nougeset rekord van die tellings. Sy kan blits-vinnig vir jou bereken wie in die finaal gaan speel as ons, sê nou maar, drie drieë druk en die OP wen in die *semi's* en as ons volgende daar-die klein hardekwas skeidsregtertjie van Gauteng tref eerder as "Vader Kersfees" van KZN.

Dieselfde ma bestuur altyd. Maar dis al wat sy doen. As iemand nie die kaart uitpluis en vir haar sê watter afdraai sy moet vat nie, sal ons heeldag om 'n verkeersirkel wentel of aanry Kaïro toe.

"Links, um, nee! Maak dit regs! Ag, ry net agter daai rooi karretjie aan met die dingetjie agterop!"

Ek is die een wat die pryse by die snoepie bestudeer en verslag doen oor die koffie en *doughnuts*. En ek's die een wat in die toilet wegkruip as die telling in beseringstyd gelykop is.

Ons groepie opereer al soos 'n enkele organisme. Ons leun saam na regs as die skrum inmekaarstort en dan weer links as die bal teen die agterlyn af loop vleuel toe.

Dis maklik om 'n sportma op straat uit te ken. Sy is die een met die Checkerssak vol piesangs (vir kits-energie), die sespak-Powerade, die bottels rooiwyn (vir vanaand se ete saam met die ander ma's) en 'n paviljoenkussinkie (vir boude wat al deurgesit is) onder die arm.

Ek was al by skole diep in die rugby-hartland waar seuns byname het soos Tou, Knoppies en Hamerkop. Eendag draf ons eerste span op die veld in 'n deel van die land waar brandewyn gestook word . . . ek het net my kop in my hande laat sak. Dit was soos Dawid teen Goliat. Ons outjies het so kléin gelyk! Wat op aarde eet die mense hier?

"Stuur julle die kinders hier skool toe met 'n voersak om die nek?" vra een van die stadspa's vir 'n plaaslike pa, 'n ou wat self nie klein is nie.

Met sy vuiste soos twee geplukte hoenders op sy knieë, draai die ou sy fris nek en skouers en kyk ons aan met so 'n minagtende glim-laggie: "Julle manne daagh uit die suide, julle tgou met sulke Bagbie-poppe wat net blaagslaai eet. Hieg tgou ons met busse."

Later sien ek sy vrou in die snoepie en ek besluit om liefs nie in te druk nie.

Sporttoere gee jou nou en dan die kans om ietsie van die skemerkant van die lewe te ervaar.

Eenkeer, op 'n waterpolo-toer na Grey in Bloemfontein, praat een van die mammas ons almal om om "so 'n bietjie te gaan jol" in die stad die Saterdagaand ná die wedstryd.

Maar waarheen? Iemand het gehoor die Mystic Boer is glo 'n lekker plek . . .

Mystic Boer?

Dis 'n klub, hoor ons. 'n Plek waar jy gesien wil word.

Klub!? Ons skuifel onwillekeurig agter mekaar se skouers in. Ons was laas in die 1970's in 'n klub, en hier staan ons nou buite 'n nagklub, 'n spul ma's in outydse plakkies en outannie-onderklere, oorgehaal om vanaand weer 'n bietjie die lekker lewe te proe.

Die enigste twee van ons wat eintlik kwalifiseer om hier te wees is die jong waterpolo-afrigter en die juffrou in beheer.

'n Paar treë die klub in kry ons van alle kante af die soort kyke wat diere in die dieretuin kry. Ek wens ek was eerder by die huis, besig om bababottels te was. "Check daai tannie," hoor ek 'n meisie sê.

Iemand pak 'n rytjie glasies op die kroegtoonbank uit. Ek weet darem nie . . .

"Olé!" gil die waterpolo-afrigter en gooi een in sy keel af.

Tequila. O koek.

Ek kan nog aanvaar dat iemand my 'n tannie noem in 'n vreemde stad, maar 'n dronk tannie . . . dis waar ek my voet dwars sit.

Die tequilas het stilletjies oor ons skouers gevlieg.

Daar is ook ander slaggate vir die reisende sportma, hier én oorsee. Ons is een aand in 'n restaurantjie met goeie pizza en 'n gesellige atmosfeer. Hier teen die einde van die aand bied ons kelner – die arm vrou se weergawe van Brad Pitt – homself aan as 'n ekstra ietsie op die spyskaart, vir net R350 per uur.

Ons was stomgeslaan. R350 'n uur? Was dit vir ons almal? Sekere dinge is nie veronderstel om met sportma's te gebeur nie.

Maar dit tersyde, soos Marco Polo dit gestel het: "Ek het nie eers die helfte vertel van wat ek gesien het nie." Of soos hulle deesdae sê: "What goes on tour, stays on tour."

Op die spoor van Bond, James Bond

DANA SNYMAN

Nou die dag vra iemand my: "Wat's jou *favourite* James Bond-fliek?"

"*Moonraker*," antwoord ek ferm. "*Moonraker*."

"En jou *favourite* Bond?"

Dis 'n tawwe een. Natuurlik het ek van Sean Connery gehou. Connery is die Bakkies Botha van James Bonds: Stil maar gevaarlik. Tog, Connery was miskien effens te veel van 'n gentleman. Soms, nadat hy 'n Rus of 'n ander skurk opgedons het, het hy dit laat lyk asof hy die ou op 'n manier 'n guns gedoen het.

Timothy Dalton, weer, was nie 'n onaardige 007 nie, maar soms het hy te veel probeer om Bond soos Hamlet te laat klink. En Pierce Brosnan met daai getinte brilglase van hom . . . nee wat. En hierdie nuwe ou, Daniel Craig, het nie 'n sin vir humor nie.

Ek is maar 'n Roger Moore-man. Roger kon net sy regterwenkbrou so effens lig, dan weet jy, uh-uh, hier kom gróót marakkas. 'n Hele paar lyfwagte gaan binne die volgende 30 sekondes met strikdas en al deur groot glasvensters gegooi word.

Ou Roger is my soort Bond, al het hy sy broek 'n sentimeter of vyf te hoog opgetrek, en al het hy en Harry Steyn my eenkeer sleg in die moeilikheid laat beland.

Goed, dit was seker nie Roger Moore se skuld nie, want dit was Harry wat een Donderdag in 1979 gesê het hoekom gaan kyk ons nie na *Moonraker* in Sterland in Pretoria nie – *Moonraker*, met Roger in die hoofrol.

Dit was makliker gesê as gedaan: Ons was laaities in st. 9 en het karloos in die J.G. Strijdom-seunskoshuis op Nylstroom gesit, meer as 150 km van Pretoria af. Of blykbaar was dit net vir my 'n probleem.

"Dis *easy*," het Harry gesê "Ons *bunk* net môre skool en skiet deur *P-town* toe." Ek hoor nog die dekselse Harry se dekselse stem.

"Uh?" wou ek weet. "Hoe?"

"Ons *hike, of course*."

Ek kan nie onthou of ek dadelik ingestem of eers 'n bietjie oor die ding getob het nie. Ek weet net, nadat ek vir Harry gesê het ek sal saam met hom na *Moonraker* gaan kyk, het die bekommernis my beet-gepak.

Dit was meer as net bekommernis. Dit was vrees. Sê nou iemand sien ons en gaan *split* ons by Ore, die koshuisvader? Of by Kopbeen, die hoof? Sê nou ons word geskors?

Om skool te *bunk* is jong mense se manier om die grense van hulle vryheid te verken. (Of dis wat oom Thiele, die sielkundige wat ons skool van tyd tot tyd besoek het om met die "probleemkinders" te gesels, gesê het.)

Ek weet net om skool te *bunk* is nie naastenby so 'n aangename er-varing as wat jy dink dit behoort te wees nie, nie vir 'n bang *bunker* nie. En ek was bang-bang.

Die nag voor ek en Harry Pretoria toe is, het ek maar min geslaap. Sê nou die polisie of ou Herbst, die spietkop, sien ons langs die pad, vang ons en vat ons na Ore of Kopbeen toe? Sê nou ons kry elkeen ses van die bestes?

Erger: Sê nou ek en Harry word gevang en na die *verbeteringskool* gestuur? In ons kop was Standerton se verbeteringskool in dieselfde liga as die konsentrasiekamp in Heinz Konsalik se *Strafkamp in die Berge*, 'n boek wat ons almal gelees het.

Ons het daardie oggend donkervroeg opgestaan, ek en Harry. Dit was 'n Vrydag. Ons sou die aand in Pretoria by Harry se tannie in Proklamasieheuwel slaap en die volgende dag, die Saterdag, terug ry-loop Nylstroom toe.

Ons het elkeen 'n toksak gepak met *civvie*-klere: 'n stel lang crimp-lene-kouse, 'n denimkortbroek en 'n hemp van Stavast-mansuitrus-ters.

Ons het ook elkeen 'n bottel Listermint saamgeneem – Listermint, wat kieme in jou mond doodmaak en jou asem laat lekker ruik. Die ouens wat skelm gerook het, het veral rojaal daarmee gegorrel, maar ek en Harry was nie rokers nie. Ons het Listermint gebruik asof dit 'n kragtige feromoon is wat hopelik meisies na ons toe sal lok. Want ons het nie net vir Roger Moore en *Moonraker* Pretoria toe gegaan nie: Ons het heimlik gehoop ons sou meisies ook raakloop.

Dis vreemd, ek kan nie onthou hoe ek en Harry daardie oggend uit die koshuis tot sowat 'n kilometer buite die dorp gekom het nie. Ons sou sluip-sluip beweeg het, maar dis asof ons alles só suutjies gedoen het dat selfs my herinneringe vir my 'n geheim is.

Ons het ons skoolklere in 'n sloot langs die pad uitgewikkel, ons *civvies* aangetrek en ons mond weer met Listermint uitgespoel, asof dit nou 'n doepa is wat sou sorg dat ons gou 'n *lift* kry. Toe het ons langs die pad stelling ingeneem.

Ná 'n ruk het 'n kar oor die bult gekom, 'n rooi Datsun 120Y.

"Tjips! Tjips!" het ek myself skielik hoor roep. Ek en Harry het byna instinktief omgeswaai en tussen die graspolle langs die pad platgeval.

Sien, dis wat vrees en 'n skuldige gewete aan 'n mens doen. Die 120Y het rustig verby ons gery.

Ons het weer langs die pad gaan staan. Nie lank nie, toe verskyn 'n bleekgeel Toyota Corona MK II-bakkie op die hoogtetjie. Dié slag het ons dapper langs die pad bly staan, elkeen met 'n huiwerige duim in die lug.

Dit was oom Shorty Dames in die Corona. Dit het dadelik 'n donker skadu oor ons hele *Moonraker*-avontuur gegooi: oom Shorty was die opsigter by die gholfklub waar Ore ook gholf gespeel het.

"Dink jy oom Shorty sal ons by Ore gaan *split*?" het Harry gevra terwyl die Corona in die verte verdwyn het.

"Nee wat. Hy sal nie. Nooit. Nooit."

"Dink jy rêrig so?"

"Ja. *Genuine.*"

"Ek dink hy sal."

"Miskien, ja. Miskien sal hy."

Bunk-ekspedisies op skool bereik dikwels só 'n stadium: Jy begin vermoed jy is in die moeilikheid, maar daar's niks wat jy daaraan kan doen nie. Gaan jy voort, is jy in die moeilikheid; draai jy om en gaan terug skool toe, dan is jy steeds in die moeilikheid.

"Ons is nou klaar in die dinges," het Harry gesê. "Ons kan onsself nou maar net sowel *enjoy.*"

Dis iets wat ook dikwels tydens sulke ekspedisies gesê word, al weet jy voor jou siel jy gaan niks meer werklik kommervry geniet nie.

Nie lank daarna nie het oom Johnny Nienaber, die barbier op ons buurdorp, Naboomspruit, in sy Mercedes 230S by ons stilgehou.

Oom Johnny sou beslis nie vir Ore of Kopbeen vertel nie, want hy was nie spraaksaam nie, maar hy het wel 'n ekstra element van spanning tot Operasie Moonraker toegevoeg: Elke keer wanneer oom Johnny van Naboom af Pretoria toe gery het, het hy sy vorige spoed-rekord probeer oortref.

Ons het skaars ons sit gekry toe oom Johnny soos Jody Scheckter weggetrek en kort-kort na sy horlosie kyk. Die Mercedes – een van daais met die vin-*tails* – het vinnig spoed gekry.

Ek het stokstyf daar in die Mercedes gesit en ook op my horlosie gekyk. Dit was halfnege – die tweede periode op 'n Vrydag. Ons het nou algebra, het ek gedink.

In die wiskundeklas, waarvan ons teen 134 km/h saam met oom Johnny weggesnel het, het ou Cosec, ons onnie, pas van agter sy lesse-naar met 'n bordpasser in die hand orent gekom en gevra: "Nou waar's Steyn en Snyman vandag?"

Dis wat ek myself wysgemaak het, terwyl oom Johnny tevrede ag-ter die stuurwiel glimlag en sê: "*Boys*, nou stap hierdie Benz lat die kak wit sit."

Die res van daardie Vrydag het min of meer verloop soos sulke *bunk*-uitstappies maar verloop.

Oom Johnny het my en Harry naby Sterland afgelaai. Daar was sewe flieks en vir ons was dit soos 'n klein Sun City. Ons het in die ry gaan staan om kaartjies vir *Moonraker* te koop, omkyk-omkyk, op die uitkyk vir iemand bekends.

Ek sal jok as ek sê ek kan presies onthou waaroor *Moonraker* gaan. Een van die skurke se naam was Jaws. Hy het sulke staaltande gehad en hy en Roger Moore – of James Bond, dan – het op 'n kol op 'n trein baklei.

Op die ou end het James 'n bedliggie by Jaws se mond ingedruk, toe kry dié 'n elektriese skok wat omtrent rook by sy ore laat uitbor-rel.

Ek het aan Harry langs my gestamp. "Dink jy hy sal?" het ek ge-fluister.

"Hoe bedoel jy nou, Pellie?"

"Oom Shorty. Dink jy hy sal vir Ore vertel?"

Ons het ook toe nie by Harry se tannie gaan slaap nie. Ná die fliek het ons tot by die Caltex-garage aan Kerkstraat se onderpunt gestap. Daar het ons 'n ou gekry wat meubels met 'n Toyota Dyna-lorrietjie op Pietersburg gaan aflewer. Hy het ons tot op Nylstroom laat saam-

139

ry en daardie aand het ons terug in die koshuis gesluip en ons weer gelê en bekommer of Ore of Kopbeen ons uitgevang het of nie.

En ja, Maandagoggend, ná 'n hele naweek se wonder, het ou Kopbeen ons toe wel kantoor toe geroep. Wie vir hom gaan sê het ons het ge-*bunk*, weet ek tot vandag toe nie.

Ons het probeer verduidelik dat ons *Moonraker* baie graag wou sien omdat ons gehoor het dit is regtig 'n goeie fliek. Op die ou end het ou Kopbeen vir my en Harry elk net vyf houe gegee – nie die gebruiklike ses nie.

En toe hy terugstap na sy lessenaar, het hy met 'n effense glimlag gesê: "Ek sal gaan kyk of *Moonraker* so goed is soos julle sê. Dit wys volgende naweek hier in ons inry."

Kersfees is op 'n ánder plek

JEAN MEIRING

As iemand my as vyfjarige gevra het, sou ek reguit gesê het Kersfees vind nie op ons tuisdorp, Stellenbosch, plaas nie. Dit speel altyd êrens langs die see af. Trouens, Kersfees by die huis was gewoon ondenkbaar.

Kersfees was áltyd in 'n huis by die see met 'n Kersboom, waar-onder slordige berge geskenke wag om oopgemaak te word. En dan sou die skraal Kersvader, in 'n verslete pers kamerjas en met mom-bakkies op, my nogal aan my oupa herinner.

Al was Bikinistrand by Gordonsbaai hoogstens 'n uur se ry van ons huis af – van inpak-en-wegpiekel tot stilhou-en-uitpak – kon dit net sowel op 'n ander planeet gewees het. 'n Planeet waar sneeu binnens-huis neersif terwyl die son buite bak. Waar blink towergoetertjies in klappers verskuil is. Waar niks tekort skiet nie.

Die jaarlikse tog – ek, Pa, Ma en Sus – na daardie wêreld het altyd einde se kant toe gestaan as ons, so om 'n wye draai, Kusweg in die Strand binnery.

Die donker aandhemel sou dan, so ver die oog kan sien, deur 'n swetterjoel flitsende liggies oortrek wees. Liggies wat, soos ons aanry, op die een lamppaal ná die ander die verrassendste beelde vorm: 'n Vis spuug water; takbokke klief 'n boog deur die lug; goudgeel sterre skiet in alle rigtings strale uit.

Tussen elkeen van daardie flitsende prente was daar net genoeg tyd om iéts vas te lê, te onthou, voordat my aandag deur die volgende een oorrompel is.

As ons dan 'n rukkie later, uitasem, voor die strandhuis stilhou en haastig uitklouter, bevestig die sout seelug en klotsende branders die waaragtigheid van ons aankoms.

Die saai, stil, Krismislose Stellenbosch het tog nooit só geruik en geklink en gevoel nie.

Dan het 'n verwelkomingsparty die trappe af geraas. My ouma-hulle sou al geruime tyd vantevore in twee motors – 'n propperse pakkaas – die rit afgelê het.

Jaarliks het hulle gepak asof Gordonsbaai geen winkels het nie. Asof dit die Groot Trek is wat herhaal moet word. Asof daar geen terug- keer sou wees nie.

Een van ons familieverhale wat altyd destyds oor die Kerstyd vertel is, het juis die gevaar onderstreep van daardie kort, oënskynlik on- skuldige rit na Kersfeesland.

Een jaar was dit so hittete of die deurtog see toe was my ouma se laaste rit hier op aarde. Of dit gebeur het voor ek gebore is en of ek al daar was, weet ek nie mooi nie; die verhaal was gou-gou 'n stukkie datumlose familie-folklore.

In haar spitsstert-Anglia-tjorrietjie was my ouma heel gaaf op koers toe die ongeluk haar êrens langs die pad Gordonsbaai toe tref. Ou- der gewoonte moes sy, tussen kos en klere, ook die huishouding se diere see toe karwei: kat, kokketiel-in-'n-kou, en Fifi, 'n woelige, swart brakkie.

Vir die diere was die rit opwindend én ontwrigtend. Op 'n kol, soos 'n mens van 'n sorgsame moeder verwag, het Ouma omgedraai en haar bes probeer om op die agtersitplek rus en kalmte tussen die diere te skep. Dit was 'n ligte mistykie: Die Angliatjie het van die pad af ge- loop en in 'n drif of 'n ding beland.

Genadiglik was die beserings onder die insittendes gering, maar die storie is jare ná my ouma se dood met soveel drama oorvertel – ook met 'n klein karakterskets van elk van die reisende gediertes – dat ek die stuk pad daar rondom die aarbeiplase met hul voëlverskrikkers net buite Stellenbosch, waar ek my verbeel dit gebeur het, as aartsgevaar- lik beskou het.

Om geen goeie rede nie het daardie ou storietjie met sy gelukkige einde – te midde van doodsgevaar – jare lank in my kop gemaal. Elke keer as ons op Gordonsbaai aangekom het, het dit gevoel soos 'n rare oorlewing, so al asof dit so ampertjies anders kon afgeloop het.

Dié rit was die prys wat 'n mens moes betaal om Kersfees te be- reik. Of so het ek gedink . . .

Eenjaar moes ons voor ons uit Stellenbosch kon ry, eers gou 'n draai maak in Cloetesville, 'n bruin buurt aan die buitewyke van die dorp.

My ouma-hulle se bejaarde huishulp het daar gewoon saam met haar gesin: twee dogters, die een genaamd Anna en die ander Anne (ek dink tog hulle was stiefsusters), en 'n streep kleinkinders.

Namens my ouma-hulle moes ons vir hulle Kerspakkies afgee. Ek was sekerlik vantevore al in 'n "bruin buurt", maar ek onthou hoe grensoorskrydend ons binnery dié slag vir my gevoel het.

Die Kerspakkies het die situasie net vererger. Dalk het ek gemeen dis nie mooi om die neus van mense wat in Krismislose Stellenbosch moes agterbly, daarin te vryf nie.

Dit was laat en buite was dit donker. Hier en daar het blokkies lig teen die swart uitgestaan. Ek en Sus het in die motor bly sit toe ons ouers uitklim, die lendelam tuinhekkie oopmaak en die klein, toegegroeide werf af stap voordeur toe.

Dié het oopgeskuur en 'n reghoek helder lig laat deurskyn. My mahulle het donker daarteen uitgestaan. Met effens geboë hoofde was hulle met iemand binne aan 't gesels en beduie.

Ná 'n ruk draai my ma skielik om en pyl motor toe.

Ons moes uitklim en kom kyk! Haar stem het vreemd geklink.

Met groot oë het ons uitgeklim. Agter my ma aan het ons die klipperige werf binnegegaan. By die oop deur het ons gaan staan, so asof die lig voor ons 'n muur was wat ons onverwags in ons spore gestuit het.

Binne was die vertrek klein en netjies en helderkleurig. 'n Magdom meubelstukke het styf teen mekaar gestaan. Ek kon nie mooi uitmaak wat 'n mens die kamer sou noem nie. Daar het immers 'n eetkamertafel gestaan, en 'n rusbank, 'n klompie stoele en, in die een hoek, 'n bed.

Dit het geruik soos iets wat ek nog nooit geruik het nie: 'n mengsel van politoer, seep en iets warms, soos kos.

En toe, skielik, sien ek dit. In die linkerhoek van die vertrek, op 'n houtkissie . . . die groenste, mooiste, driehoekigste Kersboom wat ek nóg gesien het!

Pronkerig het dit dak toe gestrek, elke tak met helder, blink dingetjies versier: voëltjies, bokke, sleë, sterre, vlokke sneeu. En tussendeur alles het liggies aan en af geflits. Nou sien jy iets, dan verdwyn dit vir 'n oomblik in die donker.

My kop kon dit nie lekker verteer nie. Hier, op Stellenbosch, is 'n Kersboom! Maar veral: Hier, in hierdie bruin huisie, is 'n boom wat ons eie winkelboom volkome in die skadu stel. Boonop met liggies.

Ek kon dit gewoon nie verstaan nie.

143

Dié boom het sóveel reëls verbreek.

Verlede Desember, kort voor Kersfees, bevind ek my onverwags in Pretoria. Dis 'n dynserige, neerdrukkende Sondag. Dié stad is g'n New York nie, dink ek stilweg. Dis gewoon nie vir Kersfees uitgeknip nie.

Soos met die Stellenbosch van my kleintyd is dit vir my asof 'n mens ver úit hierdie stad sal moet gaan om êrens anders Kerfees op te spoor.

Die Sammy Marks-winkelsentrum in die middestad is toe onder plakkate van 'n swart mansgesig met 'n Sinterklaasmus op sy kop. Dis moeilik om agter te kom of dit ironies bedoel is.

Maar wat vasstaan, is dat die drentelende siele hier bra min entoesiasme kan bymekaar skraap vir 'n vreemde, Europese fees. Geld is dalk te skraps. Die reën ten spyt, Kersfees pas net nie hier nie.

Dis toe dat 'n vriendin vir my vertel van die Liggievrou van Danville, tradisioneel 'n armblankebuurt in die ooste van die stad wat nou 'n tipies Suid-Afrikaanse reënboog is. Hoe sy en haar gesin elke Kerstyd hulle woonhuis en tuin in 'n wonderwêreld omskep. Met derduisende liggies.

Ons verlaat die skemer-middestad en ry daarheen. Ons kom by die huis aan, 'n uur voordat die daaglikse toeloop van mense binnegenooi word.

Oombliklik is ek weer vyf jaar oud en staan ek weer, onverwags, op 'n drumpel in Cloetesville. Met stille verwondering kyk ek na binne.

Wanneer die tuin se hóéveel liggies, ragfyn en oorrompelend, aangeskakel word en die flitsende tuin vir honderde kindertjies van elke skakering oopgaan, speel Kersfees wéér af op 'n plek waar ek dit die minste verwag.

Kersfees kom vroeg
in die Diep-Karoo

DANA SNYMAN

Êrens anderkant Bloemfontein het die Datsun Pulsar begin ruk-ruk, maar sy het nie gaan staan nie. Ek het ook nie stilgehou om te kyk wat fout is nie. Dit sou tog niks help nie, want van 'n motor se binnegoed weet ek weinig. Ek het maar net die radio harder gedraai en gehoop vir genade.

Maar so 100 km verder, op 'n dorp langs die N1 wat ek eerder nie sal noem nie, het daardie genade opgeraak: Ek het daar stilgehou om petrol – en die gebruiklike pint olie, natuurlik – in te gooi. Maar skaars 'n blok ná die vulstasie het die Pulsar finaal geruk-ruk en sommerso in die ry gevrek.

Dit was die aand voor Kersfees en ek was op pad De Aar toe, waar die familie by oom Kerneels en tant Tokkie saamgetrek het. Ek het toe nog in die boekwinkel in Pretoria gewerk. Die Pulsar was my eerste kar.

Op sulke plattelandse plekke is dit mos moeiliker as in die stad om te sien dis Kersfees. Oorkant die straat, in die kontantwinkel se venster, het rooi en blou liggies die woorde uitgespel: MERRY CHR S MA . Dit was al sigbare teken van Kersfees wat daar was. Toe ek 'n ent straat-af aan die dorp se enigste werktuigkundige se deur klop, kon ek wel sien die Kersfees-gees het darem by hom op 'n manier posgevat: Hy het die deur oopgemaak met 'n brandewyn-en-Coke in die hand.

Dié ou was nie in staat om my te help nie. Dit was duidelik. Ek het toe 'n tiekieboks gaan soek en De Aar toe gebel: Ek sou maar in die Pulsar slaap (ek het net R30 by my gehad) en Pa-hulle sou die volgende oggend deurry om te kom help.

Maar op Oukersaand wil 'n mens nie alleen wees nie. Ek het deur die dorp begin stap, verby die klipkerk. Die strate was stil; net nou en dan het 'n kar of 'n vragmotor van die N1 gedraai en by die vulstasie kom vol maak.

In die hotel se kroeg het drie ouens gesit, krom oor hul glase; en êrens buite het daardie stroperige liedjie van Boney M gespeel: "Little Drummer Boy". Dit was 'n kasset van Boney M se *Greatest Christmas Hits* en die klanke het gekom uit 'n ou Toyota Cressida wat in die donker straat geparkeer gestaan het.

Eintlik moet ek die hele toneeltjie beskryf: Die Cressida het voor 'n armoedige huis gestaan, met die voordeur oop, en op die sypaadjie by die motor het 'n man in 'n wit gaatjiesfrokkie en 'n vrou – sy het 'n baba in haar arms gehad – op koeldrankkissies gesit en na die musiek luister. In die huis het 'n olielamp op 'n tafel met 'n Formica-blad geflikker. (Dit is onnodig om sulke dinge op te haal, ek weet, maar ek was toe reeds in die gedeelte van die dorp waar die bruinmense woon.)

"Naand, Meneer. Wat bring Meneer hier?"

Ek sal die man se naam nie vergeet nie: Piet Ganse. Sy vrou was Dora. Uit die huis het nog kinders gekom, twee of drie van hulle. Een, 'n seuntjie, het voor my kom staan. "Is Meneer van die *welfare*?"

"Moenie die meneer pla nie, Devontjie," het Dora geraas. "Gaan speel julle nou, toe, toe."

Ek het eers net daar by Piet en Dora op die sypaadjie gestaan, en later het ek gaan sit. 'n Ent weg het die ligte van die karre op die N1 die donker voor hulle weggestoot. Ek kan nie onthou waaroor ons gesels het nie. Ek glo nie ons het juis veel gesels nie, want op sulke aande maak woorde dinge soms meer ingewikkeld as wat dit reeds is.

Piet en Dora se kinders was lastig en huilerig. Hulle wou presente hê. Dit onthou ek. Ek onthou ook daardie dekselse Boney M-*tape* het oor en oor gespeel, en êrens het 'n hond getjank, en Dora het gesê sy wonder wat hulle môre – op Kersdag – gaan eet.

Nie lank dáárna nie het die polisiebakkie haastig uit die dorp in die rigting van die N1 gery, met 'n blou lig wat op die dak flits.

Piet Ganse het die polisiebakkie eerste gewaar. Toe het 'n klomp dinge gelyktydig gebeur: Dora, met die kleintjie steeds in haar arms, het van die koeldrankkissie af orent gekom en geroep: "Daar was 'n ongeluk! Kom julle! Toe, toe, toe!"

Saam met die kinders het 'n ou tannetjie met 'n wit kopdoek by die deur uitgekom. Piet het agter die Cressida se stuurwiel ingewip en die sleutel gedraai. Die Cressida se enjin het nie gesond geklink nie, maar almal het ingeklim: Dora met die baba, die kinders en die tannietjie met die kopdoek.

"Kom jy nie saam nie?" het Piet na my geroep. "*Maybe* is ons *lucky*!"

Opeens was die straat vol beweging: Twee huise verder was 'n klomp mense besig om agter-op 'n ou Mazda-bakkie te klim. En van nog hoër af het nog 'n motor aangekom, met net een lig wat werk. Eers toe dit by ons verbykom, kon ek sien dit is 'n ou Colt Galant – ook met 'n klomp mense in.

Ek het langs die tannietjie met die kopdoek op die agtersitplek ingeskuif, meer uit nuuskierigheid as oortuiging. Piet Ganse het in die rigting van die N1 begin ry, met Boney M aan die sing oor *Mary's Boy Child*.

Miskien moet ek eerder sê Piet het in die N1 se rigting gejaag, want in daardie Cressida het als bo 60 km/h na jaag gevoel. Naby die T-aansluiting is ons verby die Colt Galant, links, al agter die polisiebakkie se blou lig aan. Dit gebeur skynbaar op baie van daardie dorpe langs die N1: As daar 'n ongeluk is, klim party in hul motors en jaag na die toneel, in die hoop om iets te ase te kry.

Eintlik wil ek nie veel meer van daardie aand vertel nie. Die eerste kilo of drie was ons voor die Mazda en die Colt, maar toe begin die Cressida se enjin oorverhit.

"Ek hoop nie dis die fênbelt nie." Piet se oë was bekommerd op die truspieëltjie en agter hom het die kinders geroep: "Ry, Dêddie, ry. Hulle kom! Hulle kom!"

Dit was 'n vragmotor vol groente wat omgeslaan het. Oral langs die pad het dit gelê: pampoene, bossies geelwortels, koolkoppe, gebreekte kassies tamaties. Die twee polisiemanne wat daar was, kon nie die mense keer nie. Of dalk het hulle nie eens probeer nie, ek weet nie.

Piet en die kinders en die tannietjie met die kopdoek het nader gegaan en Dora het gevra of ek die kleintjie sal vashou, toe het sy lomperig agterna gedraf.

Ek het net daar in die donker by die Cressida bly staan, met die kind in my arms. Dit was net ná tienuur. Maar in die Diep-Karoo was dit reeds Kersfees.

Stories om 'n kombuistafel

DANA SNYMAN

As ek in die Weskus kom, ry ek nie sommer by tant Drieka Smit verby nie. Haar man, oom Sagrys, is al jare nie meer met ons nie, maar sy woon steeds in die wit huis met die hobbelmure op die plasie daar in Elandsbaai se wêreld.

Elke keer as ek by tant Drieka kom, is ek weer terug by my oorle' oupa Danie en ouma Myra op Memel in die Vrystaat. Só voel dit.

Die huis se voorstoep is Sunbeam-rooi en op die muurtjie staan varings in verfblikke. Onder die draadmatjie voor die deur lê 'n opgevoude streepsak. Die klokkie werk lankal nie meer nie en die sifdeur maak "tjieeeet" as jy dit oopmaak. Die gang is lank en donker, en teen die mure hang portrette in ovaal rame; en van iewers af kry 'n mens die reuk van motbolle.

Onder die hoederak waar oom Sagrys se tiervellose tiervelhoed steeds hang, staan die telefoon op 'n rottangstaander, en in die rakkie onder die telefoon lê 'n psalm-en-gesangeboek, 'n FAK-sangbundel en 'n *Uit die Beek*-Bybeldagboek – alles nes in oupa Danie-hulle se huis.

Die sitkamer se gordyne is ook altyd dig toegetrek en die mure is beplak met muurpapier met goue krulletjies daarop. Oor die gordynkap hang laas jaar se Kerskaartjies en op die vloer langs die riempiesbank staan 'n blinkgevryfde patroondop wat Flip, tant Drieka se enigste kind, aangedra het toe hy in die weermag was.

Ek stap nie sommer by tant Drieka se sitkamer verby sonder om eers alles in die *showcase* te bekyk nie: Die teelepeltjies met die dorpe en plekke se name op; die klein, wit perdjie met die geel toutjie aan wat van 'n bottel White Horse-whisky af kom. Daar is ook een van oom Sagrys se kromsteelpype en 'n langwerpige wiggie vrugtekoek in sellofaan wat tant Drieka van iemand se troue af saamgebring het.

En uiteraard is daar ook 'n foto van Susan wat geneem is die dag toe sy haar verpleegdiploma in die Kaap gekry het.

Tant Drieka het darem nie soos ouma Sarie 'n botteltjie versterkwater in die *showcase* waarin haar blindederm dryf nie . . .

Daar is ook 'n Chesterfield-bank en twee diep stoele, maar ons sit nooit daarop nie. Ek en tant Drieka kuier in die kombuis. Maar voor ons oor die krakende plankvloer soontoe stap, verby die spaarkamer met die koperkatel en die wastafel, maak tant Drieka altyd eers verskoning: "Ek hoop nie jy gee om lat ons in die kombuis sit nie, kind."

Natuurlik gee ek nie om om by 'n tafel in 'n kombuis te sit en kuier nie.

Ek het grootgeword in 'n huis waarin 'n mens omtrent altyd in die kombuis gekuier het, en wanneer ons vakansies by ouma Danie-hulle op Memel gekom het, was ons ook maar pal om die tafel in die kombuis – veral in die winter wanneer die kapok wit oor die boggelrige wêreld lê. Die sitkamer was net vir troues en begrafnisse en hoë gaste.

Ek onthou veral daardie vrieskoue oggende by oupa Danie-hulle op Memel.

Jy lê ver weg in droomland onder 'n bulsak op die katel in die stoepkamer. Buite kraai ouma Myra se groot, rooi haan. Dan word jy wakker, stil bewus van alles in die skemer rondom jou: Die waskom en die lampetbeker op die wastafel, die prent van 'n berg en 'n stroompie teen die muur, die kers in die blaker en die Bybel op die bedkassie terwyl een of twee dapper voëls 'n liedjie in die seringboom voor die venster begin sing.

Dan ruik jy dit: mieliepap. Nee, nie mieliepap nie: Krummelpap. Of soos Oupa-hulle dit in Zoeloe genoem het: poetoe.

Poetoepap op 'n stoof ruik mos baie geiler en lekkerder as ander pap.

Jy lê daar onder die bulsak en jy ruik die poetoe en jy hoor Oupa-hulle se stemme in die kombuis en buite skuur die oggendmis geluidloos teen die huis. Maar jy wil nie opstaan nie. Nie net oor die koue nie. Die wêreld is 'n baie veilige plek as jy tien jaar oud is en jy lê onder 'n bulsak in jou oupa-hulle se huis.

Later hoor jy iemand 'n deuntjie buite fluit: Dis Doema wat oor die werf aangestap kom met 'n dopemmer vol melk in die hand. Hy het klaar vir Blommetjie, die Jersey-koei, gemelk.

Jy klim nie stadig onder 'n bulsak uit nie. Jy gooi dit van jou af, en dan voel jy die springbokvel voor die bed koud onder jou voete. Terwyl jou lyf bibber en bewe, glip jy sommer jou Bata Toughees sonder sokkies aan, trek jou trui oor jou pajamas aan en draf verby die bad-kamer kombuis toe.

Ek was altyd skrikkerig om soggens my gesig in Oupa-hulle se bad-kamer te gaan was, want soms het Ouma se kunstande op die rand van die bad in 'n glas Steradent vir jou gegrynslag.

Ek sien nou nog die grootmense soggens daar in die kombuis sit met hulle elmboë op die tafel gestut: Oupa met sy geel snuifvingers, Pa wie se yl hare orent staan van die slaap, en Ouma in haar bleekblou japon, met die moue tot by die elmboë opgewikkel, want Ouma was mos maar knaend aan die deeg knie. En later sou Ma ook inkom en sê sy het soos 'n klip geslaap.

Nou sou daar nog reuke in die kombuis wees: hout wat brand en die suurderige reuk van deeg en ouma se Singleton-snuif en koffie – moerkoffie wat in 'n koffiesak in 'n singende ketel op die groot, swart Dover-stoof lê en trek.

Die Blaupunkt-draadloos sou aangeskakel wees en ná *Landbouradio* sou 'n orrel speel en dan was dit tyd vir die oggendgodsdiens oor Ra-dio Suid-Afrika.

Dan sou ons stil sit en luister terwyl die stoompies uit die blikbe-kers koffie voor ons op die tafel opslaan.

Dit was ons maniere; dis hoe dit daar by Oupa-hulle gegaan het.

Maar tye kom en tye gaan: Oupa Danie en ouma Myra is al dood en die huis op Memel is verkoop. Ma is ook nie meer daar nie en Pa het na 'n ander huis toe getrek, en ek woon nou in die Kaap in 'n mo-derne plek met 'n kombuis vol outomatiese goed en 'n elektriese ketel wat jou gesig verwronge na jou toe weerkaats.

Boerehuise met boerekombuise soos Oupa-hulle en tant Drieka s'n is nie meer volop nie.

Ek gesels nie juis baie as ek by tant Drieka kom nie. Ek sit maar daar by die tafel met die groen Formica-blad en luister hoe praat tant Drieka oor suurdeeg en hanslammers en weglê-hoenderhenne en die gesukkel om deesdae ordentlike kwepers te kry om in te lê.

En terwyl tant Drieka praat, kyk ek na die ou Dover-stoof, die melk-beker met die doilie op die yskas, en die panne en kastrolle en stoof-ysters wat teen die mure hang.

Op die vloer, nes op Oupa en Ouma se kombuisvloer, is linoleum waarop al paadjies uitgetrap is, en langs die yskas hang 'n kerkalmanak waarop mense se verjaardae in tant Drieka se bewerige skriffie inge-skryf is. Teen die dak wag 'n geel kloustrook vir die vlieë.

Daar is 'n koskas met rakke vol koppies en pierings en borde vol fyn barsies. En daar is koekblikke met prente van Hollandse wind-meulens op en bottels met goudbruin konfyt en ingelegde perskes in. En dis mooi en dit is goed.

Ek besef ek is besig om boerehuise en kombuise soos tant Drieka en Oupa-hulle s'n te romantiseer. In daardie huise en kombuise is ook swaargekry. Tantes soos tant Drieka en ouma Myra het nie brood ge-knie, konfyt en seep gekook, en vrugte ingelê net om pryse op die jaarlikse landbouskou te wen nie. Dit was 'n goedkoper manier van dinge doen, want geld was nooit volop nie.

En by daardie tafel was dinge ook nie altyd so vreedsaam nie. Oor-le' Oupa en Pa het soms kwaai woorde daar vir mekaar gesê – veral oor landsake.

By daardie tafel op Memel het Oupa ook smekend gebid dat die Here tog moet help die keer toe die wind sy werkwinkel se dak afge-waai het. En nadat Ouma die beroerte gekry het, het sy soms ure lank doodstil by daardie tafel gesit terwyl die sonlig flou deur die venster oor haar oumensarm skyn.

Ek weet nie hoe lank gaan tant Drieka nog in haar huis met die hob-belmure woon nie. Haar seun neul by haar om na 'n ouetehuis toe te gaan, want sy is al verby sewentig. Ek weet die dag sal kom dat sy nie meer daar is nie.

Dit is hoekom ek nie sommer by haar verbyry nie, want in tant Drieka se huis en in tant Drieka se kombuis weet jy wie jy werklik is en waar jy vandaan kom.

Oor die waters

Waar lê oorsee?

DANA SNYMAN

Op die dorpie in die Noord-Kaap waar ek 'n kind was, was "oorsee" aanvanklik vir my net een plek: Israel – die Heilige Land.

Dit was in die laat jare sestig, lank voor TV, Boeing 747's en die internet. Inligting oor die wye wêreld anderkant ons dorp se klipkoppies was toe nog nie vrylik beskikbaar nie, veral nie vir 'n vyfjarige nie.

Een keer per jaar, gewoonlik in Desember, het ons in die Valiant geklim en na die Natalse Suidkus gereis. Hibberdene toe. Na Oupa-hulle toe.

Dit, min of meer, is waar die heelal vir my geëindig het: By Hibberdene. Anderkant dit was daar net water. Totdat oom De Wet en tant Rina, vriende van my pa-hulle, op 'n Bybeltoer Israel toe is.

Bybeltoere, gewoonlik met 'n predikant as toerleier, was destyds die in ding op die platteland. In die *Kerkbode* en *Voorligter* was advertensies daarvoor: "Besoek die Heilige Land saam met ds. Fanie Smit. Agt dae, sewe nagte, aandetes ingesluit. 'n Geestesverrykende ervaring wat u lewe sal verander." Of so iets.

Ek onthou toe oom De Wet-hulle terugkom van Israel af, het hulle ons een aand na hulle huis genooi. In die sitkamer was die skyfieprojektor klaar gereed.

Toe kyk ons na oom De Wet se Israel-skyfies op die wit skerm wat voor die kaggel opgeslaan was: oom De Wet en tant Rina by Jerusalem se Klaagmuur; oom De Wet en tant Rina op die berg Golgota; en – vir my die hoogtepunt – oom De Wet en tant Rina wat in die Dooie See ronddryf, met kop en tone wat hoog bokant die water uitsteek!

Ek het skielik met ander oë na oom De Wet en tant Rina gekyk. Hulle was al op 'n plek, ver-ver van ons dorp af, waar jy op water kan dryf *sonder* dat jy hoef te kan swem. Jy gaan lê net, en ploeps!, daar dryf jy.

Oorsee.

Miskien is dit daar waar my liefde vir reis begin het, want is dit nie maar wat reis in 'n groot mate is nie? 'n Soektog na 'n plek waar allerhande buitengewone, eksotiese dinge met jou gebeur.

Mettertyd het my wêreld gegroei. Ná Israel, dink ek, het ek van Japan oftewel "die Ooste" bewus geword.

Ds. Neil Verwey en sy vrou, Peggy, het destyds sendingwerk in Japan gedoen – maar almal het gepraat van "die Ooste". Op 'n dag het hulle in 'n Peugeot-stasiewa op ons dorp aangekom om ons te kom vertel hoe hulle die Japannese kersten. Hulle het ook skyfies in die kerksaal gewys van Japannese in tradisionele gewaad; van Japannese wat tee uit klein koppies drink; van Japannese wat bid . . .

Oorsee.

In daardie tyd het Stevie Ferreira se pa, die rykste man op die dorp, ook 'n Ford Mustang gekoop. Met 'n linkerhand-stuurwiel. "Oorsee sit al die karre se stuurwiel links," het my pa verduidelik.

Vreemd. Hoekom sou mense dit wou doen? Dit het my nóg meer oor oorsee laat wonder.

Watter land het ek ná Japan leer ken? Dis moeilik om te sê, want iewers in my sesde jaar het ek die rak met die *National Geographic*-tydskrifte in ons dorpsbiblioteek ontdek. Ek onthou foto's van vroue in klompe, mans in Skotse rompies en klein mensies met geverfde gesigte in 'n oerwoud.

National Geographic was min of meer die enigste plek waar jy nou en dan 'n bostuklose vrou kon sien – al was dit 'n effe oorblufte vrou-like lid van die Witoto-stam diep in die Amasone met 'n houtpen deur die neus.

Volgende het ek "die Britse Eilande" ontdek. Dit was in 1969 en oral het die grootmense gepraat van Dawie de Villiers se Springbokke wat deur die Britse Eilande toer.

Ek sien myself op ons stoeptrap sit terwyl Gerhard Viviers se stem wat in kortgolf oor die Blaupunkt-radio'tjie krap en styg en daal, styg en daal: " . . . Jan Ellis het die bal . . . en hy hardloop . . . hy hardloop . . . hy moet hom kry . . . Jannie! . . . Jannie! . . ." terwyl ek probeer dink hoe dit moet lyk daar waar die Springbokke nou speel. Groei daar ook aalwyne? Is daar windpompe? Loop die vrouens daar ook dalk kaalbors soos in *National Geographic*?

Maar oorsee was vir my ook 'n gevaarlike plek, want daardie 1969-toer het ook as die "betogertoer" bekend gestaan. Die betogers – my pa-hulle het hulle ook "takhare" genoem – was gekant teen apartheid en het probeer om die toer te ontwrig deur op die veld te storm wanneer die Bokke speel.

Ek was bang vir betogers, want hulle was "volslae kommuniste", het ons die grootmense hoor sê. (Genadiglik was daar nie van hulle op ons dorp nie.) Die kommuniste, is ek geleer, woon hoofsaaklik in Rusland en "Rooi China" en hulle wil ons land kom vat.

China het my nogal bekommerd gemaak. Iemand by die skool het gesê hy het agterop 'n Chappies-papiertjies gelees as al die miljoene Chinese op dieselfde oomblik in die lug sou spring en land, dit die aarde uit sy wentelbaan sou gooi.

Sulke dinge ontstel jou nogal as jy ses, sewe jaar oud is en in die Noord-Kaap woon.

Maar op die ou end het die onbekende wêreld "oorkant die water" my meer aangetrek as afgeskrik, veral nadat ek hier in st. 6 rond die eerste keer van 'n ander interessante oorsese plek gehoor het: Amsterdam. Meer spesifiek Walletjiestraat, in Amsterdam se Rooilig-distrik.

Stoffel Venter, een van my vriende, het beweer sy oudste broer, Flip, was al in Walletjiestraat, maar Stoffel het daarvan vertel asof hy alles met sy eie oë gesien het.

"Die prostitute daar sit sommer in die vensters," sou Stoffel tydens pouse vertel.

"*Genuine!?*" het drie of vier van ons ongelowig gevra, want op ons dorp was selfs 'n meisie in 'n minirok iets ongewoons.

"Ja, party van hulle sit daar en dra nie eens klere nie."

"*Genuine!?*"

Oorsee.

Die eerste keer dat ek Mexiko besoek het, was, wel . . . in ons skool-saal. Op ons matriekafskeid.

Die afskeid se tema was "Mexiko", en die st. 9's, wat die aand ge-reël het, het garingbome in die dorpskamp gaan uitgrawe en oral in die saal tussen klippe staangemaak. Daar was ook 'n klein opblaas-swembad met goudvisse, omring deur kaktusse in potte. En ons het paella geëet – uit blikborde.

Die Wilde Weste-reeks *The High Chaparral* was destyds baie gewild op TV en een van die hoofkarakters, Manolito, was die enigste be-wese Mexikaan van wie ons geweet het. Die st. 9-kelners by die af-skeid het almal soos Manolito probeer lyk. Barries Barnard het selfs met sy ma se grimeerpotlood vir hom 'n Mexikaanse hangsnor getrek en 'n plastiek-rewolwer in 'n holster gedra.

Boenas, wie se ma oorlede was, het niemand gehad om vir hom 'n poncho te maak nie, toe dra hy maar een van sy ousus se gehekelde *shawls*.

Op die ou end was my ma die eerste een in ons gesin wat oorsee ge-gaan het. Sy het dit eers oorweeg om die Passiespele in Oberammer-gau in Duitsland by te woon, maar het uiteindelik op Taiwan besluit. Ek bewaar nou nog 'n kiekie van haar voor een of ander tempel in Taipei.

Nadat my ma teruggekom het, het ons maande lank minstens twee keer 'n week *stir-fry* met sojasous geëet.

Vandag nog is sojasous vir my simbolies van oorsee. Dis iets anders as kookolie: dis vreemd en smaak na palmbome. Dit laat jou dink aan vroue met houtskoene en ooms wat aan lang pype suig en geheim-sinnig na jou staar.

Ek was al amper dertig toe my kans eers aangebreek het. Ek het pas as joernalis by *Huisgenoot* begin werk toe die redakteur my inroep en vra: "Het jy 'n paspoort? Ek wil jou New York toe stuur."

Toe begin daardie wonderlike, opwindende jaagtog na paspoorte en visums en, ja, ek het selfs vir my nuwe klere gaan koop, want om die een of ander rede wil 'n mens mos nuwe klere hê wanneer jy oor-see gaan.

Ek onthou nie veel van die vlug soontoe nie. Maar die oggend toe ons vaak-vaak in New York afklim, sal ek nie vergeet nie. Die eerste ding waarvan 'n mens mos bewus raak wanneer jy vroegoggend in 'n ander land van 'n vliegtuig klim, is die lig. Dit is asof die son anderster skyn – skerper.

Ek het per bus ingery na Manhattan en dit was presies soos ek gedink het oorsee sal wees: Alles was groter en dit was asof die kleure helderder en dieper was, want dit is nog 'n ding wat reis aan jou doen: Dit verskerp die sintuie.

Dis amper asof ek alles in stadige aksie onthou: Die bus het naby Times Square stilgehou. Ek het uitgeklim. Om my was die hoogste geboue wat ek nóg gesien het. Een het ek dadelik herken: die Empire State-gebou. Dis teen hom dat King Kong een aand in die fliek uitgeklouter het toe die fliek in ons skoolsaal gewys is.

Oral om my was van daardie geel taxi's wat ek so dikwels in flieks en op TV gesien het. Ek was opeens lus en druk my hand in die lug en skreeu nes Robert de Niro of Al Pacino: "Taxi!"

Maar ek het net daar op die sypaadjie bly staan en staar, met my Puma-toksak in die hand.

Oorsee. Uiteindelik.

Agter elke Roemeniër . . .

TOAST COETZER

Wat sou 'n mens hoegenaamd in Roemenië gaan soek? Wat gebeur daar? Wel, ek en my meisie, Rebecca, het besluit om te gaan uitvind. Net om te kyk of die Roemeniërs met ons is of nie, en of die res van hulle 'n goeie dubbele salto kan maak soos hulle wêreldbekende gimnas, Nadia Comaneci.

Dalk sou ons selfs die oudtennisspeler Ilie Năstase raakloop (vreemde goed gebeur: ek het al vir Ryk Neethling by 'n vulstasie gesien).

Ons het ons soos wafferse wêreldreisigers voorberei: Die *Lonely Planet*-gidsboekie gaan koop, ons tasse se slotjies getoets en hotelle bespreek op die internet. Visums was ook moeiteloos, ondanks die feit dat dit op my foto'tjie lyk asof ek 'n Schnauzer eet (dis eintlik net my baard wat so groot was). Ons het ook 'n motor gehuur, 'n Ford Fiestatjie.

Op ons eerste dag in die hoofstad, Boekarest, is die Fiesta beleër: Ons is omring deur Dacias, Roemenië se nasionale kar. Hoewel die Dacia se ontwerp die afgelope dekade effens verfyn is, lyk die meeste van hulle steeds na 'n kruis tussen 'n Nissan Skyline en voertrog. Jy kry 'n sedan-, stasiewa- en bakkie-weergawe, maar eitlik lyk hulle almal maar dieselfde, met net die relevante dele wat afgesaag of aangesweis is.

Maar dis nie die Dacias se neerdrukkende stilering wat ons op daardie oomblik geteister het nie. Nee, Boekarest is baie soos Welkom – vol sirkels. En 'n mens ry boonop aan die verkeerde kant van die pad, want dis 'n regsry-land met linkerhandstuur. My bestuursbrein is dus in volslae chaos gedompel. Ek soek pal die ratte hier iewers teenaan die deur en dryf gedurig gevaarlik na aan Dacias wat aan my regterkant opdoem.

Uit die passasiersitplek hou Rebecca die fort. Sy is kalm. Sy waarsku my wanneer ek in iets gaan vasry. Sy hou my nuwe blinde kol dop, wat nou omtrent so groot soos Lesotho is.

En oral is honde. Volgens die gidsboekie is daar tot 70 000 rondloperhonde in Boekarest. "As jy bedreig voel, buk net af en lyk asof jy 'n klip optel om te gooi," is hulle raad. Die honde dut onder motors, op verkeersirkels met die kop op die sypaadjie – oral.

O ja, het ek genoem dat daar ook trems is? Ja, tremspore loop ook in die pad af waar jy moet ry en 'n mens moet nog uit dié se pad ook bly.

Die paaie is ook nie die skitterendste nie. Waar aan die pad gewerk word, lyk dit asof iemand vroeër die oggend met 'n ploeg daardeur is.

Ons het liters bloed gesweet om die pad uit die stad te kry, want ons was onderweg na die noordooste van die land, na die stad Tulcea (jy spreek dit uit "Toel-cha"), aan die oewer van die Donaurivier.

Dis vrekwarm. Eers later het ons gehoor dit was 'n ongekende hittegolf wat die lewe van honderde bejaarde mense geëis het.

Roemenië het, net soos Suid-Afrika, verskillende soorte landskappe. Hier waar ons nou ry, op die plat vloedvlakte van die Donau, lyk dit presies soos op die Springbokvlakte daar naby Bela-Bela: eindelose sonneblomlande en rustige boerderybedrywighede. Hier en daar dut 'n werker onder 'n perdewa à la *Landbouweekblad*.

Hulle het pragtige berge – die Karpatiese berge waarheen ons gaan draai ná Tulcea. Maar hulle 't ook 'n Sasolburg, in die industriële Piteşti, geboorteplek van die Dacia.

Langs die pad is daar nuwe dinge vir ons oë: hooimiedens in elke agterplaas, baie perdekarre en die Ortodokse kerke met hulle boltorinkies.

Baie van die smaller teerpaaie, soos die een waarop ons nou laat wiel, loop tussen eindelose lanings plataanbome. Dit beteken jy ry heeldag halfpad in die skadu. Lekker.

Ons luister na die Roemeense Anneli van Rooyen, Romica Puceanu. Ons het haar CD in Boekarest gekoop. Dié sangeres, wat al oorlede is, sing luidens die CD se boekie begrafnis-, liefdes- en partytjieliedjies. Hulle klink almal identies: tranerig danksy die trekklavier.

Tulcea is 'n bietjie soos Port Elizabeth. Dis nou as die Baai gebou was aan die oewer van 'n rivier wat tien keer groter is as die Oranje. Dis 'n paar honderd kilometer van die Swartsee af en hier's 'n groot en besige hawe.

Dis in Tulcea dat ek besef die meeste Roemeniërs lyk soos ekstras in daardie TV-sepie van destyds, *Agter Elke Man*. Hulle trek min of meer aan asof hulle in die laat jare tagtig vasgehaak het. Ja, in die byderwetse dele van Boekarest sal jy dalk 'n meisie sien wat soos Christina Aguilera aangetrek is, maar in die algemeen voel die Roemeniërs 'n vy vir modegiere.

Op 'n bootrit in die delta af drink ons die een Ciuc-bier ná die ander, eet vis, sweet vir 'n vale en sien die pelikane soos die gidsboek belowe het. Die meeste vakansiegangers hier is Roemeniërs, nes die meeste vakansiegangers langs die Vaalrivier Suid-Afrikaners is. Hulle vang vis, sit in die vlak modderwater en plas, drink bier en braai.

Ek en Rebecca maak kennis met 'n paar ander toeriste. Daar's twee verskroeide Finne wat na aan 'n floute is, en twee gespierde Duitsers (hulle trap fiets deur die land).

Wanneer ons binneland toe draai, raak die landskap ongelooflik mooi. Ons volgende stop is Braşov, maar terwyl ek nog my nek verrek om vir 'n antie Stienie te kyk wat doer oor 'n tuinhekkie leun, spring 'n spietkop skielik voor ons in.

Die spoedgrens was 20 km/h en ek het omtrent 40 km/h gery. Nou toe nou. Die twee spietkops besef gou daar's 'n kommunikasieprobleem. Die kleintjie kyk vir die grote en gee vir hom die knypbord. Die grote beduie ek moet in die Fiesta wag. Ná omtrent tien minute roep hy my oor na sy motor toe. Ek kry gelukkig net 'n waarskuwing.

In Braşov bots ons byna weer met die gereg toe ek in 'n voetgangerwandelpad opry. Tannies en ooms beduie wild met hulle kieries van bankies af, ma's gryp kinders uit die pad uit. Ons draai om, beduie "jammer".

Daar's 'n mooi tennisbaan, maar dit lyk nie soos Năstase wat daar tennislesse gee nie. Ek het ook nog niemand selfs 'n enkelsalto sien doen nie.

Ons goedkoop hotel het nie lugreëling nie en ons los saans die vensters oop. Die muskiete swerm in en tot laatnag roep dronk Bruce Beyerse na mekaar in die kroeë onder ons.

Dracula is volgende op ons lysie, want Sighişoara, geboortedorp van Vlad Ţepeş, die ware karakter op wie die mite van Dracula gegrond is, is nie ver hiervandaan nie.

Op pad trek ons af by Rupea, waar ons 'n toilet en koffie soek. Bo-op 'n koppie langs die dorp staan 'n ou bolwerk. Ons stap op met die voetpad en betaal 'n karige toegangsgeldjie aan 'n ou man wat rustig onder 'n boom sit en lees.

Ek het nog altyd vermoed Europa behoort soos 'n *Asterix*-boek te lyk en hier, terwyl ons uitkyk oor Rupea, voel dit vir die eerste keer vir my so. Doer onder stap 'n man met 'n sekel deur 'n koringland. Obelix moet hier iewers naby wees, besig om wildevarke se gorrels pap te druk vir vanaand se feesmaal. Mooi.

Kort duskant Sighişoara trek ons weer af. Dié slag is ons honger. Ons bestel *ciorbă*, 'n sop wat blykbaar net die ding is vir 'n leë maag (ons glo alles wat in die gidsboek staan).

Die *ciorbă* daag vinnig op, met baie brood en 'n heel rissie *on the side*. Goeters dryf rond in die *ciorbă*. Dit lyk soos stukke varkvel, of pens, iéts. Rebecca stoot dit beleefd eenkant toe en knaag aan die brood. Ek maak myne klaar, maar net-net.

Ons haal Sighişoara gelukkig sonder voorval. Almal en alles in Sighişoara is heeltemal Dracula-bedinges. Jy kan Dracula-T-hemde en -koffiebekers koop. (Ons het . . .)

My kontant is aan die gedaan raak en ons gaan soek 'n bankmasjien in die middedorp. Ek druk die kaart in die gleuf en wil net die knoppies begin ontsyfer toe ek skielik iets ongelooofliks sien: Die knoppies op die OTM is in Engels en Afrikaans, presies soos hier in Suid-Afrika! Daar staan dit: "Proceed/Gaan Voort"! Ek kan dit nie glo nie! Presies hoe hierdie OTM hier op die platteland van Roemenië beland het, sal nugter weet.

Ná Sighişoara is dit tyd vir terugdraai. Eers moet ons oor die Karpatiese gebergtes. Ons vat die legendariese Transfăgărăşan-pas, wat in die vroeë jare sewentig deur die weermag gebou is. Daar's 'n sweefspoor wat tien keer langer is as Tafelberg s'n, duisende vakansiegangers wat oral stap en kamp, skaapherders teen die hange, 'n massiewe dam en, anderkant af . . . Vlad Ţepeş se kasteel. Dracula se blyplek.

Maar die kasteel is doer bo teen die berg en ons is te lui om te klim (ons tyd raak ook min). Ons stop by die restaurant vir iets te ete. Teen die muur hang gestopte beer- en wildevarkkoppe, ook bokhorings. Dit voel soos enige kroeg duskant Thabazimbi.

Enige oomblik gaan Bruce Beyers hier instap met sy *snow jean* . . .

Die gruwels van 'n toergroep

ANTON ROODT

Wie kan enigiemand ernstig opneem wat besluit om saam met 'n groep onbekende mense op 'n bus te reis? Dan kan jy net sowel die passasiers in 'n moltreinwa na jou troue toe nooi.

Op só 'n groepstoer ontmoet jy "interessante mense", vertel die brosjures jou, wat eintlik maar beteken jy moet snags met jou beursie en paspoort tussen jou bene probeer slaap.

Jy hoor nét te veel "Come along, people!", en daar is altyd 'n gids wat wil hê die bus moet liedjies sing of gesamentlik een of ander hulpgids bedank: "Mi-ll-e graa-zie, sen-jor Fra-scaa-ti!"

Ek het met my eerste groepstoer in 1976 die luukse opsie gekies, wat behels het dat jy jou eie tent moes opslaan en jou eie *lilo* opblaas voordat jy natgesweet jou eie aandete van *bangers* en poeieraartappels kon gaarmaak. En dan kon jy jou eie varkpan uitwas met 'n grillerige groen seep.

In die Bois de Boulogne, 'n park aan die buitewyke van Parys, is 'n woonwapark. Ons kampeer hier. Die ablusiegeriewe, kan ek nou sê, was swakker as wat ek op my offisierskursus op Bossiespruit naby Kroonstad beleef het.

Met my handdoek en toiletsakkie oor my skouer, probeer ek uitwerk hoe ek deur die vlak pan vol skeerwater en urine tot by die storthokkies gaan kom, 'n situasie waarmee ek nog net een keer tevore gekonfronteer is – by die ou Maselspoortswembad. (Dit was hoofsaaklik vierjariges wat daarin baljaar het.)

Uiteindelik was ek egter skoon genoeg om hier teen agtuur die aand iets van Parys se kultuur te probeer absorbeer. Of het ek reeds?

Op so 'n groepstoer is die busbestuurders soms gaaf en soms, wel, minder gaaf. Ek het al 'n paar van hulle gesien wat buite hulleself raak van woede as die kollekte onder die toergangers vir 'n fooitjie nie aan hulle verwagtinge voldoen nie.

Die bestuurder wat loshande die grootste bydrae gelewer het tot my toergrouptrauma was Jan, 'n Hollander en maniak. Een slag ry ons van Londen na Dover, aan die *regter*kant van die pad, met Jan vloekende en tekensgeëënde aan die %*%$#@ wat aan die "verkeerde" kant van die pad ry. In die bus is dit stil. 'n Paar mense skryf inderhaas 'n paar (laaste?) reëltjies op poskaarte.

In Frankryk, waar die mense wel aan die regterkant van die pad ry, was ons verligting van korte duur . . .

Parys is 'n mooi stad, maar heelwat besiger as, sê nou maar, Kroonstad. Die Arc de Triomphe is ook een van die besigste verkeersirkels ter wêreld met 'n stuk of ses of agt bane. Dis verskriklik! Ek kom van Welkom af, waar die sirkel – in verkeer én in argumente – 'n alledaagse verskynsel is. Die sirkels daar het so deel van dié stadjie geword dat hulle deur ondernemings "aangeneem" is, amper soos Pandabere in 'n Chinese dieretuin, maar met advertensies op.

In Welkom het ons altyd die Bloemfonteiners herken aan hoe hulle 'n sirkel benader, amper soos 'n roeier by 'n stroomversnelling: eers huiwerig en dan . . . in! Dikwels beland hulle dan in die binnebaan, waar hulle dan veral in "spitstyd" vir twee of drie volle omwentelings vasgekeer word en dan, dank vader, soos Jona by tienuur of drieuur uitgespuug word.

Met die trauma in Engeland nog vars in ons geheue nader ons bus toe die *Étoile Arc de Triomphe* in Parys.

Jan het geen vrees vir 'n sirkel nie (en hy kom nie eens van Welkom af nie). Die Arc rys op teen die horison, amper soos die mis van die Victoria-waterval, maar Jan sit voet in die hoek.

'n Praktiese wenk vir iemand wat om 'n sirkel ry, is om in 'n spesifieke baan te bly. Jan, wie se sinapse vuur soos 'n transistorradio wat in die bad geval het, beset kort voor lank baan 2 plus 'n deel van baan 1 én 3.

Motors toet, mense wys tekens. Hoewel ek destyds geen Frans kon verstaan nie, kon 'n mens sien hoe obsene woorde oor geoefende, sagte verhemeltes deur die karre se voorruite glip en teen die glasskerm agter Jan se kop vasslaan.

Die mense in die bus is ook in oproer. Almal skree op Jan, en veral Afrikaanse vloekwoorde vlieg rond – selfs deur ons toergids wat van Manchester af kom.

Alles kom tot 'n einde toe ons bus die arme stadsmotortjies teen die binnebaan vasdruk en as 'n enkele kolos van plaatmetaal tot stilstand knars. Toe weet Jan dis die einde van die pad.

Dis 'n oomblik stil. Daar is 'n pieperige toet van een van die Renault 5's, wat nou die helfte so breed is as vroeër. Almal juig spontaan. Jan is doodstil. Hy kyk vir oulaas na die toergroep. 'n Afgetrede onderwyser van Potsdam wys – heeltemal uit karakter – vir Jan 'n middelvinger. Die res juig en stamp voete toe ons die *pie-pa* . . . *pie-pa* . . . van die *gendarmerie* hoor.

Jan stap stadig met die trap af, uit die bus en uit ons lewens uit.

Dan is daar natuurlik die passasiers. Ek noem hulle passasiers omdat ek party se name vergeet het, al wil ek hulle hoe graag by name in die verleentheid stel.

In st. 4 het my ouers besluit om my saam met 'n groep hoërskoolkinders op 'n toer na die destydse Rhodesië te stuur. Ek skat hulle het gedink dit sal 'n bietjie "moral fibre" by my bou, want ek was maar 'n bang kind. Net om die situasie interessant te maak het hulle vir my 'n slaapsak saamgegee wat te groot was om te dra (dit het sy eie ingeboude matras gehad) en R4 sakgeld vir 'n week, as ek reg onthou.

In Bulawayo word ek deur 'n st. 6-kind geboelie – met 'n tafelmes teen my keel. Ek moet myself ter ere na gee dat ek nie my tas óf my groot slaapsak laat los het nie.

Die doel van die standerdsesser se afdreiging kan ek nie onthou nie, maar my R4 was teen daardie tyd uitgelewe en ek had niks behalwe my waardigheid om te verloor nie. Dié het ek wel 'n rukkie later verloor toe ek vergeefs geld probeer leen het by my reisgenote.

Hierdie vernederende ervaring het dermate 'n indruk op my gemaak dat toe ek die volgende jaar weer op 'n skooltoer gaan, ek ná 'n week met R4,50 van my R5 sakgeld by die huis opgedaag het.

'n Ander keer, op 'n universiteitstoer Europa toe, stop ons by 'n plaas in Holland. Hulle maak kaas daar, en almal storm en koop vir 'n vale. Dit ruik vir my te sleg, en ek sien hoe knipoog ons busbestuurder vir Kees, die kaasmaker. Almal smul op die bus.

Party se maag het tot in Oostenryk gewerk.

'n Studentetoergroep stel ander eise. Hier in 1977 rond, op 'n argitektuurtoer, slaap ons oor op Kroonstad langs die Valsrivier in houtchalets wat later met die vloede van 1988 in maalkolke saam met Afrikanerstoetbeeste en tuinmeubels meegesleur is Atlantiese Oseaan toe.

My kollegas het aangedui dat ons die aand sou vleis braai, maar geen aanstaltes word gemaak om selfs 'n vuur aan te steek nie. Ons het wel braaipakke gekry, maar daar is geen tekens van bykosse of slaai nie.

My vrese was ongegrond. Teen tienuur word aangekondig ons gaan nou braai – binnenshuis. Die vier stoofplate in die chalet word op *high* gestel en minute later sis die vleis, sommer direk op die stoofplate.

Hierdie improvisasie het 'n nadraai gehad, want ons bus was die volgende oggend nouliks deur die duikweg of prof. Benedictus Kok se sekretaresse wou met die toerleier praat (dié was self nog omgekrap omdat 'n beskonke student die vorige middag sy das met 'n skêr net onder die Windsor-knoop afgeknip het).

Die rektor het laat weet die toerbus mag op die res van die toer nie nader as 750 m van 'n drankwinkel af stilhou nie.

Dit was nie ver genoeg nie.

Is alles dan sleg saam met 'n toergroep? Gelukkig nie. Toere begin gewoonlik versigtig, selfs al ken jy almal, of dalk niemand nie. Party wil agter in die bus sit, party voor. Mense gesels, en kort voor lank word families, alliansies, voor- en afkeure en verwagtinge uitgepluis.

Soms word hierdie vreemdelinge vriende; soms word hulle net nog vreemder. Op sulke toere leer 'n mens eintlik meer oor jouself as oor jou reisgenote.

Dan is daar die laaste oomblik van die toer. Maar nog voor die afskeid, is daar die adres- en e-pos-uitruilery – en die onvermydelike groepfoto. Almal staar na die kameralens asof hulle hulle beste wil gee. Só wil hulle onthou word. Een of twee se oë is toe. (Dalk 'n weerspieëling van hulle ervarings op die toer?) Nog een lê uitgestrek voor op die grond in 'n laaste poging om haar nuutgevonde vryheid te onderstreep.

'n Mens sou wel kon vra: Hoekom toer ek dan saam met ander mense?

Dis maar bra onplesierig om alleen te reis. As jy my nie glo nie, gaan kyk na Clint Eastwood in *The Good, the Bad and the Ugly*. Geen *hombre* mag saam met hom verder reis of van sy kampvuur-sousboontjies eet nie. Weet hy dan nie dat dit nie is wat jy eet wat belangrik is nie, maar saam met wie?

Die beste reisgenote is gees- of sielsgenote. Dit geld vir 'n wegbreeknaweek saam met vriende, die roei van die huweliksgondel, die daaglikse werksreis van soggens tot laatmiddag, die lewensreis ná 50 of 80, 'n Donderdagaand saam met my seun . . .

Met hierdie reisgenote hoef jy geen geld saam te vat nie, maar soveel bagasie as wat jy wil – selfs al is alles vuil wasgoed.

Julle weet wie julle is. Ek is lief vir julle almal.

My Peter Stuyvesant-vakansie

JACO KIRSTEN

Hier waar ek ná ons eerste skivakansie sit, probeer ek sin maak van die ervaring. Want dis nie asof ek danig vertroud is met sneeu nie.

My eerste kennismaking met hierdie sagte, wit stof was in die vroeë jare sewentig op Volksrust toe ek seker so vier jaar oud was. Dit het buite begin sneeu en ek en Kobus Swart, wat in die onderwyswoonstelle bo ons gebly het, het met die sneeu begin speel. Sonder handskoene.

Kobus het die gewoonte gehad om my te byt as ons 'n meningsverskil gehad het. Maar koue sneeu, moes ek uitvind, byt nóg harder as Kobus Swart as jy nie die nodige beskerming dra nie. My pa het my ná die tyd na 'n wasbak vol louwarm water gedra en my hande daarin gedruk om my vingers te ontdooi. Pynlik.

My tweede sneeu-ervaring was in st. 7 op Newcastle. Pouse het ons sneeugevegte gehou. 'n Paar ouens het later besluit om hulle sneeuballe groter trefkrag te gee deur klippe binne-in te sit.

En dit was omtrent die somtotaal van my sneeu-ervaring. Op skool het ons ook in die Duitse klas die voorgeskrewe boek *Drei Männer im Schnee* (Drie mans in die sneeu) behandel. Wat ski betref, was my kennis beperk tot die paar tonele wat ek in 'n James Bond-fliek gesien het.

Wys my enige normale ou wat nie heimlik wens hý was die Camelman nie en ek wys jou 'n leuenaar. Maar die Camel-man het sy beperkinge as 'n rolmodel, want sien, ek het al omtrent alles gedoen wat hy gedoen het: in riviere geswem, leer 4x4 ry, valskerm gespring en 'n oorlewingskursus gedoen. Ek het selfs begin stoppelbaard dra.

Maar in my agterkop was daar 'n ander groepie rolmodelle wat my aandag getrek het: die Peter Stuyvesant-mense. Anders as die stil, sterk Camel-man, was hulle gereeld aan die ski. En nie op 'n bruin, Vrystaatse dam agter 'n raserige motorboot nie. Nee, hulle het sulke swierige esse gekap in wit poeiersneeu op plekke met name soos Gstaad, Cortina, Kitzbühel en Aspen. En vergeet skihysers, hulle het sommer 'n *chopper* gevat en bo-op die berg gaan land.

Die Stuyvesant-groepie het 'n groot troefkaart gehad: Hulle was altyd jolig. Dalk het die geselskap van die oulike meisies in stywe broeke gehelp. (Hmm, miskien is dít hoekom die Camel-man nooit gelag het nie.)

Ek en my vrou het dalk nie belang gestel in "die internasionale paspoort tot rookgenot" nie, maar ons was lus vir die gewone internasionale paspoort tot genot: ski.

Só bespreek ons toe plek as deel van 'n groep wat sou gaan ski in Westendorf, Oostenryk. Ons twee staan teenoor groot toergroepe soos vuurhoutjies teenoor buskruit, maar die prys was billik, al was die vangplek dat ons sou vlieg tot in Doha, in Katar, en van daar af na München, van waar ons per bus Westendorf toe sou ry.

Op pad na Westendorf was dit opvallend hoe min sneeu daar was. Die toergidse het ons verseker dat dit "binnekort" sou sneeu. Ek weet nie of hulle toegang tot 'n baie spesiale telefoonlyn het nie, maar toe ons die volgende oggend by Westendorf opstaan, was die hele wêreld inderdaad toe onder die sneeu.

As jy wil ski, is een ding selfs belangriker as sneeu. Toerusting. Die lengte van jou skistokke en ski's word bepaal deur goed soos jou lengte, gewig en ervaring. Dan kom die skistewels.

Kyk, daar is net een ding in die wêreld wat so styf en ontoegeeflik soos skistewels is – en dis skistewels. Pleks daarvan om die Tony Yengeni's van die lewe paroolvoorwaardes te gee wat hulle in elk geval gaan ignoreer, moet jy vir hulle skistewels aantrek. Dis bykans onmoontlik om met hulle te loop.

Toe begin die skilesse. Min dinge maak jou so nederig soos om heeltyd om te val en te probeer regop kom. Maar ten minste was almal in ons groep min of meer ewe onbeholpe.

"Good morning, mountain friends," het Toni, ons instrukteur, soggens vriendelik gegroet. Hy verdien 'n pos by die Verenigde Nasies. Soveel takt en geduld het ek lanklaas ervaar. Sy ergste teregwysing was: "Tuck in your Wiener Schnitzel!" as mense die boude te ver uitgedruk het.

Ek kan nie veel van die res van die week se instruksies onthou nie, maar teen die sesde dag kon ek lekker ski. Esse kap. Tot stilstand kom met so 'n sjwiieeeep van 'n draai, nes die wedrenskiërs aan die einde van hulle items doen. Wel, as jy jou verbeelding effens gebruik.

Daar op die skihellings het dit my ook weer opgeval watter fassinerende spesie *Homo sapiens* is. Veral Suid-Afrikaanse *Homo sapiens*.

Afgesien van Hartenbos, Londen en Perth, het Westendorf in Desember 2006 waarskynlik die hoogste konsentrasie Suid-Afrikaners ter wêreld gehad. Ja, jy gee duisende rande uit om "weg te kom", en dan bevind jy jou maar net weer tussen diegene van wie jy af wegvlug. Soos die oorgewig (en nou is ek diplomaties) en luidrugtige (weereens, baie subtiel gestel) egpaar van Gauteng.

"I own eleven quads!" het hy een oggend trots op die ski-helling verklaar. "See that snow up there?" het hy na 'n amper loodregte muur sneeu gewys. "My big quad can go up there like nothing!" Later het hy weer vertel dat hy élf motors het.

Dan was daar die drie susters wat hulle mans en kinders by die huis gelos en saam kom ski het. Hulle was as't ware 'n Siamese drieling. Dit maak nie saak of dit jou beurt was om iets vir die instrukteur te doen nie, as een suster nou net voor jou geski en geval het, sál haar effens gesette suster voor jou indruk – en val. Sodra die instrukteur haar opgehelp het en hy vir jou knik dat dit nou (weer) jou beurt is, druk suster nommer 3 óók voor jou in en ploeg neer.

Ja, jy kan hulle van die Suid-Afrikaanse paaie af haal, maar jy kan nie die Suid-Afrikaanse paaie uit hulle haal nie.

Daar was ook 'n Suid-Afrikaanse gesin wat heeltyd op die agterstewe gesit het met die sneeuplanke langs hulle – rég in die middel van die skihelling. Afgesien van die feit dat hulle salig onbewus daarvan was dat ons alles moes uithaal om hulle nie raak te ski nie, het ek gewonder hoe hulle dit regkry dat hulle boude nie afvries nie. Miskien was dit die spek.

Ná 'n uur staan een sussie op, val en gaan sit weer. 'n Halfuur later doen die ander sussie dieselfde. Tussenin het die een nou en dan getjank. Hmm, lekker gesinsvakansie.

Daar het ek weer eens ervaar hoe klein die wêreld is. Een middag, toe ons 'n blaaskans vat by die restaurantjie bo-op die berg, hoor ek iemand Afrikaans praat op sy selfoon. Agterna knoop ek 'n geselsie aan.

Nie net is Pieter en Hannatjie *Weg*-lesers nie, maar hulle was ook saam met my vrou op universiteit. En hulle ken vriende van ons. Ja, jy sal nie eens jou skelmpie op 'n skivakansie kan vat nie.

Aan die onderkant van een skihelling het ek gesien hoe Dawie Visser van George hom *uit* sy mus val. En weer opstaan. As ek 'n Afrikaanse kragwoord gehoor het, was dit seker afkomstig van die Suid-Afrikaners skuins agter my. Of was dit die groepie regs van my?

My vrou sê later sy sou 'n ski-oord vir mense bo 18 begin. Want daar is 'n sekere mate van frustrasie as jy ná vier dae nog nie behoorlik regkom nie en vriende se twee laaities het op die derde dag al die rooigraad-hellings met ongeërgde gemak baasgeraak.

Mense praat van skibeserings. Maar dis nie altyd 'n skouspelagtige affêre nie. Jy kan jouself sommer staan-staan beseer. Soos toe ek stelling ingeneem het net voor die *button lift*, 'n kleinerige skihyser met sitplekke wat lyk soos 'n bord op die punt van 'n kierie. Ek staan nog so voor 'n heining, toe gly my ski's onder my uit. Oomblikke later kom ek tot stilstand met my bors onder die heining. En my knie word deur een ski in 'n aardige rigting gedraai.

"Is jy orraait, Lief?" vra my vrou.

"Ja . . ." antwoord ek, half moerig, half verleë.

"Nou hoekom staan jy dan nie op nie?"

Ek het eers oorweeg om te sê wat ek dink, maar toe sê ek maar iets hofliks soos: "Man, ek sukkel om die donderse ski's los te kry. Waar is my voete? Ek kan hulle nie sien nie!"

Dít terwyl sesjariges verby my kop sjwoesj hyser toe.

Moeë lyf en gekrenkte ego ten spyt, was dié ses dae in die Oostenrykse Alpe my beste vakansie nóg. En al sal ek nie sommer 'n Olimpiese skispan haal nie en is ek nie heeltemal in die Stuyvesant-liga nie, is ek darem die beste skiër in ons familie, veral onder die Namibiese Kirstens.

Ons onthou . . .

Winkels soos oom Ochse s'n

DANA SNYMAN

Sulke winkels word al hoe skaarser. Reis jy deur die land, sien jy dit oral: Party is gesluit, party is vervalle, party is gesloop.

Ek praat van kontantwinkels op die platteland – dié met die Coke-teken op die gewel, met die hobbelrige drempels, gebarste sement-vloere, hoë rakke en grawe en sinkbaddens wat aan stukke bloudraad van die balke afhang.

Hulle deel meestal 'n naam met die plek waar hulle geleë is: Gras-bult Kontantwinkel, Crecy Kontantwinkel, Rooibokkraal Kontant-winkel . . . Op party se gewel staan nie 'n naam nie, maar vra jy 'n biet-jie in daardie omgewing rond, sal jy gou agterkom almal het 'n naam vir daardie winkel. Hulle sal praat van ou Levin se winkel of Ralie se winkel of wie ook al se winkel.

Die kontantwinkel op Daniëlskuil, die dorp waar ek grootgeword het, was oom Ochse se winkel.

Oom Ochse het kruisbande gedra en sy Opel-stasiewa het onder 'n afdak langs die winkel gestaan. Maar jy het hom maar min in daar-die Opel sien ry, want oom Ochse was altyd op sy pos agter sy winkel se toonbank met 'n kort potloodjie agter die oor – behalwe smiddae tussen een en twee, natuurlik. En saans. En Sondae. Dan was oom Ochse se winkel gesluit.

Nie dat oom Ochse onwillig was om gou sy deure oop te sluit nie, as jou ma op 'n Vrydagaand agterkom sy het te min bakpoeier vir die koek wat sy besig is om vir die volgende oggend se môremark te bak.

Dit is vreemd, ek is al meer as dertig jaar van Daniëlskuil af weg, maar elke slag as ek in so 'n kontantwinkel kom, dink ek aan oom Ochse se winkel. Op die rakke aan die regterkant was dose skoene, hopies oranje stoflappe en rolle materiaal.

Ma het dikwels materiaal by oom Ochse gekoop – veral crimplene toe dit nog in die mode was. Dan het oom Ochse die rol van die rak gehaal en die materiaal uitgemeet op die lang liniaal, wat aan die toonbank vasgeskroef was.

Op die kas agter die toonbank het die skaal met sy blink weegbak gestaan, met 'n hopie gewigte langs dit, van groot na klein. Daarop het oom Ochse jou suiker of meel geweeg.

En dit het na iets van alles daar binne geruik: Seep en geweerolie, bruinsuiker en mieliemeel, paraffien en suurklontjies.

Ek was onlangs weer in só 'n kontantwinkel, die Soutpan Kontantwinkel op Soutpan in die Bosveld. Dit behoort aan oom Doon Nienaber en ja, in oom Doon se winkel ruik dit maar nes destyds in oom Ochse se winkel.

Ek weet sentimentele siele soos ek maak soms 'n fout: Ons verbeel ons modernisering het slegs vervlakking gebring. Dit is nie waar nie. Die wêreld is baie meer verfynd as dit. Ek wil nie meer op 'n tikmasjien pleks van 'n rekenaar stories skryf nie. Ek wil nie witdulsies eerder as antibiotika vir griep drink nie.

Maar ek sal dit enige dag oorweeg om weer my inkopies by 'n winkel soos oom Ochse of oom Doon s'n te doen.

En tog, supermarkte en hipermarkte is ons almal se lot, die prys wat ons betaal vir vinniger diens, laer pryse en 'n groter verskeidenheid produkte, want in oom Doon se winkel op Soutpan kan jy nie kies tussen drie soorte tuna en 'n halfdosyn geure haarseep nie.

Aan die ander kant weer, oom Doon sal 'n hele week se koerante vir jou agter die toonbank hou, omdat hy weet jy kom net een keer per week dorp toe. Oom Doon haal ook klaar die pakkie Lexington uit die sigaretrak bokant die kasregister wanneer jy by die deur instap, omdat hy weet jy is 'n Lexington-man.

In oom Doon se winkel is jy 'n gas eerder as 'n klant. Ek was nou die oggend nie lank daar by hom nie, toe vra hy of ek koffie wil drink.

En toe lig hy die plank tussen die twee toonbanke, sodat ek saam met hom by die tafeltjie met die geel melamien-blad kan sit, met 'n slapende, stofvaal hond by ons voete.

In 'n kontantwinkel wat sy sout werd is, lê daar altyd 'n valerige hond iewers en slaap. Ek verwonder my aan daardie honde. Dit is asof hulle die eienskappe van hul omgewing aangeneem het. Hulle het alle tekens van aggressie verloor en probeer nie die perseel verdedig nie. Hulle sal net hul stert so twee of drie keer gemoedelik heen en weer plof as iemand by die deur instap.

Terwyl ek en oom Doon lekker daar sit en kla oor die stygende kospryse, toe stap daar 'n boer van die omgewing in en vra: "Gee bietjie vir my daar 'n pakkie Rennies, 'seblief, Oom. Die sooibrand maak my vandag weer dood."

Oom Doon gee vir hom die pakkie, die boer vat dit, klop op sy kakiehemp se sakke en sê: "Sal Oom sommer vir my op die boek skryf? Dankie."

Dis interessant: Winkels soos oom Doon s'n is slegs in naam 'n kontantwinkel. Ken jy die eienaar goed genoeg, kan transaksies met wedersydse vertroue geskied – renteloos. En die "boek" is dikwels nie 'n boek nie, maar sommer 'n stuk karton waarop geskryf en later weer met 'n liniaal doodgetrek word, wanneer jy kom betaal.

Oom Doon het ook nog een van hierdie koeldrankkaste met die oopskuifdeksel. Jy moet doer onder in die koue rondvroetel vir jou bottel koeldrank. En jy maak dit oop met 'n oopmaker teen die kant van die kas. Tssjt! En dan val die proppie gewoonlik op die vloer, want die holte onder die oopmaker waarin die doppie moet val, is waarskynlik vol.

Op die ou end het ek sommer ontbyt ook daar by oom Doon geëet. Ons het nog so gesels, toe kom sit 'n vrou met 'n pienk kopdoek 'n bord met pap en wors voor ons elkeen neer. En toe roep oom Doon hard deur die winkel: "Ogies!" En toe bid hy: "Vir spys en drank sê ons U naam lof, eer en dank. Amen."

Daar was twee mense in die winkel, besig om na die goed op die rakke te kyk, maar vir 'n paar oomblikke het hulle ook hul oë toegeknyp.

Ek was anderdag vir die eerste keer in hoeveel jaar weer op Daniëlskuil. Ek dwaal mos maar knaend op my eie spore terug.

Oom Ochse is al oorlede, nes baie van die ander ooms wat ek as kind op die dorp geken het: oom Andries Grové, oom Bontjors van die slaghuis, oom Louw Enslin, wat alleen in die huisie naby Saunderson se kafee gewoon het.

Ek het my motor naby die stadsaal parkeer en 'n wye draai deur die dorp gestap, verby die huis langs die kerk waar ons gewoon het, verby die klipskooltjie, in die rigting van oom Ochse se winkel skuins oorkant die ou polisiekantoor.

Ek het altyd lekkergoed by oom Ochse gaan koop, of fietsonderdele, of goed vir my ma. Die lekkergoed was in 'n ry bottels op die toonbank: Wilson- en Sunrise-toffies, Vicks-kougom, *niekerbôls* en suurklontjies, appelkose en lang, swart stringe drop.

Die fietsbande het ook van die balke afgehang, saam met die sinkskottels en die grawe.

Soms as dit nie te besig in die winkel was nie, het oom Ochse my allerhande stories vertel. Een keer, daaraan dink ek nog dikwels, het oom Ochse na die telefoondraad beduie, wat in die straat voor die winkel verbygeloop het.

"Het jy geweet, Boetman, as jy onderdeur 'n telefoondraad stap, sonder om aan 'n wit perd te dink, kan jy daarna maar enigiets wens en dit sal waar word?" het hy my gevra.

Ek het dit dikwels probeer: om onderdeur 'n telefoondraad te stap, sonder om aan 'n wit perd te dink. Maar dit was onmoontlik, want hoe meer jy dink om nie aan 'n wit perd te dink nie, hoe meer dink jy aan een.

Soms wonder ek of ek nie te veel in die verlede rondkarring nie, of ek nie te veel dinge onthou nie. Is ek nie maar net knaend op soek na daardie onskuldige seuntjie nie, wat eens op 'n tyd geglo het al jou wense kan waar word as jy onderdeur 'n telefoondraad kan stap, sonder om aan 'n wit perd te dink?

Aan dít alles het ek anderdag gedink, terwyl ek daar op Daniëlskuil staan en kyk het na die leë stuk grond waar oom Ochse se winkel eens op 'n tyd gestaan het.

Mister Pagel se sirkustrein

BUN BOOYENS SR.

In die jare twintig was die koms van Pagel se Sirkus 'n aardskuddende gebeurtenis vir die plaasgemeenskap rondom De Rust. Veral vir die kinders. Dit het die skoolkonsert, CJV-piekniek, mombakkiesdra op Nuwejaar, koringdorstyd, Pinkster, die sendingbasaar en begrafnisse verdwerg.

Vir ons het die vertoning al begin wanneer die sirkus Le Rouxstasie* statig met 'n spesiale goederetrein binnegestoom het. Nadat die volgelaaide spoorwegtrokke op 'n syspoor gerangeer is, het die opwinding van die aflaaiery begin.

Teen daardie tyd het ons reeds almal die twee, drie myl stasie toe gehardloop met ons speekbeentjies om die gewerskaf op 'n veilige afstand dop te hou, want dit was nooit 'n uitgemaakte saak dat ons die sirkus te sien sou kry nie. Daarvoor was ons ouers se geldjies te skraps.

Ons het ons vergaap aan die behendigheid waarmee die reusetent opgeslaan is. Die grootste tent wat ons geken het, was oom Jan "Masjien" Fourie se tweeslaapkamer-een met 'n eetvertrek aan die voorkant wat hy elke jaar knaphandig op Groot-Brakrivier se kampterrein staangemaak het.

By die stasie het ons veral gekyk of die *clown* of dwerg êrens te sien was. Maar die nar was vroegdag nog nie "opgemaak" nie en die dwerg het sy lyf skaars gehou, want ons kinders sou elke tree agter hom aanhardloop.

Skielik was almal in 'n feestelike stemming, behalwe die donkies in die skut net langsaan, want vir hulle was dit slagtyd – vyf sjielings per donkiekop vir leeuvoer.

Die leeus was deur die dag met bokseile toegemaak in hulle hokke sodat hulle dink dis nag – 'n tergende teleurstelling vir ons, want die Wildtuin was in die verre Transvaal en die diereverhale van Sangiro

---

* Le Rouxstasie, tussen Oudtshoorn en De Rust, is waar Katinka Heyns en Chris Barnard se rolprent *Paljas*, oor 'n reisende sirkus, in 1997 gemaak is.

en die Bybel se verhaal van Noag se ark was die naaste wat ons aan 'n ongedierte gekom het.

Die oolfante – só het ouma Sannie altyd van hulle gepraat – het hulle egter nie laat wegsteek nie. Ongestoord het hulle met 'n ketting om die poot gestaan en lusern vreet – Nelsrivier se kragvoer.

En toe hulle gemoedelik aangespreek word om saam te stap Ou Tol se drif toe om te gaan bad en suip, is ons agterna. Die halwe myl rivier toe het die olifante al wat astrante boerehond is in hulle spore laat omspring en onder hulle baas se katel laat inkruip.

Dit was net Piekels, ons eie foksterriër, wat die olifante al hulle dae gegee het. So al met die pad langs het hy hulle aangeval, maar gou-gou moed en durf verloor omdat hy nie mooi kon agterkom van watter kant af die kolosse benader moes word nie.

Vir die olifante moet die rivierwater 'n gans ander wêreld as Pagel se Sirkus gewees het. Dit was 'n geproes, gefluit, gesnuif, geblaas en gespuit. Hulle het die fluitjiesriet en palmiet ingevaar en gerol en die ou Olifantsrivier van hulle voorgeslagte opgedam en van koers laat verander.

Ons het alles van die uitkeersloot se hoë wal af dopgehou.

Dit was naastenby vyfuur toe die bemodderde, jolige olifante begin aangesê word om klaar te kry en stadigaan terug sirkus se kant toe te beweeg – juis toe Anneries Snyman met sy vosmerrietjie en trop melk-koeie die drif van Dysselsdorp se kant af inkom. Dit was melk- en besorgtyd.

Die koeie, wat tien geslagte laas 'n olifant in die fluitjiesriet in Oli-fantsrivier te sien gekry het, het terstond hulle melk weggeskrik en stert omhoog weer afgehardloop Wolwekloof toe na hulle lusernkamp vier myl suidwaarts.

Die vosmerrie het ook in haar spore omgespring en met Anneries en al tot in haar stal gewedloop. Sy was ene salpeter toe die hoedlose ruiter haar uiteindelik tot bedaring gebring het. Vir veertien dae daar-na moes Anneries met 'n ompad sy melkkudde melkkraal toe aanjaag.

"Ek gaan wragtag Pagel tot in die Suprieme Koort prosedeer," het hy gesweer.

Die aand is ons na Pagel se Sirkus toe. Hoe my pa dit bekostig het, sal 'n kind nooit weet nie.

Dit was een ding om sirkus toe te gaan, maar 'n gans ander storie om binne te kom, want Miesies Pagel het onglimlaggend voor 'n venstertjie by die ingang gesit om die geld te ontvang.

Niemand het ooit met haar oor uitkeergeld geredekawel nie, want – so het die mense wat al tevore op Nelsrivier sirkus toe was, beduie – sy was heelwat sterker as Mister Pagel self. Jy was goddank dankbaar om heelhuids en sonder uitkeergeld die binnekant van die tent te haal.

Op Nelsrivier was toe nog net kers- en Miller-olielampies, hanglampe bo die voorhuistafels en lanterns vir Pinkster in die plaasskool en waterlei in die winternagte. Maar binne-in die tent was die hele sirkus helder "opgelig" tot bo in die nok van die tent!

Daar was musiek uit 'n onsigbare oord. Dit het alte veel soos Oudtshoorn se *Salvation Army* op die straathoek geklink.

Eers het die bont ponieperdjies op hulle stemmige manier allerlei passies uitgevoer. Die sirkusperde was slim en skoolgeleerd, want een van hulle kon presies soveel houe met sy pote kap as wat die omie hom voorsê. Maar, het ons gevoel, hulle was darem te dooigat en opgesmuk vir bruikbare plaasperde.

Mooi, gepoeierde meisies met minder klere aan as die kuiermeisies in hulle baaikostuums by Groot-Brak het op en af op die perdjies gespring en só hoog aan die toue geswaai dat ons skaam was om op te kyk. (Ou ds. Burger sou sweerlik by volgende Sondag se kinderkerk trompop vra wie by die sirkus was en wat ons alles daar gesien het, en Matthys, ons nefie, kon juis sulke gevaarlik eerlike antwoorde in die kinderkerk gee.)

Mister Pagel self was 'n goedige omie, maar ongoddelik sterk. Weke daarna het ons teenoor mekaar "muscle" gemaak om soos dié magtige mensereus te lyk. Toe ons effens groter geword het, het ons plaasskoolseuns byna handgemeen geraak oor die twisvraag wie die sterkste man op aarde was: Mister Pagel, Tromp van Diggelen of Rex Ferris. Mister Pagel het altyd die ontsagwekkendste gebly.

Toe oubaas Pagel begin gewigte optel en rondslinger en die sterk manne van Nelsrivier uitdaag om hom dit na te doen, het Gert Fourie en Ben Stander net gesê hulle kan dit ook doen, maar sê nou net die optelyster glip uit hulle hande en val teen hulle maermerries. Wie sal dan die een kant van die bokwa op die plaaswerf oplig sodat die wiele geghries kan word?

Die harlekyne – "clowns" het ons hulle genoem – het die mense laat skater en ons het weke lank daarna by die plaasskool "clown" gespeel en stilletjies gedroom dat ons ook eendag die mense so sal laat hande klap.

Hulle het oor hulle eie voete geval, emmers water per ongeluk oor mekaar se kop omgekeer, mekaar se broeke met klappers aan flarde geskiet en gemaak of hulle hulleself byna vrek gaan val van 'n looptou hoog in die lug, maar vir 'n godswonder darem bo gebly.

Tiekie, die dwerg, het later so vreesbevange vir 'n pistoolskoot gevlug dat hy beangs op aunt Emma se skoot beland en daarna onder haar rok gaan wegkruip het. Sy het haar bloedig vererg en wou niks met "voorwaartse voor-op-die-wa-inkruipers" te doen hê nie.

Toe verskyn die goedaardige oolfanttroppie en sit orent op vaatjies, staan op die agterpote, dans met mekaar, tel 'n halfnaakte meisiemens met hulle slurp tot doerrr bo in die lug op, en ontvang daarvoor 'n peperment van die olifantbestuurder.

En toe sluip die leeus en tiers die arena binne.

'n Plegtige stilte het oor die toeskouers neergesak. Ons het leeus net uit prentjies en die verhaal van Daniël in die leeukuil geken. Toe ons eenkeer in die Sondagskool die teksvers lees uit Jesaja – of was dit Jeremia of Klaagliederen – wat lui: "Wie zal de leeuw in zijn hol storen?" (waar die laaste twee woorde in Afrikaans "skuilplek aandurf" beteken) het neef Matthys geantwoord dat sekerlik net 'n bosluis so iets sou waag.

Ewentwil, die leeutemmer het sy grommende troppie met skerp, behendige karwatsklappe in toom gehou, terwyl die vooruitstrewende volstruisboere in die voorste rye seker begin wens het hulle sitplekke was effens agtertoe – veral toe een van die leeuwyfies kans gesien het om tot teenaan die tralies te stap en reg voor aunt Meraai Minnie 'n omkeer te maak en met 'n netjiese boog-piepie-skoot die auntie van haar middelpaadjie tot op haar skoot te tref.

'n Mens lag nie met leeus naby nie. Ons het net haar gedempte uitroep "Neuk weg met die ding!" gehoor en gesien hoe sy haar onderrokpant in laventel doop en daarmee haar wange, leesbril en kerkskoene afspons.

Daar is iets heroïes-tragies aan 'n leeuvertoning, miskien omdat dié trotse diere nooit, soos die olifante, gelukkig en ontspanne in hulle rol voorkom nie, selfs al word hulle geprys en gestreel en van buite toegejuig.

Die vlaktes en ruigtes is die tuiste wat God vir hulle bestem het.

Daarom grom hulle, wys hulle slagtande vir hulle afrigter en draai hulle agterkant op fatsoenlike boervroue. En daarom mag die man met sy sweep nooit sy rug op hulle draai nie.

Maar leeus het ontsag vir mense met 'n leeuhart. Dít kon ons self sien toe Mister Pagel – met net 'n lendedoek aan – met 'n knewel van 'n leeumannetjie, Leo was sy naam, die arena instap en allerlei fratse en toertjies en liefkosings met hom uitvoer. (Miesies Pagel is só sterk dat sy rustig met haar kop op 'n leeumannetjie se bors gaan lê en rus het, het Matthys tussendeur te vertelle gehad. Hy het dit met sy eie oë in 'n prent gesien.)

Die mense was terstond meer ontspanne, selfs al het aunt Meraai Minnie intussen 'n paar rye hoër opgeskuif.

Mister Pagel het die leeu kwaai berispe en dié het op sy hurke in 'n ek-gaan-spring-houding gaan sit. Toe gee hy nog 'n bevel en Leo sper sy bek met sy geel slagtande wyd oop en hou dit so oop . . .

Mister Pagel buk en, waaragtig, lê sy kop netjies tussen die oopgespalkte kake en hóú dit daar. Dit het vir ons soos 'n halfuur gevoel. Weer doen hy dit. En weer laat Leo hom dit welgeval.

Daar hang 'n ademlose stilte reg rondom in die tent.

"Dis mos nou sonde soek," fluister oom Stoffel later agter ons.

"Sê nou net die dier vererg hom of ruik mensvleis so teenaan sy neus," vrees oom Faans Fourie hoorbaar.

Ons kom eers tot ons sinne toe Mister Pagel orent kom, na alle rigtings buig en die toejuiging erken.

"Vat die bleddie ding buitetoe!" roep oom Jan Snyman van agter uit die skemerte. Maar Mister Pagel streel net sagkens oor Leo se magtige maanhaar, steek sy gespierde arm omhoog en vra aandag.

"Ladies and gentlemen! I am willing to deposit five pounds with my wife for the person willing to step down and put his head in Leo here's mouth!" sê Mister Pagel en tik die leeu liefderik op sy voorhoof. "And who will keep his head there for one minute."

Ons het eers nie mooi gesnap wat die oubaas sê nie en Mister Pagel herhaal sy uitnodiging drie keer, met lang tussenposes.

Daar sak 'n kerkhofstilte op die sirkus neer, behalwe dat 'n mens 'n sagte geskuifel kon agterkom soos party mense agtertoe hoër op beweeg.

"Ten pounds!" verdubbel Mister Pagel sy aanbod.

Kyk, Nelsrivier se mense is nie bang van geaardheid nie, maar hulle ken nie groot ongediertes nie, net bobbejane, bontmuishonde en ystervarke. Die laaste tier wat sy verskyning in ons wêreld gemaak het (en dit was nog voor die val van die volstruisvere) het 'n veewagter in 'n boom se dwarstak lê en inwag en toe dié niksvermoedend onderdeur loop, het die ondier sy naels net bokant die ouman se wenkbroue ingeslaan en die kopvel netjies agtertoe afgetrek soos 'n bruid se *veil*.

Hoe sal jy dan lyk as 'n groot leeumannetjie met jou klaar is? Pas 'n maand tevore is die dapper pioniersendeling Louis Murray in Masjonaland deur 'n gekweste leeu verskeur, moes ons gemeente met hartseer en leedwese verneem.

Soos aaklige skaduwees het hierdie werklikhede deur ons kop geflits. Vergeet dit, Mister Pagel, was die onuitgesproke boodskap wat die skare ondertoe gestuur het.

Maar toe kom ou Willie Serfontein van Middelplaas stadig op die been. Ons sidder. Gaan ou Willie wragtig sy kop aan Leo se bek toevertrou? Ons het maar alte goed geweet dis die Depressie. Tye is swaer en jy kan met tien pond maklik so ver kom as met die stasiemeester se hele maandsoldy. En al is ou Willie 'n oujongkêrel, moet hy nie nou kop verloor nie.

Willie lig eers sy regterhand op om aandag te vra en haal sy hoed versigtig af (dag of nag, binnenshuis of buite; hy het nooit 'n tree sonder sy hoed versit nie). Toe tik hy met sy middelvinger teen sy spierwit voorkop waarop 'n paar sweetdruppels pêrel en praat met Mister Pagel ondertoe.

"Meneer, het ek jou reg verstaan?" skree-praat hy. "Jy sal my tien pond uitkeer as ek ondertoe kom en my *kop* 'n minuut lank in jou leeu se *bek* steek?"

"Yes, indeed sir, that is what I said."

Daar is 'n paar sekondes stilte.

"Nou, luister, Meneer," sê Willie met loutere erns, asof hy pligshalwe namens sy ganse De Rust-gemeenskap praat, "nou sê ek vir jou dat al belowe jy my ook honderd pond, ek nie eens my *vinger* in sy *agterent* sal steek nie!" (Hy het 'n ander woord as agterent gebruik.)

Almal was verlig oor ou Willie se intree vir die streek se mense. Boonop moet 'n mens stil dankbaar wees vir elke gespaarde lewe.

Mister Pagel se sirkus op Le Rouxstasie was enduit onvergeetlik. Ná die tyd is ons deur die *band* se basuine tot buite gedra, waar ons twee karperde, Rover en Victor, reeds met hulle hoewe in die grond staan en grawe het. Hulle was senuagtig en wou haastig huis toe, want die omgewing was deurtrek met leeureuke en -dampe.

Binne 'n halfuur draf hulle die drie myl af, terwyl ons op die perdekar mekaar doodpraat oor die belewenisse waarin ons vir één dag verswelg was.

Toe my Pa die twee beswete bruin perde voor die plaashek optrek sodat broer Koos kan afklim en die ketting uitlig, staan daar 'n lenige figuur agter die hek in die blou maanlig. Dit was Oupa, in sy donker jas met die lang, wit onderbroek wat oor die los velskoenveters hang. Hy het sy slaapmus opgehad en sy oë was donker.

Hy lig sy hand tot teen sy voorkop: "Ouma is nou net weg," prewel hy. "Die ou hart het sommer gaan staan."

Ouma Sannie het altyd vir ons biltong gekerwe op die houtblok langs die agtertenk en Sondagoggende op die traporreltjie gesange gespeel.

Toe ons Maandagmiddag vir Ouma in die familiekerkhof tussen die hopies grond weglê, het die sirkustrein teenaan ons verbygeseil en verdwyn in die donker tonnel deur die Rooikrans die wye wêreld in – met die oolfante, die "clowns", Mister Pagel en Leo.

Daardie aand voor my oë toeval, hoor ek die leeus teen die Rooikoppe se maanlig brul en die grootvoete in die palmiet baljaar en trompetter.

En ek sien Oupa in sy slaapmus en los skoenveters voor die Groothek staan en ouma Sannie voor die traporreltjie. En ek is hartseer dat sy nooit, ooit Pagel se Sirkustrein in die Rooikrans se donker tonnel sien wegraak het nie.

Ou Uil se elite-peloton
gaan dril in Kimberley

DANA SNYMAN

Dalk moes ou Uil nie meer ons skool se elite-drilpeloton afgerig het nie. Hy was al naby aftree-ouderdom, het die een Texan ná die ander gerook en was nie meer te gesond nie.

Party mense het gesê al rede' hoekom hy nog die peloton afrig, is omdat Ore, die hoof, hom jammer gekry het. Uil was vroeër jare 'n Stormjaer in die Ossewa-Brandwag en is glo destyds saam met John Vorster, die latere eerste minister, in 'n interneringskamp aangehou.

Of dit waar was, weet ek nie. Uil, 'n kort, seningrige man met botteldik brilglase, het nie baie gepraat nie. Maar ondanks sy ouderdom en skete het hy nie toegelaat dat ons met hom mors nie. "Julle klink soos 'n klomp July-perde!" hoor ek hom nog skreeu. "Ek soek daai voete gelyk op die grond! *Gelyk*!"

En dan het hy gewoonlik vreeslik aan die hoes gegaan.

Uil se uitbarstings het dikwels in 'n hoesbui geëindig. Stevie Ferreira, ons drilsersant wat ook in matriek was, het dan gretig oorgevat en ons verder oor die rugbyveld laat marsjeer.

Suid-Afrika was toe meer militaristies as nou: Ons weermag was in 'n grensoorlog in die ou Suidwes gewikkel, en elke Vrydagoggend het ons by ons skool op 'n Noord-Kaapse dorpie 'n uur lank kadetoefening gehad.

Ons, die sogenaamde elite-peloton, het net uit matrieks bestaan. Ons skool het net twee matriekklasse gehad en daar was skaars genoeg seuns om 'n peloton te vorm, dus was die vermoë om te kan marsjeer nie noodwendig 'n vereiste om in die drilpeloton te wees nie.

Dat Stevie die drilsersant moes wees, was byna vanselfsprekend. Hy het meer as ons in militêre dinge belang gestel. In sy kamer het skaalmodel-vliegtuigies uit die plafon gehang en hy het omtrent al Heinz Konsalik se boeke besit – *Strafbataljon 999*, *Liefde op die Warm Sand*, *Die Snydokter van Stalingrad* en *Die Geskende Gesig*.

Stevie het ook so 'n leerklappie oor sy Lanco-horlosie gedra – dié het hy by sy ouer broer gekry wat in die *army* was. "Die klappie keer dat die vyand in die nag die weerkaatsing van die horlosie se fosfor-syfertjies kan sien," het hy gesê.

Niemand het juis van die kadetperiode gehou of dit ernstig op-geneem nie, maar dit het ons darem die kans gegee om een keer per jaar te reis: na die kadetkompetisie op Kuruman, een van ons buur-dorpe.

Al het dit nie altyd so gelyk nie, wou ons goed vaar teen Kuruman, Postmasburg en die ander skole.

Tog het 'n hele paar dinge teen ons getel. Om mee te begin: Om-dat daar so min seuns was om uit te kies, was daar heelwat verskille in die lengte en postuur van die pelotonlede. Boenas, die langste ou, het byvoorbeeld langer as ses voet in sy Grasshoppers gestaan, en Tinkie Visser, die kortste een, was skaars vyf voet. Hy het boonop nekproble-me gehad en moes soms 'n nekstut dra. Tenk Visagie het byna 100 kg geweeg en Draadkar Nel skaars 60 kg.

Boonop moes ons Grasshoppers en grys skoolkouse by ons kadet-uniform dra. Ek weet nie wie se besluit dit was nie, want jou Grass-hopper met sy dun plastieksool is nié 'n goeie drilskoen nie – veral nie as Uil knaend skreeu nie: "Ek wil daai voete hoor! Ek wil hulle *hoor*! Soos *een* man!"

Ons drilsessies is ook dikwels onderbreek deur Tenk of een van die ander wat 'n hand opsteek.

"Ja, Visagie," sou Uil dan vra. "Wat's dit?"

"My bene, Meneer. Hulle's seer. Ek dink ek't *shin splints*."

"Goed, manne, kom ons vat 'n *smoke break*."

Ou Uil het 'n "smoke break" as die oplossing vir die meeste pro-bleme beskou. En natuurlik mag net hy gerook het.

Stevie het altyd eenkant gaan staan – alleen. In kadetperiodes het hy nie met ons gesels nie en ons moes hom sersant noem. "Dis nie vir my wat julle moet respekteer nie," het hy verduidelik. "Julle respek-teer my rang en die uniform."

Dit was 'n anderster situasie. Ons was veronderstel om ons soos regte soldate te gedra, maar ons was eintlik maar net onseker skool-kinders vir wie marsjeer nog nie 'n natuurlike aksie was nie – en oor-log iets onwerkliks.

Tydens ons oefensessies was dit asof elkeen nog op soek was na sy eie drilstyl. Party ouens – Tenk, Tinkie en Stoney – het hulle voete na buite uitgeslinger en hulle boude ingetrek, amper asof hulle deur 'n onsigbare yster van agter gebrand word.

Barries Barnard, wat langs my gestap het, was, wel, effens stadiger as die res van ons en het gedril asof sy onder- en bolyf afsonderlik funksioneer. Sy skouers was fier en regop en hy het sy arms mooi gestrek met die deurswaai, maar sy onderlyf was 'n toonbeeld van lompheid. Hy het sy voete byna loodreg die lug in gehys terwyl hy sy broek tussen sy boude vasknyp as Stevie ons laat koers kies het oor die rugbyveld: "Liek-wha! Liek-wha! Liek-wha!"

Barries was altyd effens uit pas. En dikwels, hopeloos te dikwels, wanneer ons moes halt, het hy nog 'n tree of twee aangestap, vas in Pepler voor hom.

Een Vrydagoggend het Uil aangekondig die kadetkompetisie sou nie meer op Kuruman gehou word nie. Ons gaan nou in Kimberley dril.

Kimberley! Dit was asof die kompetisie skielik in statuur gegroei en Olimpiese afmetings aangeneem het. Ons het harder begin oefen: hoe om te salueer, hoe om 'n ooporde- en sluitordemars te doen; en die moeilikste van alles: hoe om die stadigepasmars te doen – *slow march*.

Stevie het ál meer militaristies geraak en selfs eenkeer terwyl ons die stadigepasmars gedoen het – wat hoofsaaklik vir militêre begrafnisse bedoel was – vir Boenas uitgedinges omdat hy "nie hartseer genoeg" lyk nie. Hy het ook vir Barries geskree: "Ek sal jou arm afpluk en jou met die bloedkant deur die gesig slaat, oukei?"

Miskien was dit ons manier van rebelleer, maar ons het besluit ons wil Stevie 'n les leer. Ons wou die Body Mist-TV-advertensie namaak.

Dié advertensie was destyds baie gewild: 'n Peloton soldate marsjeer in 'n straat af, al agter 'n kordate korporaal aan. Dan verskyn daar 'n pragtige, slanke meisie uit 'n systraat. Die volgende oomblik maak die peloton 'n linksswenk en begin al agter die meisie aan marsjeer terwyl die korporaaltjie, onbewus van wat aangaan, voortdril.

Ons het ons kans gekry. Uil was die Vrydag siek en Stevie het ons van die rugbyveld af oor die skoolterrein laat marsjeer. Dit was om sy meisie, Marika, te beïndruk. Die meisies het nie gedril nie. Marika en van die ander het altyd voor die naaldwerkklas gesit en naaldwerk doen.

Naby hulle, terwyl hy kort-kort in Marika se rigting loer, het Stevie ons laat halt, en 'n luide ooporde- en sluitordemars beveel – en sommer weer vir Barries uitgedinges: "Ek sal jou nie slaat nie, Barnard! Ek sal jou hemp skeur lat jou ma jou slaat!"

In die vierkant het die Brayshaw-boeties op die grond in die son gesit en ons dopgehou. Hulle ouers was Jehova-getuies en het hulle belet om te dril.

Ons het verder gemarsjeer . . . en toe gebeur dit: Ou Moeder Hen, die musiekonderwyseres, kom uit die sangklas se koers gestap. Moeder Hen was nie juis 'n Body Mist-meisie nie. Sy het Scholl- mediese sandale gedra en haar hare pers ge-*rinse*. Boenas, wat voor op die regterflank gemarsjeer het, het in Moeder Hen se rigting geswenk. Met ons agterna, ál agter Moeder Hen aan. Nes in die Body Mist-advertensie, terwyl ons sag herhaal: "Body Mist kiss, Body Mist kiss . . ."

Natuurlik het Stevie gou agtergekom wat aangaan en op ons begin skreeu.

Daardie dag het ons elkeen drie van die bestes met die rottang gekry by Ore.

Ons was toe Kimberley toe vir die kadetkompetisie, maar hoe minder ek dalk daarvan vertel, hoe beter.

Uil het gesê ons moet sorg dat ons kadetklere en Grasshoppers skoon is. Ons was te min vir die skoolbus en het sommer agterop sy Toyota Dyna-lorrietjie gery, klaar in ons klere, elk met sy baret opgevou by die lapel ingedruk.

Sal ek daardie oggend ooit vergeet toe ons by die skool in Kimberley stilhou ná 'n rit van byna vier uur?

Ek sien nog hoe rek ons onsself strammerig langs die Dyna uit en wikkel ons broeke tussen ons boude los, want dit was 'n beknopte sit. Die diep kreukels in ons uniforms het dit gewys.

Uil het op pad vir ons by die kafee op Koopmansfontein stilgehou – en dít kon jy ook aan ons uniforms sien. Ons was vol pasteitjiekrummels en sjokoladevlekke; en iewers langs die pad het het Tenk 'n liter Raspberry Sparletta oopgemaak wat op hom en 'n paar ander gespuit het. Soos dowwe bloedkolle het die merke op hulle gesit.

Boonop was Barries sonder sy baret. Dit het naby Ulco van sy kop af gewaai.

Ons het daar by ou Uil se Dyna gestaan, tjoepstil en verskrik, want die groot Kimberley-skole het kadette véél ernstiger as ons opgeneem, dít was duidelik. Dié ouens het regte *army boots* aangehad wat blink ge-*bone* was, met wit kamaste daarby.

Hulle het in sweetpakke daar opgedaag en kort voor die tyd eers hulle eksieperfeksie gestrykte uniforms aangetrek. Hulle is ook deur regte *army*-korporaals afgerig.

Selfs ou Uil was effens onkant betrap. Hy het 'n Texan aangesteek en deur 'n wolk blou rook gesê: "Behou net julle trots, manne. Behou net julle trots."

Maar ons het steeds loshande laaste in die kompetisie geëindig. Kom ons laat dit daar.

Dit was ander, meer militaristiese tye, ja, en op ons dorpie het ons miskien nie altyd die erns van alles mooi besef nie.

Dalk het dit eers later werklik tot ons deurgedring toe ons die nuus kry dat Barries, wat die jaar ná matriek weermag toe is vir sy diensplig, op die Suidwes-grens doodgeskiet is.

Toe ek klein was . . .

TOAST COETZER

Toe ek klein was, was dinge in die wêreld om my groot. Vrek groot.

Vat byvoorbeeld Kimberley se Gat. Ek het gedog dis so diep dat, as jy fyn luister, jy die Chinese aan die ander kant van die wêreld hul eetstokkies onder in hul rysbakke sou kon hoor krap.

En op die strand by Beach View naby Port Elizabeth was daar genoeg sand vir minstens duisend kastele en katedrale, wagtend op ons klein vingertjies. Die rooi windmeul voor die Red Windmill-eetplek by Hobiestrand was g'n kitsch vervalsing nie, maar die ware Jakob, spesiaal verplaas uit Nederland na die winderige, triestigheid van Algoabaai. Net vir ons plesier. Uit die windmeul se binneste het *soft serve*-roomys te voorskyn gekom – 'n rare lekkerny vir ons verskrikte spulletjie wat af en toe uit Cradock kom besoek aflê het.

Daai Beach View-dae was min, want strandvakansies was die uitsondering. Ons het Kaapstad nooit besoek toe ek 'n kind was nie. Dit het 'n prentjie op 'n poskaart gebly.

Somers het ons op die plaas deurgebring, die beste plek in die wêreld, met 'n rivier vol krappe en paddas om te vang, poele om in af te koel, 'n krieketveld waar die kolwer in die skadu van 'n moerbeiboom sy merkie kon aanvra en 'n populierbos om in huise te bou en bendes byeen te roep rondom erdvarkgate en met genoeg muisvoëls om met ketties uit my ma se vrugteboord te verdryf.

Ons was wintervakansie-mense; Krugerwildtuin-mense. Elke Juniemaand het ons die N1 noord gevat, ons gidstou na die buitenste grens van die bekende wêreld. Anderkant hierdie grense was dinge soos die grensoorlog, kommunisme en mense met name soos Canaan Banana.

Nóg verder, waar selfs die Grensvegter dit nie gewaag het nie, was daai plek in *The Gods Must Be Crazy* waar jy 'n Coke-botteltjie in die bodemlose onderwêreld kon afgooi – die gramadoelas.

Ons was selfonderhoudend en dapper, veilig binne die voorstuwende republiek van ons ossewa, 'n stasiewa. Eers 'n Passat en later 'n Cressida.

Dit was voor 1 Stops en Ultra Cities en my ma het genoeg kos ingepak vir die Mongoolse horde: frikkadelle, gekookte eiers, koffie en 'n arsenaal toebroodjies (self met goed soos fyngekapte uie en Bovril op). In die ry kon ons knaag of suig aan vrugterolle, biltong, pepermente en grondboontjies en rosyntjies.

Aan elke vensterknop het 'n Total-rommelsakkie gehang waarin piesangskille en ander reis-oorskiet geliasseer is.

Wanneer ons wel gestop het om iets te koop, was die keuse eenvoudig: groenkoeldrank of rooikoeldrank, oftewel Sparletta se Creme Soda of Raspberry. Tjips was óf tamatiesous óf sout-en-asyn. Eers jare later sou eksotiese smake soos Mello Yello, Ghost Pops en Kreols ook keuses word.

Die eerste stopplek was altyd die Verwoerddam, waar ontbyt geëet is terwyl ons vrugteloos die wateroppervlak gefynkam het vir enige teken van die reuse-babers wat – so het die skoolstorie geloop – so groot was dat hulle duikers wat die damwal kom regmaak het, héél kon insluk.

Dan het ons stadig dog bestendig verder gery, want mense wat stasiewaens ry, ry waardig, nie haastig nie.

Met drie kinders in die kar was daar gereelde piepiestoppe, dus het ons dikwels iewers halfpad oornag, soos by die Willem Pretorius-wildreservaat anderkant Winburg. Ek 't eenkeer 'n Maroka Swallows-sokkerbal daar gekoop en ek onthou ook duttende renosters tydens 'n wildrit. Saans kon 'n mens Virginia se liggies in die verte sien. Dit was omtrent die tyd van die Merriespruit-modderramp.

Die drie van ons was goed toegerus vir die reis. Elke kind kon 'n klein, bruin tassie (met plakkers soos "Ons ♥ Rooivleis" op) vol kritieke voorrade pak: Super Trump-speelkaarte (waar die topsnelheid van die supersoniese Blackbird-vliegtuig koning gekraai het), 'n verkyker (ons was gebore voëlkykers), penne en Oom Dik Daan-skryfblokke.

Grafiek-papierboeke was ook baie gesog, want daarmee kon ons eindelose OMO-toernooie hou. OMO het soos nulletjies-en-kruisies gewerk, maar jou speelveld was veel groter, met meer variasies. Wie 't nou Sudoku nodig gehad?

Ek en my broer sou soms skaak speel op sy klein magnetiese stelletjie, maar dit het gewoonlik kort voor lank in een of ander suur-pluk aan my kant ontaard.

Daar was ook dikwels gevegte oor wie in die middel mag sit, wat gewoonlik beëindig is met 'n kwaai kyk van my ma af en iemand wat kattebak toe gestuur is. Dáár was altyd 'n bed opgemaak vir wie ook al vaak was.

Vir muitery was daar nie tyd nie, want my pa het speletjies uitgedink om ons heelpad besig te hou. Ons moes denkbeeldige valhelms opsit wanneer ons onderdeur brûe en hoëspanningsdrade gery het. Punte-bymekaar was 'n ingewikkelde speletjie waarin jy diere en voëls aan jou kant van die kar moes soek in die verbyflitsende landskap.

Tussendeur het Leon Schuster, Manuel Escorcio en David Kramer uit die kassetspeler die padkaart help versnipper.

Ons het Johannesburg versigtig omseil, lugtig vir die Groot Stad wat enige oomblik die Passat met een van sy seekatsuiers sou gryp en ons in sy staalbek sou verpulp. Die stad was nie ons tuisveld nie. Dit was 'n godlose plek, waar plattelandse ordentlikheid en goeie maniere niks getel het in die oorvol strate en in die gestoei om bane op hoofweë nie.

Selfs ons padkaart het hier sy towerwaarde verloor, want die horison het jou hier bestorm met te véél geboue, padborde, afdraaie en geharwar. Ons het dus maar oë toegeknyp en ons blinde geloof in die Ben Schoeman-hoofweg gesit. Ons mog nie praat tydens hierdie deel van die reis nie – te veel stres vir die drywer en navigator.

Ons kon eers weer asemhaal wanneer Pretoria uiteindelik agter ons gelê het, die landskap weer begin uitsprei en ons weer mense in bakkies teëgekom het.

Ons tweede stop was Warmbad. Die meeste van my ma se familie bly op die Springbokvlakte en hulle was die eintlike rede vir ons winter-pelgrimstog uit die Oos-Kaap. Die Krugerwildtuin was bloot sekondêre vermaak.

Die platter as plat Springbokvlakte was 'n vreemde wêreld vir ons, soos 'n Finse fliek sonder onderskrifte. Ons was bergmense, Angoraboere, en nie gewoond aan die uitgestrekte plate sonneblom en katoen onder die yslike spilpuntsproeiers nie. Wanneer dit hier reën, het die mense geskerts, loop die water dié kant toe én daai kant toe op soek na 'n afdraande.

My ouma se huis was vol gladde, steil trappe, 'n bomskuiling (my oupa, 'n Hollander, het die Eerste Wêreldoorlog oorleef) en versteekte kaste. Die reuk van die vloerpolitoer, die Aga-stoof, die rooi stoepbakstene en die stof buite in die tuin . . . dit als het onder jou vel ingewikkel soos fyn akkedissies.

My neefs hier was ook anders. Hulle het gelag wanneer ek en my broer van ons horlosies as "otches" gepraat het (nugter weet waar ons aan dié naam gekom het). Hulle kon boonop kaalvoet en in kakieklere skool toe gaan, terwyl ons Grashopper-en-withempkinders was, duidelik uit die Kolonie.

Van hier af het ons Krugerwildtuin toe gemik, altyd na die noordelike deel, want vir die leeus en verkeersknope van die suide het ons min ooghare gehad. Pafuri, Punda Maria, Shingwedzi en Letaba was ons soort plekke, waar ons ure lank 'n trop bobbejane sou dophou, of by 'n voëlskuiling sou waak.

Kremetartbome was ondenkbaar groot vir ons, wat gewoond was aan olienhoute en doringbome en gedog het dis die grootste bome in die veld. Kremetarte was só groot, jy kon hulle nie eers klim nie.

By die ruskampe se *curio*-winkels het ons sorgvuldig deur die bak halfedelstene gesif op soek na die mooiste jaspis, ametis, piriet, obsidiaan en tieroog. Koel en swaar vir hul grootte in ons palms, het ons hulle fyn bestudeer vir defekte voor ons ons aankope gemaak het.

Dié skatte sou ons dan veilig in 'n spesiale Black & White-tabaksakkie bêre, wat ons saamgebring het juis hiervoor, nes Indiana Jones sou gemaak het. Toe ek klein was, was alles moontlik. Die werklikheid het meer dimensies gehad, met genoeg plek sodat die verbeelde wêreld nog geloofwaardigheid gehad het.

Natgeswete drome in die nag onder dun somerlakens of dik verekomberse in die winter was toe soomloos deel van jou wakker-ure van skrape op die knie, duwwels, goeters uit jou neus krap en wit leuens.

Maar weldra, wanneer jou ouderdom dubbelsyfers bereik, begin jy die hele stelsel baasraak. Eendag, wanneer jy terug huis toe ry, maak jy asof jy steeds slaap in die kattebak van die Passat – nadat jy wakker geword het toe julle oor die plaas se motorhek gery het – net sodat ma of pa jou kan huis-in dra, na jou bed toe, selfs al vermoed hulle jy maak net of jy slaap.

Dís die dag wanneer dinge begin verander.

Ek mis die dae voor ek die reëls geken het. Ek mis die reuk van grasdakke en Pritt. Ek mis Smartie-vlekke op my vingers.

Ek mis my kleintyd.

Daar agter in die bus . . .

ALBERTUS VAN WYK

Die woord "volkspele" het my brose laerskoolsiel met 'n hengse vrees vervul. Ek was in die koue van vroeë puberteit, maar nie eens die gedagte aan 'n warm koshuismeisie agterin 'n donker bus kon my met die volkspelelaer op skool versoen nie. Want dít was al rede waarom ouens volkspele gedoen het.

Elke keer as die laer se leier, oom Hansie le Roux (oftewel Hans Dans), 'n vriendelike dog fanatieke volkspeler, my by die kerk of 'n atletiekbyeenkoms raakgeloop en geblaf het "Alberris, sien ons jou volgende jaar by die laer saam met jou sussies?" het 'n spinnekop teen my ruggraat opgehardloop.

Regdeur my laerskoolloopbaan het ek snags in 'n koue sweet wakker geword nadat ek gedroom het ek het 'n onderbaadjie met geborduurde magrietjies op die maag aan. Dan buig ek strammerig met my een hand agter my rug, my voet vorentoe geskop, en my ander hand hou 'n mollige meisie s'n vas. Haar wye rok klok om haar uit soos 'n roompoffertjie en ek forseer met 'n rooi gesig "Boetie, sy's 'n perskeblom" uit.

Eina.

Ek het dus my voet dwars gesit. Geen volkspele vir my nie. Maar baie ander ouens het die volkspele-kompromie aangegaan, want hulle moes: Hulle het die bustyd nodig gehad. En ek praat nie van voorbeeldige manne nie. Nee, twyfelagtige karakters. Harde koshuismanne wat net een of twee keer per jaar huis toe gegaan het. Rokers en stokkiesdraaiers. Ouens soos Vingers en Skille . . .

Nou, Vingers is nie Vingers genoem oor wat hy alles met sy vingers kon doen nie, maar omdat sy van Finderink was. Vingers was by laersaamtrekke indrukwekkend en voetvaardig met die passies van "Al die veld is vrolik", maar op pad terug was hy nóg indrukwekkender onder 'n duvet in die agterste hoek van die bus, daar langs 'n koshuismeisie van die Oos-Rand, Natasja Krüse. Sy had die skoonheid van 'n skroeiende son en was amper te mooi om na te kyk.

'n Mens het simpatie met die hierdie ouens gehad, want sien, seuns in die seunskoshuis het bitter min die kans gekry om die meisies van die meisieskoshuis te sien. Net in sleeptyd, daai halfuur ná die middagstudietyd – op 'n oop stuk aarde onder die valkoog van 'n oujongnooi-matrone wat baie seker gemaak het niks ontoepasliks gebeur nie.

En glo my, die koshuismeisies was die meisies wat jy wóú sien. Hulle was letterlik nie van hier nie – nie die dogters van die dorp se onderwysers, landdroste of boere nie. Hulle is van oor die Rand heen na ons ou dorpie in die mielielande gepos waar hulle minder skade kon aanrig: Van Johannesburg, Springs, Germiston, Boksburg, Brakpan en Benoni het hulle gekom.

Hulle was nie bang vir 'n baldadige skoolseun agter in 'n donker bus nie, want hulle almal het al erger dinge gesien. En boonop was hulle onthef van ouerlike toesig en raad.

Vingers en Skille – en die ander koshuismanne – het dus gefloreer in die volkspelebus wat kruis en dwars oor die land gery het na saamtrekke op plekke soos Germiston, Potchefstroom en Bloemfontein. Hulle het baiekeer in die donker oggendure vertrek en eers ná middernag teruggekeer.

Volkspele was vir hulle 'n klein prys om te betaal.

'n Mens verstom jou dat daar nooit onderwysers was wat agter in skoolbusse toesig gehou het nie. Miskien het hulle geweet dit was nie net die gewildheid van volkspele wat danksy busry 'n groot hupstoot gekry het nie. Dit was ook rugby en korfbal en atletiek en sing in die koor en selfs operabesoeke aan die Staatsteater in Pretoria.

Ons was 'n lekker entjie van Pretoria af, so 130 km, 'n reis van twee uur of meer in die ou broodblik, ons ou MAN-skoolbus.

Ou Poppiedik, ons kultuurbevorderende Afrikaans-juffrou (wat die woord "lekker" in opstelle verpes het), was elke keer taamlik uit die veld geslaan as James Botes sy naam tweede op die lys gesit het vir ons skool se uitstappie om 'n opera soos Puccini se *La Bohème* te gaan kyk.

Nou, jy sou nie Beethoven se strykkwartette in James se CD-versameling kry nie, maar hy't 'n goeie hart gehad en 'n ferm kennis van die binnebrandenjin.

Maar as Poppiedik mooi opgelet het na die naam wat eerste op die lysie was, sou sy verstaan het: Nakita Brink, 'n lenige rooikop wat met lang sproetbene soos 'n wildsbok oor 'n stel hekkies geseil het. En ou James was oor Nakita soos . . . wel, 'n hings oor sy skimmelmerrie. (Terloops, James en Nakita is al vyftien jaar gelukkig getroud, en dit het alles agter in die bus begin.)

Die eerste skoolbusse wat ek kan onthou, was Bedfords, daais met die mooi ronde snoet of enjinkap. Karaktervol, maar hopeloos op die ooppad. Ons laerskool het self een besit én dan het drie ander nog elke dag op plaasroetes geloop.

Ek onthou baie goed hoe meneer Cronjé, oftewel ou Spook, ons goedige, effens lywige Afrikaans-onnie op laerskool, met twee Coke-bottels onder die arm ons bus vol moeë atleetjies langs die pad gelos het om 'n plaasdam te gaan soek met water vir die kokende verkoeler. Meer as een keer.

En ek onthou goed hoe daai Bedfordjies gesukkel het teen opdraandes as hulle vol kinders was, soms só erg dat die verbouereerde onnie agter die stuur tot in eerste rat moes af-*gear* om aan die gang te bly.

Dan was daar ook die plaasbusse – private karweiers wat deur die onderwysdepartement gekontrakteer is om die plaasroetes te ry. Ou Spook het met sy eie Bedford die Nigel-Devon-roete gery. Hy't in sy vrye tyd 'n lappie mielies en 'n paar varke bedryf en dus op die plaas gebly en sommer die kinders so op pad huis toe afgelaai.

Oom Wynand Pretorius en sy vrou, tannie Marie, het die Van Collerskop-roete gery en dan was daar 'n Oubaas Botha met 'n Fordbus op die Greylingstad-roete.

Die Bedfords is daar in 1980 rond met Japanse bussies vervang: Mitshubishi's, Isuzu's, Datsuns en so aan. Almal vierkantig en min of meer karakterloos.

Toe ek 'n kind was, het dit my groot plesier gegee om vir 'n naweek by 'n maatjie op 'n plaas te gaan kuier. Jy sit die hele Vrydagoggend met jou naweeksakkie wat jy sommer saam skool toe gebring het, onder jou skoolbank – en jy weet jy gaan vir twee dae in 'n dam swem en 'n vlot bou, perdry en tarentale skiet en miskien vir Riekie Bothma, die bure se dogter, by die rivier sien.

Dan klim jy in die middag op die bus en die ander kinders word een ná die ander by hulle plaashek afgelaai – en uiteindelik word jy ook afgelaai. (Jy en jou maatjie los julle skooltas in die huis se voorportaal, waar julle dit eers Maandagoggend weer optel.) Julle pluk julle skoolklere uit en vaar die wye wêreld in met 'n windbuks en 'n stuk biltong in die sak.

Sondagaand kry jy nie eens die naweekblues nie, want jy kan nog uitsien na Maandagoggend se busryery op die plaaspaaie, saam met kinders uit ander klasse as joune . . . en Riekie.

Wat my ook verbaas het, was die vernuf van die meeste bestuurders, een en almal onderwysers.

Enige atletiekbyeenkoms op 'n ander dorp was 'n epiese uittog met die hele atletiekspan, gewoonlik met ons eie, groot bus en twee kleintjies. Die jaarlikse byeenkoms op Volksrust was besonder erg, want hulle was so 300 km van ons af met die ou Durbanpad langs.

Jy moes al stikdonker, kwart voor vier in die oggend, daar wees, met jou padkos en jou duvet sodat jy verder kon slaap op die bus. Maar die meeste kinders het al *half*vier opgedaag, net om seker te maak hulle beland nie in ou Haas se bus nie.

Meneer Haasbroek was ons houtwerkonderwyser. Hy't besonder baie op Paul Kruger getrek, volbaard en al, met 'n voosgevatte baadjie wat eintlik by 'n ander pak se broek pas.

Terwyl jy so lê en slaap het, het jy gevoel as ou Haas oor die wit lyn van koers af dwaal. Hy't blykbaar ingedagte geraak terwyl hy so aan sy kunsgebit gesit en suig het. Miskien het hy gedroom oor die groentetuin wat hy wou maak wanneer hy aftree, dalk het hy self 'n oomblik ingedommel. Al wat ek weet, is dat 'n klomp kinders gewoonlik gelyk regop gesit het om dan te sien ons ry aan die regterkant van die pad. Jy't nie vir Haas geskreeu "pasop!" of "word wakker!" nie, want hy kon baie akkuraat gooi met 'n vyl of bordpasser . . .

Ons het maar 'n liedjie uitgedink wat eintlik net een frase gehad het: "Ame-e-e-erika-a-a-a!" En dan, so ná die tweede of derde herhaling, sou Haas wakker skrik en die bussie terugpluk na die linkerkant van die pad.

Volkspele en skooltoere en atletiek was nie die enigste kulturele bydrae wat die bussies gemaak het nie. Vrydagaande, hier teen sesuur se kant, het oom Wynand en tannie Marie se seun, Tippie, met hulle bus van die skoolhek af vertrek – Boksburg of Springs of Alberton toe. Disko toe. Na uithangplekke met name soos The Dome of Warehouse of Maverick's. Enigiemand kon saamry.

Die jong man Tippie was, hoe sal 'n mens dit nou stel . . . sy tyd ver vooruit vir 'n klein dorpie. Hy't in die week in Pretoria gebly en met iets soos rekenaars gewerk, 'n groot bos donker krulhare gehad wat hy ge-*blow wave* het, en hy het blink hemde gedra, gewoonlik pers of pienk, met bont of strepiesbroeke en pikante swart skoene.

En hy was altyd omring deur 'n swerm vrolike en effens uitdagende skoolmeisies wat óf in die Madonna- óf in die Cyndi Lauper-styl aangetrek het. Al twee behels hare wat hoog ge-*tease* is ('n robuuste kamtegniek wat 'n goeie skoot Jane Seymour-haarsproei en 'n haardroër op sy warmste verstelling geverg het), gekleurde sykouse of visnetkouse, en minirokkies wat, as hulle net 'n aks korter was, 'n belt sou gewees het.

En as dié diskobus vol paradysvoëls Vrydagaande in die sonsondergang ingery het, het ek hulle droëbek van my dikwielfiets af agterna gestaar – die woord "disko" was vir my ouers in dieselfde liga as die woorde "casino", "demoon" en "Mainstay".

Maandagoggende sou Tippie se bus weer sober en gedienstig op die plaaspaaie ry en gr. 1'tjies oplaai wat blinkgeskrop en gekam met hulle tassies by plaashekke staan en wag. En Vrydagaand sou hy weer 'n volkspelelaer oor die vlaktes iewers heen karwei.

En die lewe sou nóg 'n wilde sirkel maak, agter in die bus, want niks kon dit keer nie.

Die oorlogsjare se pragtige karre

JOHANN JACOBS

Ek het in die oorlogsjare grootgeword. Toe die oorlog in 1939 uitbreek, was die drie groot motorvervaardigers se monteerfabrieke reeds in Port Elizabeth gevestig: General Motors, Ford en Chrysler.

Al drie fabrieke het vragmotors ook gemonteer, almal petrolaangedrewe. Dieselenjins is destyds meestal in grondverskuiwingsmasjiene gebruik en ons het eers in die vyftigerjare 'n dieselmotor gesien, volgens my geheue die Mercedes-Benz 190. Met hom moes jy maar geduldig wees, want dit was glad nie 'n blitsige motor nie. As jy 'n motor by Laingsburg wou verbysteek, moes jy al by Touwsrivier begin spoed kry.

In daardie dae is lande soos Engeland, Italië, Frankryk en Duitsland se motors volledig ingevoer, maar toe die oorlog kom, het hierdie motorfabrieke dadelik wapens begin vervaardig. Eers ná die oorlog het ons weer Europese voertuie gesien.

Ons het egter tot in 1942 motors uit Amerika gekry, want hulle is eers by die oorlog betrek toe Japan sy vlootbasis in Pearl Harbor in 1941 vernietig het. Ons het eers weer in 1946 nuwe Amerikaanse motors gekry, en hierdie modelle het maar soos '42 s'n gelyk, met net 'n bietjie meer chroom aan.

Vooroorlogse motors was stomp agter, met 'n kattebak in of 'n rooster om koffers op te pak, en 'n lang neus voor. Van 1949 af het die motors almal voor en agter byna ewe lank geword, maar een motor was al in 1946 drasties anders: Studebaker se ligte Champion en die swaar Commander, wat toe al 'n lang neus en kattebak had. Mense was gaande oor dié karre en die Champion-afslaankap was die jongmense se droom.

Terloops, Studebaker was oorspronklik wamakers in Amerika. Die meeste van die setlaars wat na die Amerikaanse Wilde Weste toe getrek het, het Studebaker-waens gebruik, getrek deur perde of muile.

My oupa was 'n wamaker op Laingsburg en het 'n groot besigheid gehad. Hy het die Jacobs-wabriek ontwerp en in 1909 gepatenteer.

Dié briek het die drywer in staat gestel om te rem terwyl hy voor op die wakis sit – voorheen moes die agterryer gewoonlik 'n briekslinger aan die agterkant van die wa draai. Boere wat aan skoue deelneem, gebruik vandag nog die brieke.

In die vroeë twintigerjare het vragmotors die wa begin uitdruk. In daardie jare, voor staalkappe en -bakke, was alles maar van hout gemaak, selfs die deurtjies en venstertjies het net oprolseiltjies gehad om dit in die reën en koue toe te maak. Die mense het ook dikwels die lorries se houtkante en relings versier met geel-en-rooi verfpatroontjies met 'n dun kameelhaarkwassie geskilder.

Dié vragmotors is gewoonlik per trein van Port Elizabeth na Worcester gestuur, twee of drie op 'n keer. My pa het dit dan op die stasie gaan haal. Die lorries het op 'n sylyn teen die perron gestaan, net 'n enjinkap, voormodderskerms en 'n kaal onderstel waarop die bak gebou moes word.

Daar was 'n dwarsplank en 'n kissie op die onderstel vasgemaak waarop die bestuurder moes sit om die voertuig tot in Hoogstraat na ons werkplek te ry.

Eendag het my pa op so 'n kissie sit en bestuur met sy handlanger, in 'n groot, los oorpak agter op die onderstel. Soos die duiwel dit wou hê, draai die man se broekspyp in die dryfas vas.

My pa was redelik doof en die lorrie se raserige, oop masjien het alles oorheers. Die arme man het wydsbeen oor die onderstel geklou en vir lewe en dood om hulp geroep. Genadiglik was die oorpak al oud en dun gewas en skeur toe van sy lyf af, anders sou dit 'n lelike ding afgegee het.

My pa het gelukkig ook nog stadig gery, in eerste rat. Een van die ander manne stop hom, en toe toe hy omkyk, sit daar 'n kaal man agter hom op die lorrie.

Omdat daar in die oorlogsjare geen karre van oorsee gekom het nie, was daar geen lykswaens, ambulanse of klein bakkies te kry nie.

Hulle het toe motorkarre – veral Dodges en Plymouths – net agter die voordeure afgesaag en dan 'n lykswa of ambulans op die agterste deel van die onderstel gebou. Daardie ambagsmanne het hulle werk geken en die eindproduk het gelyk of dit uit 'n motorfabriek kom.

So het ek baie lykswaens met glaspanele aan die kante uit my pa se werkwinkel sien ry, ook met mooi patrone op geverf.

In die oorlogsjare moes hulle maar die karre en lorries met blou-draad aanmekaar hou, want daar het niks ingekom van oorsee nie. 'n Ander groot probleem was brandstof, wat met 'n koeponstelsel gerantsoeneer is.

Die gewone man het net koepons gekry vir sowat 150 myl se petrol per maand. Wanneer die Desembervakansie aanbreek, was sy keuse vir 'n kuierplek dus maar baie beperk. Die naaste vakansiedorpe van Worcester af was Hermanus en die Strand, ongeveer 72 myl ver. Van rondry was daar nie sprake nie, want daar was net genoeg petrol om tot daar en weer tot by die huis te kom. Dit is een van die redes hoe-kom Hermanus so gewild geraak het onder die Worcester-mense.

Op 8 Mei 1945 word daar toe vrede verklaar in Europa en almal juig. Die mense was uitgehonger vir nuwe rygoed en daar het gou-gou 'n gesmokkel met motors plaasgevind.

In 1946 besluit die regering hy gaan van die militêre voertuie aan die publiek opveil. Oral in die land was daar depots waar letter-lik duisende Jeeps, Harley Davidson-motorfietse, Ford- en Chev-pantserkarre en ligte troepedraers ingeryg gestaan het.

Die mense het mal geword wanneer daar 'n militêre veiling was. Die meeste van die voertuie was splinternuut, want niemand kon voor-spel wanneer die oorlog sou eindig nie. 'n Mens het gereeld Jeeps en Harleys op die paaie gesien met die vuilgroen militêre kleur, maar met gewone registrasienommers soos CJ of CA of CK.

Die boere het die pantserkarre en die ligte troepedraers gekoop en na vragmotors verander en dit jare lank gebruik. Van die vierwielaan-gedrewe pantserkarre is as trekkers gebruik.

Ek kan nog goed onthou van 'n boer daar duskant die Bossiesveld naby Villiersdorp wat sy pantsermotor gaan toets het teen 'n skuinste. Dit val toe om, vier wiele in die lug en lê bo-op die luik waar 'n mens in- en uitklim. Sy plaasvoorman moes dit met die trekker weer op sy wiele trek. Die boer was vol blou kolle en baie verleë.

Mettertyd het die motorbedryf herstel. My pa was self lief vir mo-tors en het hulle ingeryg hier van 1946 af: Eers 'n Ford Super de Luxe, toe 'n 1947-Fleetline Chev en toe my ma oor die twee deure begin kla, koop hy 'n vierdeur-Fleetmaster Chev. Die prys van die motors wis-sel van sowat £550 pond tot £650 pond (R1 100 tot R1 300).

Toe, in 1948 koop hy 'n ligblou Dodge Kingsway, 'n pragtige motor.

Intussen het my pa iemand gesoek om in sy smidswinkel op Worcester te kom werk – iemand wat die warm ysters klink, 'n "blacksmith".

Een middag toe ek van die skool af kom, sê my pa ek moet saam met hom Calitzdorp toe ry, hy het iemand daar gekry wat kan kom werk. Ons trek daar weg met die blou Dodge – onthou, dis 'n hele entjie Calitzdorp toe en anderkant Montagu was dit nog grondpad ook.

Ons het die man, Willem, gekry, sy bagasie gelaai en teruggedraai Worcester toe. Daar by Barrydale begin dit toe donker word en my pa soek 'n petrolpomp. Al wat hy sien, is 'n winkel met een van hierdie handpompe met die twee glassilinders en 'n handvatsel waarmee 'n mens die petrol uit 'n drom pomp.

Die plek was al gesluit, maar daar was 'n huis langsaan waar my pa toe gaan aanklop. Al wat ons van die kar af sien, is die voordeur wat oopgaan en 'n man met wie my pa praat. Ná 'n rukkie gaan die deur weer toe.

My pa kom toe terug by die kar, maar ek kan sien hy is briesend: Die man weier om vir ons petrol te gee, want hy is besig om te eet en hy is al moeg van mense wat ná ure vir petrol aanklop. Ons moet maar in die hotel gaan slaap en môre terugkom.

My pa ry toe hotel toe en bestel twee biere en 'n koeldrank vir my. Toe ons klaar gedrink het, ry ons in die donker terug na die pomp. Op die laaibank lê daar 'n paar dromme Atlantic-petrol. Hy en Willem was redelik sterk en gou-gou laai hulle 'n drom in die kattebak.

Die deksel wou nie toe bly nie, maar hulle het dit met 'n stuk tou aan die handvatsel en die buffer vasgemaak. En daar gaan ons – sonder ligte – dorp uit, in Montagu se rigting.

Ons ry toe so ver ons kon met die petrol in die kar se tenk om weg te kom van 'n moontlike agtervolging. Langs die pad het my pa by 'n plasie gestop en Willem het in die donker 'n blik uit die varkhok gevat. 'n Paar myl verder het ons afgetrek. Die varkblik is sommer met petrol uitgespoel en die kar is volgegooi.

Die volgende dag op Worcester is die drom leeggemaak in ander houers. My pa het die leë drom gaan inhandig by Atlantic se depot, gevra wat die prys van 'n drom petrol was en 'n tjek met 'n brief aan die winkel op Barrydale gepos. Ons het nooit weer iets daarvan gehoor nie. (Hulle het wel die tjek gekry, want dit is deur die bank.)

Snaaks genoeg, hier van die 1960's af het my belangstelling in karre begin kwyn en kon ek nie meer die modelle so in detail onthou soos vroeër nie . . .

Ek, Koos Tickets en
my rybewys

DANA SNYMAN

Nou die dag ry ek verby 'n skrootwerf en sien toe iets wat ek jare laas gesien het: 'n Toyopet Stout-bakkie. Stokoud en wielloos het hy daar gestaan, 'n wrak tussen wrakke.

Die Stout, 'n staatmaker in die 1960's, was 'n voorloper van die Hilux. Die ontwerper, so het dit gelyk, is nogal diep beïnvloed deur 'n, wel, 'n skoendoos of baksteen, want die bakwerk was hoekig, met twee klein kopligte voor aan weerskante.

Met so 'n ou bakkie het ek my rybewys gekry. In 1980. Ek was in matriek en besig met die eindeksamen. Kom wat wil, het ek besluit, ek moet tussen die desperate geleer deur my rybewys kry.

Vir 'n seun van daardie ouderdom was 'n bestuurderslisensie byna so belangrik soos 'n matrieksertifikaat. 'n Lisensie was jou paspoort tot 'n beter lewe, het jy jouself wysgemaak: Meer vryheid, meer vriende, meer meisies wat vir jou gaan val sodra jy wettig in jou ma se Fiat 128 straat-af kan *cruise*, kou-kouend aan 'n Beechie terwyl Suzi Quatro se stem oor die enigste luidspreker kraak: "She's in love with you . . ."

Die dag ná my agttiende verjaarsdag, in Oktober, het ek vir my leerlinglisensie – my *learners* – gegaan, waar hulle toets of jy al die padtekens ken. Ek het toe sommer dadelik die afspraak vir my rybewys – my *licence* – gemaak, waar jy saam met 'n spietkop deur die dorp moes ry sodat hy kon sien of jy die druk kan hanteer.

Van bestuurskole was daar nie sprake nie – altans, nie op ons dorp nie. My ma het my leer bestuur in haar Fiat 128. Of eintlik, my ma het my net leer wegtrek sonder dat die Fiat se enjin doodruk, want as jy dít op die platteland kon doen, was jy basies reg vir die ooppad. (Baie van die oumense op ons dorp het nogal daarmee gesukkel.)

Behalwe 'n paar stoptekens was daar geen noemenswaardige verkeerstekens op ons dorp nie, behalwe die een wat gesê het: Kuruman 110 km. Daar was nie eers wit parkeerstrepe nie, want al die strate was grondstrate. Daarom het ons soms oor naweke na die dorpskamp gery, waar ek 'n parkeerplek met vier klippe afgebaken en daarin probeer parkeer het, terwyl my ma langs my sit en 'n Mills & Boon-boekie lees.

Maar ek het 'n probleem gehad: Ek was in 'n skoolkoshuis op 'n dorp ver van my ma se Fiat 128 af. Ek sou iewers 'n ander kar in die hande moes kry om my bestuurstoets af te lê.

En wie leen sy kar vir 'n vreemde koshuislaaitie?

Ná baie rondvra en mooipraat, het ek en Oppies Opperman, my kamermaat, die middag in 'n blou rookwolk voor die verkeersdepartement stilgehou in oom Percy Koekemoer, ons Sondagonderwyser, se gedaan, duifgrys Stout-bakkie waarmee hy soms sy tuinvullis weggery het.

Oppies, wat reeds sy lisensie gehad het, het net saamgery, want as jy 'n *learners* het, moet iemand met 'n lisensie mos saam met jou ry.

"*Good luck,*" het hy gesê. "Onthou jou hande."

"My hande?"

"Ou Koos Tickets *fail* jou as hulle nie altyd in die tien-oor-tien-posisie op die stuur is nie."

Daar was twee toetsbeamptes op die dorp: Koos Tickets en oom Bez Bezuidenhout. Almal was oortuig Koos Tickets druip jou sommer vir niks. Vir hom was die tien-oor-tien-posisie die alfa en omega van goeie bestuur, en hy het jou altyd probeer uitvang by die T-aansluiting voor Taki se kafee.

By oom Bez het jy makliker jou lisensie gekry, veral op 'n Vrydagmiddag nadat hy middagete in die hotel skuins oorkant die straat geëet het. Soms het oom Bez glo sommer op die stoep gestaan en jou net twee keer om die stadsaal laat ry.

"Asseblief net nie Koos Tickets nie," het ek vir myself gesê terwyl ek nader stap. "Asseblief net nie . . ."

Voor die verkeersdepartement het 'n Goggomobil geparkeer gestaan, 'n piepklein, besie-agtige, Duitse motortjie, wat aan Skimmel, ons koshuismatrone, behoort het. As jy met parallelparkering gesukkel het, was Skimmel se Goggomobil die antwoord, want dit was so klein, jy kon eenvoudig nie druip nie. Eddie Scholtz, wat ook in die koshuis was, het dit hierdie keer geleen.

Binne die gebou was dit stil. Teen die muur het Eddie, Koos Malan en Henk Davel op regop stoele gesit, effe bleek. Nie een van ons wou deur ou Koos Tickets getoets word nie.

Ons het gewag. Enige oomblik sou óf oom Bez óf Koos Tickets by 'n deur uitkom met 'n *clipboard* in die hand. Dan sou hy iemand se naam roep. Eers sou hy miskien jou 'n paar vrae vra om te kyk of jy nog al die padtekens in die blou *learners*-boekie onthou en daarna sou julle deur die dorp gaan ry.

Ek het skaars gesit, toe leun Eddie oor na my toe, en fluister: "Is dit 'n haarnaald*boog* of 'n haarnaald*bog*?"

Uh-uh. Ek was self nie seker nie.

In die blou boekie het "haarnaaldbog" by die teken vir die *hairpin bend* gestaan, maar iemand het gesê dis 'n drukfout, dit moet eintlik boog wees. En elke seun op die dorp het geweet oom Bez of Koos Tickets gaan jou oor die haarnaaldbog – of is dit nou boog? – uitvra.

Die volgende oomblik was daar voetstappe in die gang.

"Asseblief net nie Koos Tickets nie. Asseblief . . ."

Dit *was* Koos Tickets, die hele 5 voet 9 duim van hom, met 'n gloeiende Elcano-cigarillo tussen die vingers. "Scholtz. Edward!" het hy gesê, ietwat harder as wat nodig was.

"Hier, Meneer." Eddie het opgestaan en sy broek effens te hoog opgetrek.

Ou Koos het deur die venster na die Goggomobil beduie. "Is dit jou kar daai, Scholtz?"

"Nee, Meneer. Ek't hom geleen, Meneer."

"Vat hom maar terug. Ek wil sien of jy kan parkeer."

Hy het weer sy oë oor die *clipboard* laat gly. "Snyman. Daniël!"

Ek onthou veral twee dinge van my bestuurstoets daardie dag: Die reuk van Elcano-cigarillo's en Old Spice, wat Koos Tickets kwistig gebruik het. In sy kantoor was dit die ene Old Spice.

Ek het al die vrae reg beantwoord. Net op een plek het ek effe gehuiwer – toe Koos Tickets met sy pen op die padteken vir 'n *hairpin bend* druk. "En wat noem jy hom?" het hy gevra en aan 'n Elcano geteug. 'n Soet, onheilspellende sigaargeur het die Old Spice tydelik verdring.

Ek was gereed vir die vraag. "Dis die haarnaald*bhhhg*," het ek die boog – of bog – met 'n gedempte hoesie probeer kamoefleer.

Koos Tickets het regop gekom en sy Elcano doodgedruk. "Oukei, kom ons gaan ry 'n entjie." Buite het hy 'n tree of wat voor die Stout vasgesteek: "Waar krap jy dié ding uit? Hy's ouer as genl. Smuts."

Die Stout se enjin het 'n paar keer getjoi-njoi-njoi voor dit gevat het. En daar trek ons toe in die hoofstraat af, ek met my hande netjies in die tien-oor-tien-posisie op die stuurwiel en Koos Tickets met 'n vars Elcano tussen die duim en wysvinger.

Ek wil nie spog nie, maar ek dink ek het hom nogal beïndruk met my driepuntdraai voor Avbob. Met my parallelparkering het ook nie veel geskort nie, behalwe die Stout se modderskerm wat ontroosbaar gekraak het toe ek skerp draai en die wiel daarteen skuur.

Die groot toets het nou voorgelê . . . Die T-aansluiting by Taki se kafee. "Stoot maar aan," het ou Koos langs my gesê.

Dit was sy ou truuk. Hy het jou aangemoedig om effens vinniger te ry. Dan as jy 'n raps vinniger as 60 km/h ry, of by die T-aansluiting stilhou en die voorwiele 'n sentimeter oor die wit lyn staan, dan *fail* hy jou.

"Stoot aan, man. Toe, toe!"

Ek het my nie laat uitvang nie. Die Stout se naald het netjies tussen 50 en 60 km/h gewieg en toe ek verby Stavast se klerewinkel ry, het ek reeds met my voet begin voel-voel na die rempedaal.

Met die eerste trapslag . . . niks! Koos Tickets het niksvermoedend aan sy Elcano sit en suig. Maar ek en die Stout was besig om mekaar te vind. Ek het die rem stilletjies 'n paar keer gepomp-pomp en net mooi voor die wit lyn voor Taki se kafee tot stilstand gekom.

"Gaan vir ons 'n bietjie vorentoe," het Koos my uitgelok, terwyl hy die Stout se weerkaatsing in Taki se venster paraat dophou, want dis waar hy kon sien of die wiel oor die wit streep is.

Maar ek was kalm agter die stuurwiel. My *licence* was as't ware in my sak. My hande was steeds in die tien-oor-tien-posisie op die stuur, maar in my kop het Suzi Quatro saggies begin sing: "She's in love with you."

Maar Koos Tickets het 'n troef gehad waarvan ek nie geweet het nie. "Ry vir ons stasie toe," het hy met sy vinger beduie.

In ons wêreld was nie eintlik bulte of opdraandes nie, maar by die stasie was wel 'n steil sementoprit tot op een van die perronne, waar die boere hul roomkanne afgelaai het.

Halfpad teen daardie skuinste uit het Koos Tickets beveel: "Stop." Toe klim hy uit en gaan staan bo-op die perron. "Raait, trek weg. Kom boontoe."

Ek onthou sweet wat teen my nek afloop en die reuk van 'n Elcano en Old Spice in die kajuit. Op 'n ander perron was 'n klomp werkers in bruin oorpakke wat my laggend aanmoedig. Rondom die Stout het 'n blou rookwolk gehang, terwyl die enjin soos dertig balkende donkies protesteer.

Ek onthou die bakwerk wat sidder, die wiele wat effens agteruit begin loop, die *clutch* wat net-net vat, die vae reuk van iets wat brand . . . En toe hoe die wiele sukkel-sukkel teen die skuinste begin uitkruip.

Koos Tickets het daardie middag my lisensie vir my gegee. Toe ek daar by sy kantoor weg is, het ek nie dadelik oom Percy se Stout teruggevat nie. Ek het 'n ent uit die dorp uit gery, met die Vaalwater-pad. Sommer net gery.

Want opeens was die wêreld 'n plek vol moontlikhede. Daar waar 'n pad was, daarheen kon ek gaan.

Koos Tickets het dit miskien nie besef nie, maar hy het daardie dag vir my meer as net 'n rybewys gegee: Hy het my die vryheid gegee om die wye wêreld te begin ontdek.

Los gedagtes

Meisies en uitkykpunte

TOAST COETZER

Om 'n meisie 'n uitsig te gaan wys beteken iets. Ek's net nie seker presies wát nie.

Enige nuwe besoeker aan ons plaas sal een of ander tyd die uitsig gewys word van die berg agter die opstal af: Daar strek die grensdrade; doer bo tussen die klipstapels, wit van die dassiepiepie, is 'n goeie plek vir ribbokjag; en kyk hoe kerf die rivier die kloof dieper hier onder.

Selfs wanneer die stuk grond voor jou nie joune is nie, kan jy tog maak of dit is. Jy en die burgemeester kan immers al twee ewe hard in die strate loop en fluit. Of jy kan met jou voete in die leivoor gaan sit wanneer die waterfiskaal nie kyk nie.

Die meeste dorpe het 'n uitkykpunt net buite die dorp waarvandaan jy die hele dorp kan sien. Williston het die Singkoppe waarteen jy kan uitstap, by Lady Grey kan jy teen Joubertspas uitry om die hele vallei te sien, en Uniondale het die ou Engelse fort waar jy kan gaan sit en kyk hoe die dag kleiner raak. Bloemfontein het Naval Hill, 'n plek wat selfs die ontslape reisskrywer T.V. Bulpin lank terug beskryf het as: " 'n Aangename plek vir paartjies, veral in die maanlig."

Duidelik, as 'n mens tussen die lyne lees, is sulke uitkykplekke ook kafoefelplekke.

Selfs op die dorpe op die vlaktes van die land is daar gewoonlik 'n effense hoogtetjie waarvandaan dinge gadegeslaan kan word. Op

Potchefstroom is 'n deel met die naam Die Bult, wat, hoewel dié buurt steeds platter as Ryk Neethling se maag is, steeds 'n goeie plek is om bier in hand die studentelewe te sien verbydruis.

Elders kan jy teen windpompe opklim, jou bene oor 'n damwal laat hang of sommer bo-op jou kar se dak sit (eerder op 'n Landie as op 'n Uno, asseblief). Dit gaan oor nabetragting, oor in oënskou neem, oor tob. Soos Job. Die uitkykpunt is jou ashoop, maar nie noodwendig so 'n desperate plek nie.

Cradock het 'n klassieke dorpsuitkykpunt: Oukop. Daarvandaan sien jy die straatblokke soos bokse wat van 'n haastige Spar-lorrie afgeval het, die plotte langs die Visrivier, kerktorings, die treinstasie, sportvelde en die buurte Michausdal en Lingelihle wat die N10 na die suide uitbegelei Kookhuis toe.

Ek het al 'n paar keer vriende van elders hierheen gebring om hulle iets konkreets uit my kinderdae te probeer wys. Die uitkykpunt is Google Earth – maar mét emosie. Aan die een kant van Oukop lê die tronk wat in die jare tagtig gebou is. Aan die ander kant is die klipgroef – ek onthou nog goed hoe ons in pouses soms die dinamietontploffings kon hoor.

Op die B-veld (of was dit die C-veld?) hier voor, agter die paviljoen van die dorpsklub, Rovers, se sportterrein, het ek my eerste rugbywedstryd gespeel. Dit was vir die 0.11B-span, kort nadat ek op Somerset-Oos begin skoolgaan het en dus teen my ou tuisdorp gespeel het.

Dit was 'n ysige wintersoggend, die ryp nog hard onder jou kaal voete. Ek was losskakel. Ek 'n gaping geslaan – hoe, weet ek nie – en oor die doellyn gehardloop. Ongelukkig, met my triomfantelike roete pale toe, hardloop ek toe oor die doodlyn.

My rugbyloopbaan was kort.

My universiteitsjare het ek op Grahamstad deurgebring. Buiten 'n redelik nuttelose kwalifikasie in antropologie 1, het ek ook, omtrent in my tweede jaar, meisies ontdek.

Dié dorp het ook 'n puik uitkykpunt: Mountain Drive. Op 'n mooi dag kan jy die berge agter Adelaide en Fort Beaufort – die Winterberge – na die noorde sien; ooswaarts kyk jy verby Fraser's Camp Peddie toe; en suidwaarts oor Southwell en Bathurst na Port Alfred. Dorpsmense bring hulle honde hierheen vir stappies ná werk en studente kom drink en rook aaptwak hier.

Ek was nog nooit die grootste vryer nie. Ek weet net nie aldag hoe om die hele ding te benader nie. Hoe vlei 'n mens 'n vrou? Jy gee haar seker 'n kompliment oor haar klere of hare.

Verlede jaar, nadat ek teruggekom het van Uganda af, het ek by 'n partytjie vir 'n paar meisies die gorillamis onder my skoene gewys. Almal het die pad gevat, behalwe my beste vriend se suster, 'n dierkundige van 'n aard. Ons twee het toe maar die res van die aand oor die voortplantingsgewoontes van vlermuise gesels.

Nietemin onthou ek lekker uitstappies Mountain Drive toe met die skoner geslag. Een aand, ná 'n deurnagdanspartytjie, het ek met 'n Kewer vol meisies hierheen gery vir sonsopkoms. Vandag is hulle wyd versprei oor die wêreld: Een is getroud en bly in Amerika, een is in Engeland, nog een is getroud in Port Elizabeth, en die vierde roos, wel, wie weet? Maar soos ek hier sit, kan ek haar vrolike lag in my ore hoor.

Die jaar toe ons ons *band* gestig het, het ek en my beste vriend (einste sy suster vir wie ek my gorillamis gewys het) Mountain Drive toe gery om 'n paar *band*-foto's te neem. Op die foto's dra ons grys oorpakke en baarde en ons sit op ons hurke in die gruispad. Kort daarna het ons by Oppikoppi gespeel en daai foto het ver draaie geloop – ons was *famous* vir tien minute en heel in ons noppies daarmee.

Mountain Drive was ook 'n plek waar jy van spertye vir belangrike werkstukke kon kom wegkruip, of sommer net seker maak daar is wel 'n wêreld wyer as die dorp se eng horisonne. Van hier bo af kon jy die res van die land sien, wagtend op jou om jou graad te vang, jou gat in rat te kry en te kom deel word daarvan.

Die wete daarvan sou jou batterye herlaai en dan was jy weer gereed vir die volgende ronde onder in die dorp.

Anderdag het dinge anders verloop. Iemand het my 'n uitsig gaan wys. 'n Meisie. 'n Vrou.

Sy was 'n paar jaar lank oorsee en ons het mekaar lanklaas gesien (juis op Grahamstad ontmoet). Ek het haar by haar ouerhuis in Bantrybaai gaan oplaai (einste Kewer – genade tog, wanneer sal ek 'n kar met lugsakke koop?) en toe ry ons teen Leeukop se steil agterwang uit.

Uiteindelik het die nou straatjie doodgeloop en daar het ons geparkeer. Sy het 'n bottel koue witwyn ingepak, plus druiwe, soutbeskuitjies en een of ander kaas met 'n vreemde naam. Dit was ligjare verwyder van destyds se warm bottel Tas wat ek as student gewoonlik op Mountain Drive agter die sitplek sou uitgrawe.

Ons het op 'n groot, ronde rots gaan sit. Voor ons, onder ons voete uit, het die berg steil afgetuimel Clifton en Kampsbaai toe. Die see was rimpelloos, die wind stil en in die verte het skeepsliggies die enkele groot sterre bo ons probeer naboots.

Dit was ook volmaan, en dié het nou agter ons opgekom sodat ons skadu's weldra oor ons tone begin stoot het, fynbos toe. Links van ons het stappers se dansende flitse en kopligte soos dronk vuurvliegies teen Leeukop begin afdaal, klaar na die maansopkoms gekyk.

Van die koppie agter Bethulie af sien 'n mens nie net die hele dorp nie, maar ook die Gariepdam en die Hennie Steyn-brug se pragtige boë verder links. Van ons donker uitkykpunt teen Leeukop was die buurte onder ons nie veel anders as Bethulie nie. Die huise onder ons het ook gegons met argumente oor Jake White en Luke Watson, Helen Zille, wie ook al. Hulle het ook gelag oor dieselfde dinge en pret gehad wanneer die tyd reg was. Gebraai. *Laan* gekyk. Nes op Bethulie.

Maar, hoewel die pad seelangs Llandudno toe ook mooi is, weet ek nie of jy 'n eland daar in die vlak branders sal sien staan nie – dié sal jy net van die Hennie Steyn-brug af kan sien.

Ons sien dikwels nie die mooi van ons eie tuisdorp raak nie. Woon jy op Bethulie, dink jy dalk Jeffreysbaai is die paradys. As jy in Kaapstad woon, droom jy dalk van Rio de Janeiro eerder as om eenvoudig in die kabelkar te klim of enige van die vele pragtige staproetes aan te durf.

Elders lyk en klink altyd beter, mooier en glansryker.

Maar dis twak. Elke tuisdorp het sy sjarme. Ek ken mense wat nostalgies raak oor Germiston, nie omdat die plek die Tuin van Eden is nie, maar omdat hulle herinneringe van hulle kleintyd daar afspeel – daar is vriendskappe gevorm en lesse geleer, nerwe verloor en vrugte gesteel.

Met ons bottel wyn leeg en die snaakse kaas kafgedraf, het ons weer bult-af gerol in my Volksie. Ons het gestry oor watter straat High Level Road was. Sy was reg en ek verkeerd. Dis tog háár agterplaas hierdie, nie myne nie.

Dalk is dit waaroor dit gaan: Dis 'n vinnige blaai deur 'n ander se boek, net genoeg om jou daardie persoon beter te laat verstaan en meer te waardeer.

’n Paar maande later was sy op die plaas en kon ek haar ook daardie uitsig oor ons plaas gaan wys. Dit was donker toe ons oor Wapadsbergpas gery het, maar daar sal ’n ligdagrit ook kom, eendag. Dan’s daar nog Nonesisnek om te gaan wys en die Katbergpas en . . . en . . . wat het ou T.V. Bulpin nou weer van Naval Hill gesê?

My titaniese stryd teen
Vink Labuschagne

DANA SNYMAN

Ek reis dikwels. Kom ek op 'n vreemde dorp, gaan maak ek gewoon-
lik 'n draai in die plaaslike kroeg, want dis waar jy hoor wie's wie en
wat gebeur waar.

Dit is ook waar jy rustig met 'n koue bier kan sit en dink oor dinge.
Totdat iemand by jou kom staan en vra: "Hoe lyk dit, is jy nie lus vir
'n potjie *pool* nie?"

Ek wonder hoeveel ouens op hoeveel dorpe het my al gevra om teen
hulle *pool* te speel. En ek kan nie eintlik eens behoorlik speel nie.

Ja, ja, jy gaan staan maar net daar by die *pool*-tafel en jy en die an-
der ou probeer om elk ses gekleurde balle – plus 'n swarte – met 'n
snoekerstok en 'n wit bal in een van ses gate te sink. Dit weet ek
darem.

Maar ek vermoed ek het genetiese beperkinge wat my spel belem-
mer. Ek kry dit nie reg om daardie klassieke snoekerhouding in te
neem voor ek skiet nie: linkerhand op tafelblad met die duim effens
omhoog, sodat die stok gemaklik daarop kan rus en jou kop láág. Ek
kry nie my hand so gebuig nie en iets hier by my heupe is ook nie
heeltemal reg nie.

Probeer ek die slag om die wit bal werklik hard te tref, hop dit
soms van die tafel en land bop-bop-bop op die vloer. Daarom bewon-
der ek ouens wat goed *pool* kan speel. Ek hou hulle dikwels dop, in die
hoop dat ek iets by hulle sal leer.

'n Knap *pool*-speler is soos 'n cowboy in 'n Wilde Weste-fliek. Jy
raak byna dadelik van hom bewus wanneer hy by 'n kroeg instap. In
die een hand het hy gewoonlik sy *eie* stok in 'n sakkie en in die ander
hand is die hand van 'n meisie wie se denimbroek so styf sit dat dit
lyk asof sy daarin geskink is.

Die ouens by die *pool*-tafel sal opeens stiller raak en in 'n eerbiedige
stemtoon iets sê soos: "Hoessit, Whitey."

Hy sal miskien in hulle rigting knik en 'n noot uit sy Billabong-
beursie haal en dit vir die meisie gee om vir hom 'n brandewyn en

haar 'n Savanna Light te gaan koop, terwyl hy daardie sakkie ooprits en die snoekerstok se voorste gedeelte aan die agterste een begin vasskroef, amper soos 'n sluipmoordenaar wat 'n knaldemper aan sy geweer monteer.

Dan sal hy na die *pool*-tafel stap, 'n R2-munt (dit is hoeveel 'n pot *pool* jou kos) te voorskyn bring en dit by die ander munte op die tafel se rant neersit, stadig, berekend, asof hy wil sê: "*Bring it on.*"

Nie dat dit slegs mans is wat goed *pool* speel nie.

Een van die kroegmeisies op Ventersdorp, 'n plek waar ek soms kom, het al Wes-Transvaal se B-span in *pool* verteenwoordig. Dis 'n plesier om haar in aksie te sien. Sy dra graag geruite langmouhemde en wanneer iemand 'n knap skoot skiet, skreeu sy soms: "Shot-o! Shot-o!"

Eenkeer het ek haar gekomplimenteer ná 'n wenskoot, toe klap sy my tussen die blaaie en sê: "Dankie, tjomma."

Om goed te kan *pool* speel, moet jy in teorie baie van wiskunde – veral driehoeksmeting – weet. Want hoe anders bepaal jy teen watter hoek moet die stok die wit bal tref, sodat die wit bal weer 'n gekleurde bal teen 'n sekere hoek tref, sodat daardie gekleurde bal die kant van die tafel teen 'n spesifieke hoek tref om jou teenstander se balle te vermy én in die gat in te rol?

Ek het 'n heel skaflike B vir wiskunde in matriek gekry. En tog, die meeste ouens wat my al in *pool* geklop het, het waarskynlik nie eens wiskunde ná standerd 6 gehad nie.

Neem maar vir Jeff in die kroegie naby my huis in Pretoria waar ek soms kuier. (Ou Jeff lyk nogal baie na Bud Spencer, held van die *Trinity*-reeks cowboyflieks.) Jeff is in standerd 8 uit die skool uit, maar hy sal by 'n *pool*-tafel gaan staan, sy oë oor die balle laat gly en binne sekondes vir jou sê: "Oukei, ek gaan dié bal doer in die hoek laat vasslaat en terug-*bounce* en dan doei bal in die middelste *pocket* laat val."

Jeff besef dit miskien nie, maar hy het pas 'n berekening gemaak waarin hy die Stelling van Pythagoras en Newton se Derde Bewegingswet vernuftig gekombineer het.

Dan sal hy vooroor leun, sy linkerhand soos 'n seekat op die tafel oopsprei, die stok daarop laat rus, met die punt mik-mik na die bal en nes hy gesê het, die bal met 'n knal by die middelste gat injaag.

Twee dinge wat ek by Jeff afgeloer het, pas ek wel suksesvol toe:

Ek leun nooit tussen speelbeurte op my *pool*-stok asof dit 'n kierie is nie. En tussen skote tel ek gereeld daardie blokkie blou *chalk* van die tafel se rant op en draai-draai dit oor die stok se punt, stadig, berekenend.

Ouens wat *pool*-wedstryde wen, behandel hul stok met respek, het ek agtergekom.

Ouens wat *pool*-wedstryde wil wen, bring ook nie hul ma saam kroeg toe nie. Of só het ek gedink toe 'n outjie my een aand in die Captain Paul's-kroeg in Bloemfontein gevra het om teen hom te speel.

Ek was die enigste een by die toonbank toe hierdie outjie en tannietjie by die deur instap. Ek het hom so 25, 30 jaar oud geskat. Op sy hemp was 'n bykans lewensgroot prent van 'n maanhaarleeu se kop. In die tannie se hand was 'n naaldwerkmandjie.

Hulle het in die hoek gaan sit en kyk hoe die enigste ander twee ouens in die kroeg die balle op die *pool*-tafel laat klap. Later kom die outjie met die leeuhemp orent en stap effe geboë vorentoe en sit amper verskonend 'n R2-munt op die tafel se rant neer.

Maar toe die twee ouens by die tafel klaar is, wil nie een van hulle teen hom speel nie. Hulle het hom skynbaar geken, want hulle het met hom gesels. Toe sê een hard: "Jammer, pel, nie vandag nie." En toe is hulle daar uit.

Nie lank nie, toe kom staan die outjie by my en hy kyk met sulke bleek, blou oë na my, terwyl hy so half aan sy *pool*-stok hang. En hy sê: "Ek's Vink Labuschagne." En hy beduie na die tannietjie. "En dis my ma. Meneer is nie lus vir *pool* nie?"

Ek het geknik. Ja, ek was lus. Lus om weer 'n slag 'n pot *pool* te speel – en te wen.

Dis merkwaardig hoeveel selfvertroue 'n mens kry as *pool*-prinse soos Whitey of Jeff nie in die nabyheid is nie.

Met 'n effense wieg in die heupe het ek voor Vink uit na die tafel gestap en 'n R2-stuk neergelê in daardie laaitjie wat jy hard moet indruk en dan weer uitpluk om die balle uit die tafel se maag te laat gor.

Ek het die laai blitsig ingestamp, amper soos John Wayne wat na sy rewolwer sou gryp, en toe ... wel, toe haak die laaitjie daar binne vas, terwyl Vink vir my glimlag en sy skouers effens verleë optrek.

Met 'n gesukkel het ons darem die balle uitgekry. Vink het eerste geskiet.

Dit was gou duidelik dat Vink nie juis 'n beter speler as ek is nie. Hy het boonop allerhande vreemde maniertjies gehad: Voor elke skoot het hy eers om die tafel gestap en by die gat waarheen hy mik, gaan buk en van naby daarna gekyk, amper asof hy wou seker maak dis wel daar.

Tog, twee van sy balle was al gesink, toe lê al myne nog op die tafel.

Vink se ma, wat intussen borduurwerk uit haar mandjie gehaal en begin borduur het aan 'n prentjie van 'n Hollandse windmeul, het kort-kort vir hom gevra: "Is jy nog orraait, Vinkie, my kind?"

Miskien wou die kroegman met ons spot, want later het hy "Eye of the Tiger" oor die luidsprekers gespeel – die fliek *Rocky III* se tema-lied.

En in ware Rocky-tradisie het ek begin terugveg. Hoe kon ek toe-laat dat so 'n vaal outjie my wen? Maar met *pool* is dit 'n bietjie soos met die lewe: Hoe harder jy soms probeer, hoe minder kry jy dinge reg.

Kop-aan-kop het ek en Vink voortgesukkel. Later het ons elkeen net twee balle oor om te sink – plus die swart bal, natuurlik. Die spanning het opgelaai. Vink het voor elke skoot tydsaam om die tafel gestap en eers die gat en die kleurbal van naby bekyk.

Nog later was al my balle in en kon ek vir die swart bal – en glorie – mik.

Vink se ma het nou nie meer aan die windmeul borduur nie. Sy het regop langs haar mandjie gestaan, en kort-kort geroep: "Kom nou, Vinkie! Kom!"

En toe, kort na mekaar, sink hy sy laaste twee balle. Toe is dit die oomblik van waarheid: Die een wat eerste die swart bal in die gat laat val, sou wen.

Ek kon eerste daarop aanlê, maar, wel, dalk was die oomblik vir my te groot. Dit het die gat net-net gemis.

Vink het weer om die tafel gestap, by die swart bal gebuk en daar-na gestaar. Toe het hy na die hoeksak gaan staar. Toe het hy aangelê.

Dit was dekselswil in!

Hy het so 'n sprongetjie gegee en sy hande in die lug in gesteek. Toe het hy die tannietjie omhels en gesê: "Dankie lat Mammie my ge-bring het."

Dit was opeens stil in die kroeg. "Ons bly op die plotte," het Vink na my kant toe gesê. "Sy bring my altyd om te kom speel."

En toe het hy weer so met sy vuiste in die lug gepomp-pomp, asof hy dekselse Ernie Els is wat pas die Britse Ope gewen het.

"Kalm net, ou maat," het ek myself effe bitter hoor sê. "Dis nie Wimbledon nie."

Vink het voor my kom staan. "Besef jy ek het net 48% sig?" het hy gevra en met sy vingers na daardie bleek, blou oë van hom beduie: "Ek's amper blind, man!"

Komaan, somer . . . tyd vir tuinkrieket!

TOAST COETZER

"*Six!*" skree my broer.

"Issie! *Six and out!*" roep ek terug. Wimpie hardloop verby my na die stokou amandelboom wat skuins regs – halfweg op ons krieketveld – staan. Met sy kolf omhoog beduie hy na 'n tak.

"Die bal het aan dié blaar geraak! *Check*, dit roer nog!"

"Issie man! Dis die wind! *Six and out!*"

Só het ons baie gestry toe ons kinders was. Ek en Wimpie het op die plaas grootgeword, waar Desembervakansies soos 'n eindelose oseaan van tyd voor ons uitgestrek gelê het. Net Kersfees, Creme Soda-*floats* en 'n paar honderd krieketwedstryde was daar om ons te vermaak voor die skoolklok ons weer in Januarie terug dorp toe gedwing het.

Die probleem met ons wedstryde was die tekort aan veldwerkers. Die dorpskinders kon ander kinders in die straat gaan werf, maar op die plaas was dit net ek en Wimpie. My suster het wel later begin saamspeel toe haar ledemate in lengte verdubbel en haar netballyf ewe goed vir snelboul begin werk het. (Sy was op haar dag nogal 'n Allan Donald, maar ongelukkig het sy ook verder en verder oor die lyn begin trap namate haar humeur opgevlam het, totdat sy later van so drie meter ver af vir jou geboul het. Vreesaanjaend.)

Voor sy begin saamspeel het, moes ons maar improviseer. Ons het tuinstoele omgedop en as veldwerkers gebruik. Party boomstamme kon jou uitvang. Agter ons paaltjies ('n moerbeiboom) het my pa 'n stuk skadunet gespan wat as Dave Richardson én twee glipveldwerkers diens gedoen het.

Die net het ook die venster daaragter beskerm. Ons kolfblad was vroeër anders uitgelê, maar hier ná die derde stukkende ruit het druk van die Internasionale Krieketraad (my pa) ons gedwing om die kolfblad te verskuif sodat ons nou altyd weg van die huis af geslaan het, tuin se kant toe.

En wat 'n tuin is dit nie! Die sipresse is ouer as 'n eeu, die klipterrasse seker vyftig jaar oud en plek-plek is knoetse irisse wat jy met 'n blaasvlam daar sal moet lossny as jy hulle wil uitplant.

As jy met Google Earth op die tuin sou neerkyk, dan het die grasperk van bo af soos 'n onderstebo kaart van die Verenigde State gelyk, met die kolwer wat by Minneapolis voor die paaltjies gestaan het, die bouler wat van Kansas City af geboul het (met sy aanloop wat in New Orleans begin as hy snelballe boul). In Florida, doer links van die kolwer, staan twee ou sipresse.

Die hele ooskus was verbode terrein, want onder die terras daar was 'n boskaas waarin ons baie balle verloor het – amper soos klein Cessnas wat in die Bermuda-driehoek verdwyn. Ek en my broer het dus nooit geleer hoe om haak- of trekhoue te speel nie. Ons was noodgedwonge wegkant-spesialiste: lekker dryfhoue deur die dekveld, links en regs verby die brommerbos.

Iemand moet 'n bietjie gaan kyk waar van ons Protea-kolwers as kinders krieket gespeel het. Ek is seker Kepler Wessels het nooit geleer hoe om te "tonk" nie omdat hulle bure se vensters net mooi in daai rigting was. Die jong Kepler het waarskynlik vier uit ses balle na die paaltjiewagter deurgelaat en net nou en dan grondlangs 'n enkellopie geslaan.

Maar Adrian Kuiper . . . hy het beslis op die appelplaas leer krieket speel. Sy grense het nie bestaan nie. Hy kon slaan waar hy wou.

Op ons krieketveld het Mexiko begin waar die grasperk opgehou het. Grondlangs tot teen die grens was vier lopies. Om 'n ses te slaan moes jy die bal luglangs tussen die bome deur slaan tot diep in Mexiko. Maar as jy die bal 'n bietjie verder geslaan het – tot min of meer in Honduras of Nicaragua – sonder dat die bal 'n enkele blaar geraak het op pad soontoe – dan was dit 'n *six and out*.

Dis juis dit waaroor ek en Wimpie staan en stry het.

Tuinkrieket het hoogs gespesialiseerde reëls wat uniek is tot elke grasperk, maar daar was een universele reël – dit maak nie saak in watter provinsie of tuin jy leer krieket speel het nie: Jy kon die kolwer *one hand one bounce* uitvang.

Die Duckworth-Lewis-formule, Powerplays en Twenty20 se paselahou ná 'n foutbal kon maar gaan slaap teen die kompleksiteit van ons reëls vir tuinkrieket.

So byvoorbeeld kon jy op ons grasperk 'n twintig slaan. Ja, dié rare grenshou is aangeteken wanneer jy die bal per ongeluk (hoewel jy altyd gemaak het asof jy dit bedoel het) deur my suster se netbalring, effens skeef gemonteer teen die amandelboom, geslaan het.

As jy 'n hond raakgeslaan het, was daar egter geen beloning nie. Ons eskader worshonde het gewoonlik dadelik hulle sonbaaiery op die agterste grasperk gaan voortsit sodra ons die kolf uitgehaal het. Maar nou en dan het 'n ondeurdagte kaphou wel 'n hond geraps en dan het jy lopies verloor (dis moeiliker om 'n hond raak te slaan as wat jy dink – veral 'n kleinerige een).

Vangwerk was ook ingewikkeld. Buiten die *one hand one bounce*, kon jy ook iemand uitvang met een hand nadat die bal se vlug deur 'n boom of ander hindernis belemmer is. Dus: Direk uit die boom uit kon jy dit met een hand vang voor dit grond vat. Uit!

Soms, te midde van 'n besonder gelykop stryd, kon jy redeneer dat jy die kolwer kan uitvang nadat hy die bal direk in die visdam in geslaan het – mits jy dit met *een hand* uithaal, want, tegnies gesproke het dit nog nie die *grond* geraak nie.

Daar was geen derde skeidsregter na wie ons sulke omstrede beslissings kon verwys nie. Geen kykweer in stadige aksie nie, g'n Rudi Koertzen met 'n stadige vinger om 'n oordeel te vel nie. Ons moes maar stry. En stry. En omdat Wimpie ouer was, het hy gewoonlik dié argumente gewen.

Ons het gewoonlik met 'n tennisbal gespeel. Hulle was volopper as die rooi minikrieketballe, wat te waardevol was om af te staan aan daardie boskaas aan die bykant of die digte spons van die sipresbome (volgens oorlewering het 'n paar Kaapse rebelle honderd jaar gelede in die sipresbome weggekruip toe die Engelse hulle kom soek het – daar's dalk vandag nog 'n rebel daar iewers in die langboom*).

Met 'n tennisbal kon 'n mens ook makliker peuter. Die ouer, haarlose balle was die beste, want hulle het vinniger deur die lug getrek. My vriend Jaco en sy ouer broer, wat later 'n paar seisoene vir die OP en Grens gespeel het, was meesters van dié kuns.

Op hulle plaas het hulle stoepkrieket – 'n meer presiese spel – gespeel. Jy't met 'n paaltjie of dun kolf gekolf om jou *ball sense* te verbeter. Boonop het hulle die tennisballe liederlike nate gegee deur *insulation*

---

* Om die waarheid te sê bly daar deesdae 'n muskeljaatkat.

tape daarom te draai. Soms is die een helfte in gom gedoop om dit swaarder te maak en *reverse swing* aan te help. Woes!

Ons het wel soms die bal met water ingespuit, maar dis so ver as wat ons gegaan het. Op ons grasperk en met ons toestande was 'n kaal tennisbal perfek.

"Nou maar goed dan," gee ek uiteindelik toe. Wimpie stap tevrede terug na die koelte van die moerbeiboom terwyl ek Mexiko toe drentel om die bal te gaan soek.

Balsoek kon maklik 'n halfuur neem. Dit was soms ook 'n vertragingstegniek as jy aan die verloorkant was, maar ons het 'n hele kissie vol plaasvervangerballe gehad, dus het dit nie eintlik gehelp nie.

Dit was egter maklik om regtig 'n bal in die tuin te verloor. Nuwe balle, nog goudgeel, het uitgestaan, maar die oueres, wat al bruin begin word het, was só gekamoefleer dat my ma tot so 'n paar jaar gelede steeds elke nou en dan 'n bal opgespoor het wanneer sy tuin skoongemaak het (soms was dit moeilik om seker te wees of dit 'n tennisbal was of net 'n Paaseier wat in 1982 baie goed weggesteek is).

Maar ek kry die bal sommer vinnig. Dit het van die wit *moongate* agter in die tuin af teruggebons en lê nou tussen die broodboom en die visdam. En dit is nie sommer enige visdam nie. G'n kristalhelder water met koivisse in nie. Dit was 'n habitat vir paddavisse en slange en platannas en sewe spesies vinnige japies (daai goggas wat op die water hardloop).

Dis tyd vir 'n Wasim Akram-oomblik van kwaadwilligheid. Met my voet rol ek die bal tot in die modderige, slymerige dammetjie. My broer staan nog leedvermakerig onder die moerbeiboom.

Wanneer die bal lekker vol paddaslyk is, versteek ek dit in my bakhand agter my rug, à la Fanie de Villiers wat sy inswaaier wegsteek vir Steve Waugh se skrefiesoë.

Ek hardloop verwoed in, maar boul dan 'n stadige aflewering, vol en maklik om te slaan. Wimpie leun vorentoe en moker die bal deur die dekveld, maar die trefslag laat die modderwater en paddaslyk oor sy gesig spat.

Komaan, somer!

Ek leef, daarom braai ek

DANA SNYMAN

Noem my maar die Os du Randt van vleisbraai: Ek het jare braai-
ervaring, maar ek's nie 'n flambojante braaier nie. Ek probeer maar
my oë op die rooster hou en die basiese braaidinge reg doen.

Ek is ook nie vitterig nie. Ek verkies wel hout bo houtskool, maar
solank daar net op die ou end kole is, is die saak reg. Ná al die jare
kan ek steeds nie besluit waar staan ek in die Groot Braaidebat nie:
of jy jou vleis voor, tydens, of ná die braaiery moet sout nie. Ek strooi
maar my soutjies hier in die middel van die verrigtinge rond.

Ek het ook nie 'n ingewikkelde braaikontrepsie nie. Myne staan
doodgewoon op vier pootjies, met plek vir 'n plat rooster. Ek het hom
sommer by Shoprite gekoop.

Trouens, ek sien jy kan deesdae selfs braaitoerusting by 'n vulstasie
koop. En, ja, miskien sê dit als van Suid-Afrikaners se braai-obsessie,
dat braaigoed dag en nag te koop is, saam met ander noodsaaklikhede
soos motorbatterye, bande, hoofpynpille, babakos en kondome.

As jou braaier laat op 'n Saterdagaand inkonk ná 'n onverwagte
Springbok-sege of op 'n Sondagmiddag tydens die vieringe ná 'n doop-
plegtigheid, kan jy vinnig afjaag na die vulstasie vir 'n nuwe een.

Ons het deesdae selfs 'n Nasionale Braaidag: 24 September. Hoe-
wel, in die buurt in Pretoria waar ek woon, is dit oënskynlik byna elke
dag nasionale braaidag. Bloot op grond van die vleisreuk wat ná ses
saans in die lug hang, kan ek min of meer vir jou sê watter dag van die
week of maand dit in Pretoria is.

Op 'n Saterdagaand, ná 'n Blou Bul-oorwinning (of selfs naelskraap-
se nederlaag), hang die braaivleisgeur uiteraard die swaarste. So ook
op die aand van die 15de dag van elke maand. Kyk, dit maak nie saak
op watter dag van die week die 15de in Pretoria val nie, daardie aand
hang die braaiwolke dik, want dis die dag waarop die staatsampte-
nare salaris kry.

Vleisbraai is eintlik veronderstel om die heel eenvoudigste manier
van kosmaak te wees. Jy maak 'n vuur, bring vleis, sit dit op die rooster,

en braai dit – maklik en eenvoudig, nes ons oeroupas dit al honderd-duisende jare gelede gedoen het.

Tog werk dit nie in die praktyk so nie. Ek het nou die dag in 'n boekwinkel vyf verskillende braaiboeke getel. Jy kry selfs 'n gids vir die beginner-braaier.

En kyk maar hoeveel breinkrag en arbeidsure word ingespan met die ontwerp en bou van braaiplekke en -kontrepsies. Dit word gewoon-lik met groter sorg aangepak as die argitektuur van die huis self.

My vriend Steyntjie, byvoorbeeld, het *vyf* braaiers. Regtig. Om die waarheid te sê, Steyntjie se vyf braaiers kan ook dien as illustrasie van die evolusie van die Suid-Afrikaanse braaikontrepsie.

Eerstens het hy daardie ou staatmaker: die middeldeurgesnyde 44 gelling-petroldrom op lendelam bene met vier klein wielietjies – die eerste mobiele braaiding in die land en die braaiwêreld se ekwivalent van die Model T Ford.

Dan, naas die geboude braaiplek op sy stoep, het Steyntjie – nes talle ander mense – op 'n kol ook 'n kruiwa in 'n braaier laat ombou. En natuurlik het hy ook 'n ploegskaarbraaier, wat deesdae onder die seringboom langs sy motorhuis staan en roes.

Dan is daar Steyntjie se trots en sy huidige gunsteling: die braaier wat hy ontwerp en by 'n ingenieursonderneming laat maak het. Dit is 'n indrukwekkende struktuur wat lyk na iets tussen 'n miniatuur-galg en -mallemeule; 'n tegnologiese prestasie op byna dieselfde vlak as die Van Stadensbrug. Jy druk 'n hefboom na onder, dan begin knars allerhande katrolle wat Steyntjie se rooster omdraai.

Dis iets wat my nogal interesseer, want hoe moeilik kan dit werklik wees om 'n rooster met vleis om te draai? Tog is daar ouens wat pal op soek is na nuwe maniere en tegnologie om dit makliker dit doen, amper asof dit 'n probleem is gelyk aan die soeke na 'n teenmiddel vir verkoue.

Dit is omdat vleisbraai, só lyk dit my, vir party mense gaan oor veel meer as, wel, die blote braai van vleis. Dit is 'n ritueel waarmee party mense hulle vindingrykheid en oorheersing oor die natuur vier. En elkeen doen dit op sy eie manier.

Ouens soos Steyntjie is die Osama bin Ladens van vleisbraai. Hulle is gedrewe, amper obsessiewe braaiers wat hulle eie toerusting prak-seer en hulle eie speserye meng. En in hemelsnaam, moet onder geen omstandighede probeer om hulle tot ander insigte te bring deur vir hulle enige braairaad te gee nie.

Dis mos maar wat ons almal doen wanneer ons om die vleisbraai-vuur vergader. "Die vleis lyk vir my reg," sal een skugter sê en begin uitwei oor wanneer hy vleis as gaar beskou. Dan sal 'n ander een sê: "Hulle kan nog so 'n bietjie gaan."

En dan, terwyl hy midde-in 'n rookwolk met die rooster stoei, sal 'n ou soos Steyntjie ferm sê: "Moenie op my hand praat nie, oukei."

Ons almal het al 'n Steyntjie in aksie gesien. Hy beheer die ruimte rondom die braaier soos Muhammed Ali in sy fleur 'n bokskryt beheer het.

Tussendeur gee hy braailesse en vertel hy jou presies wat jy kan sien hy doen. "Ek braai net met hardekool," sal hy sê, terwyl hy 'n stomp op die vuur gooi. Of: "Jy moet jou hand net sewe sekondes bokant die kole kan hou, dan is hy reg om te braai."

Dit is ook deel van die Groot Braaidebat: Wanneer presies is die kole warm of koud genoeg vir die braaiery om te begin? Op Alldays in die Bosveld, weer, het ek 'n ou gesien wat letterlik sy arm se plat kant tot teen die kole bring. Te oordeel na die manier waarop sy armhare skroei, besluit hy dan of hy kan begin braai of nie.

Ouens soos Steyntjie glo ook onwrikbaar aan 'n bepaalde slaghuis se steak, tjops of wors. Hulle koop ook dikwels nie al hulle vleis by die-selfde slaghuis nie. Steyntjie glo sy wors moet van daardie bekende een op Grabouw af kom. Almal moet knaend vir hom wors van Grabouw aanpiekel Pretoria toe.

Ek is seker as ek môre vir Steyntjie sê ek gaan vir 'n ruk Kazakstan toe, sal hy eerste vra: "Jong, kan jy nie dalk vir my wors van Grabouw af saambring nie?"

En hoeveel keer het Steyntjie nie nou al sy braaitang, so 'n lang be-dryf met 'n driehoekige punt, vir my gewys en gevra nie: "Weet jy wie't hierie tang ontwerp?"

En nog voor ek kan antwoord, sal hy in 'n effens vertroulike stem-toon sê: "Die ingenieur wat die Rooivalk-helikopter help ontwerp het."

Dié ou het volgens Steyntjie glo 'n Krygkor-pakket gekry en het 'n miljoenêr geword uit daardie tange.

Vir my moet minstens drie dinge geld voor ek vleis sal braai. Een: Daar moet darem 'n okkasie wees. Iets soos 'n WP-oorwinning of 'n viering van 'n verjaardag (as dit net van die WP afhang, sal ek maar min braai). Twee: Daar moet gaste wees. En drie: Daar moet ordentlike vleis wees.

Maar dis nie alle vleisbraaiers se benadering nie. Party braai nie omdat hulle wíl braai nie, dit is asof hulle om een of ander sielkundige rede móét braai.

Noem hulle sommer die *all weather*-braaiers. Jy sien hulle onder peperbome by stilhouplekke langs die pad, op die dak van woonstelgeboue, op die parkeerterrein van fabrieke, en langs Opel Astras met oop kattebakke agter in polisiekantore se erwe. Dit kan sneeu, reën, of wat ook al, hulle braai, onder sambrele of met 'n reënjas oor die kop.

Ek leef, daarom braai ek, is hulle filosofie.

My buurman is so 'n obsessief-kompulsiewe braaier. Ek het al gesien hoe staan hy stoksielalleen op 'n stormagtige middag en braai drie karige kafee-tjoppies met 'n duikbril op om sy oë teen die dwarrelende rook te beskerm terwyl 'n Worsie Visser-CD speel.

My buurman is boonop 'n Sondagaandbraaier. Hulle is anders as die res. Terwyl hulle braai, dink hulle diep na oor hulle sondes van die naweek en die moontlike nuwes vir die week wat voorlê.

My vriend Fanie van Yeoville is een van hulle. Hy stuur soms vir my 'n SMS terwyl hy braai. "Ek is bekommerd," het 'n onlangse een gelui. "Ek het gisteraand in my dronkenskap 'n skoot met my handwapen afgevuur."

Ja nee, so kan 'n mens al die verskillende vleisbraaiers en hulle gewoontes beskryf.

Een ding interesseer my. Hoekom neem so baie mense wat vleis braai nooit 'n skottel of 'n bak saam na die braaiplek toe nie? Hier, net wanneer die vleis gaar is, begin hulle gewoonlik roep: "Seun, gaan sê vir jou ma die vleis is gaar! Sy moet 'n bak stuur."

En dan, 'n rukkie later: "Toe, bring nou die bak! Die vleis brand!"

Deesdae is daar ook 'n nuwe braaispesie: die mense wat hulle vleis of sampioene of eiervrugte op 'n Weber braai (of braai 'n mens *in* 'n Weber?).

Hulle is die Nataniëls van die braaiwêreld. Party gooi selfs kruietakkies in die kole om die vleis glo meer geur te gee. Dalk werk dit, ek weet nie.

Ek is doodtevrede om die Os du Randt van vleisbraai te wees.

Ek's 'n seilman!

BUN BOOYENS

Ek is nogal lief daarvoor om met mense te redekawel, maar het gelukkig lank gelede al geleer dat daar 'n paar debatte is waarby jy nooit betrokke raak nie: Chev vs. Ford, WP vs. Noord-Transvaal, honde vs. katte, Nat vs. Sap (selfs nou, nadat albei partye ontbind het, kan 'n ondeurdagte opmerking jou 'n erfporsie kos), Beatles vs. Rolling Stones, Senna vs. Schumacher, die Skim vs. Walter die Wonderman, Gerrie vs. Kallie . . .

Jy kan nie wen nie. Bly eerder stil.

Destyds op hoërskool het ek ook eerder stilgebly wanneer daar pouses gestry is oor een van die grootste kwelvrae van die jare sewentig: Watter een van die twee Abba-meisies sou die "warmste" wees: Die donkerkop of die blonde een? Dit was prikkelend om bloot te sit en luister na al twee kante van dié redenasie.

Maar daar is een debat waarvan ek nooit wegskram nie: Seil vs. nylon. Dis nou in die groot tentdebat.

Ek is 'n seilman en skroom nie om dit in enige geselskap hardop te sê nie. Nylon is . . . Wel, dit staan teenoor seil soos Patricia Lewis teenoor Mimi Coertse, of Herbie en Spence teenoor Simon and Garfunkel.

Hoekom? Wel, dis hier waar die ding my effens onkant betrap, want terwyl ek nou hier sit en my redenasie agtermekaar kry, onthou ek eensklaps veel meer slegte seiltent-ervarings as goeies.

'n Seiltent in reënweer, om maar een te noem. Kyk, dit maak nie saak wat die vervaardiger van 'n tent sê nie: Seil is nie waterdig nie. Nie vir 'n hele naweek nie.

Dit is altyd 'n senutergende ervaring om deur reën vasgekeer te word in 'n seiltent. Jy lê nog so rustig in jou slaapsak en dan, gewoonlik in die middel van die nag, word jy wakker.

Tippe-tippe-tippe.

Die onmiskenbare klank van waterdruppels wat op die seil val. Skielik is jy nie meer met vakansie nie. Jy is beleër.

Jy lê stil, want jy weet as jy aan die binnekant van die seil raak, gaan dit op daardie plek begin lek. Jy wonder waar gaan die water eerste inkom: Bo by die nate, daar waar die seil reeds so 'n effense donker kleur begin kry? Of onderdeur die kantseil?

Ek wil nie oordryf nie, maar 'n reënbui in 'n seiltent herinner my altyd aan daardie Tweede Wêreldoorlogflieks wat ons op laerskool gaan kyk het van die ouens wat iewers in 'n duikboot vasgekeer is.

Julle ken die toneel: Die Duitse bevelvoerder, gewoonlik 'n ou met oë wat nogal na Joost van der Westhuizen s'n lyk, staan gespanne langs die periskoop terwyl fyn druppeljies sweet op sy voorkop pêrel. Hy fynkam die binnekant van die romp met daardie staalgrys oë . . . Dan skielik *pop* daar 'n *rivet*, 'n piepiestraaltjie water spuit die duikboot binne, mense gil "Himmel!" of "Schnell!" en binne 'n oogwink bars alle hel los. Dis net skuim en swastikas waar jy kyk.

Dís hoe ek 'n reënbui in 'n swak seiltent ervaar. Ek dink nie kampeerders in 'n nylontent gaan deur dieselfde geestelike foltering nie.

Dan is daar natuurlik 'n ander onaangename seiltent-ervaring wat ek nie uit my gestel kan kry nie: Daardie helse gesukkel van destyds om 'n *army*-tent opgeslaan te kry.

Kyk, ek het tydens diensplig al gesê die hele jaar lange proses van offisierskeuring is eintlik 'n mors van tyd; jy kan die kaf van die koring skei deur bloot die troepe 'n tent te laat opslaan.

Vir dié wat dit nie weet nie, 'n 16 x 16 *army*-tent (hulle gebruik dit vandag nog, sien ek) is 'n onhebbelik lastige ding om staan te maak. Dis asof dit ontwerp is om mense in 'n bui vir oorlogmaak te kry.

Ek sweer hulle het daai tente doelbewus te veel onderdele gegee om die opslanery moeiliker te maak. Daar's 'n swaar dakseil, 'n lang middelpaal (in twee dele), twee lang kantseile, twaalf korterige kant- pale, 'n klomp ankerkabels en -kettings wat áltyd in 'n kraaines gekoek is, en 'n hoop lang, geboë tentpenne van metaal wat lyk of 'n reus 'n paar haakspelde probeer buig het en toe skielik belangstelling ver- loor het.

Dit was asof die tent se afmetings forensies gekies is om die opsla- ners hulle humeur te laat verloor, want 'n *army*-tent se 16 voet by 16 voet is net mooi groot genoeg dat die vier ouens wat die hoekpale tydens die opslanery vashou, mekaar net-net nie kan hoor nie. Hulle moet op mekaar skree – nie 'n goeie vertrekpunt nie.

Boonop kan dié vier mekaar net-net nie sien nie, want die tentdak begin presies op skouerhoogte. Dus is daar geen oogkontak nie.

Dan is daar twee ouens (een sit gewoonlik op die ander se skouers) wat iewers onder daardie lomp dakseil spook met die tent se lang middelpaal. Dis bedompig en donker daar onder die seil, en al twee van hulle is reeds effens moeilik omdat dinge buite nie op dreef wil kom nie..

En dan, die strooi wat telkens die kameel se rug breek: Jou tent moet presies gelyk staan – aan die voor- én agterkant – met 'n stuk of tien ander tente.

Die resultaat? 'n Ramp in stadige aksie: 'n Gedempte geroep iewers van onder die dakseil; 'n gesukkel eenkant om kabels losgeknoop te kry; 'n subtiele heen-en-weer-trekkery aan die hoekpale om die half-opgeslaande tent gelyk met die ander tente te kry; dan die moeisame oplig en verskuiwing van die lang middelpaal om dinge weer haaks te kry (met die onderste helfte van die paal wat uitval as jy dit oplig); dan weer 'n oor-en-weer-gepluk, dié slag fermer . . .

En dan, van onder die dakseil kom die eerste aanduiding dat die oefening begin ontspoor: "Barnard, gee nou @$%^# skiet aan jou kant, of ek skop jou gat!"

Van die beste vuisgevegte – ek praat hier van Carltonliga-gehalte – wat ek nog gesien het, het losgebars tussen andersins vredeliewende en gelowige mense wat een van daardie olyfgroen *army*-tente probeer opslaan het.

Dis nie iets waarop voorstanders van seiltente trots is nie.

Terloops, as ek môre my werk verloor, koop ek doodeenvoudig vir my 'n *army*-tent en begin werk as een van daai spanbou-konsultante wat soveel geld uit groot maatskappye melk deur mense deur kole te laat hardloop en dan "Kumbaya" te laat sing.

Jy kan maklik 'n omvattende spanbou, dinkskrum, indaba of selfs Kamp Staaldraad rondom 'n enkele *army*-tent bou. Jy roep net die mense bymekaar, gooi 'n sak met 'n *army*-tent voor hulle neer en sê: "Raait, slaan hom op!"

Swak leiers sal ontmasker word, bedeesde rekenmeesters sal begin vuisslaan, kalm ontvangsdames sal hulle waardigheid verloor en ervare vloerbestuurders sal geestelik in duie stort.

Alles te danke aan die wonder van seil.

Maar as seil dan soveel probleme oplewer, waarin lê die bekoring?

Toe ek klein was, het ons 'n groot, geel-en-blou gesinstent gehad, een van daardie huistente uit die dae voor koepeltente. Ons gesin is deur die destydse Suidwes en Rhodesië in 'n Peugeot 404-stasiewa met daardie tent. Onvergeetlik.

Op skool het ek altyd op "uitnaweke" 'n paar koshuiskinders oorgenooi na ons huis en dan het ons – ek, Connie, Lootsie en Korsika – daardie tent in die agterplaas opgeslaan.

Vrydagaande laat het ons gelê en na Springbokradio se *Top 20* geluister om te hoor watter plaat David Gresham – "Nitty Gritty Gruesome Gresh" het hy homself genoem – om twaalfuur as die nommer 1 sou aankondig. ("Mammy Blue" was maande lank nr. 1, onthou ek.)

En daarná het ons lê en gesels oor wat ons sou maak as ons 'n miljoen rand wen, of drie wense kon wens, totdat ons een ná die ander aan die slaap geraak het. Wonderlike dae.

Op hoërskool het ek vir my 'n tweemantentjie gekoop, van seil natuurlik. Voëlvleidam, die Sederberge, Hermanus, Plet, Buffelsbaai, Victoriabaai, Windhoek, Swakopmund . . . Op hoeveel plekke het ek en 'n maat of twee in daardie tentjie geslaap terwyl ons Suid-Afrika verken het?

My grootste respek vir 'n seiltent het ek egter in Antarktika gekry. Ek was 'n jaar lank doer onder as lid van 'n navorsingspan. Eenkeer het sewe van ons met 'n Skidoo-sneeumobiel 'n paar honderd kilometer tot diep in die binneland gery. Saans het ons dan twee-twee in 'n ronde seiltent op daardie onmeetbare ysvlaktes gekamp.

Daardie ervaring sal ek nooit, ooit vergeet nie. Buite is dit *koud* – maklik minus 40 °C, met 'n stormwind wat dreun. (Die wind daar fluit nie soos in die flieks nie; dit klink soos 'n konvooi vragmotors.) En dan sit jy daar in jou tentjie met die wete dat daar geen ander mense – nie 'n enkele lewende siel – vir letterlik tienduisende vierkante kilometers om jou is nie.

Al wat keer dat daardie brutale, wit wêreld jou insluk, is 'n lagie oranje seil van skaars 'n millimeter dik. Trouens, jy sit knus daar in jou tent en lees John Steinbeck se *Grapes of Wrath* by 'n Colemanlampie, met 'n keteltjie wat eenkant op 'n primusstofie kook.

Net seil kan dit vermag.

Seil het een verdere eienskap wat hom in 'n klas van sy eie plaas. Slaan 'n tent op en haal diep asem: Niks op hierdie aarde ruik soos 'n seiltent nie ... Effens bedompig, effens muf, met so 'n sweem van 'n rokerige geurtjie, 'n huldeblyk aan dosyne puik braaivleisvure van weleer.

En dít is miskien die eintlike wonder van seil: Die vermoë van 'n doodgewone tent om te ruik na ál die plekke waar jy al gekampeer het; om jou te herinner aan al die wonderlike dinge wat jy beleef het (selfs al het jy soms natgereën); en om jou te laat dink aan al die goeie mense wat dit saam met jou beleef het.

Nylon kan dit nie doen nie. Daarom is en bly ek 'n seilman.

Die *mall* . . .
beter as die wildtuin!

DANA SNYMAN

Party mense dink as jy wil reis, moet jy na 'n ver plek toe piekel: Alaska of Egipte toe, na die Namib of Namakwaland of Bloemhofdam. Dis nie waar nie.

Een van my gunsteling-bestemmings is skaars 5 km van my huis af, en ek kom omtrent elke dag daar: die winkelsentrum. Die *mall* – my naaste *mall*.

My *mall* is nie veel anders as ander nie. Op die parkeerterrein is sonverbrande motorwagte in rooi baadjies; by die hoofingang is 'n Absa-bank met 'n verveelde veiligheidswag; in die Vodashop is die naam van die meisie met die neusring Tracy; en van iewers af weerklink Kenny G se stroperige saxofoon al van vroegoggend af.

Tog verkies ek my *mall* bo enige ander *mall*. Ek weet waar kry jy makliker parkeerplek en op watter vlak wat is. (Elke *mall*, só lyk dit my, is ontwerp om jou te verwar en so lank as moontlik binne te hou.)

Die meeste van ons het 'n *mall* in ons lewe.

Soms gaan ek soontoe, selfs al het ek nie werklik iets nodig nie. Ek gaan kyk miskien na CD's in Musica, staar maar weer so ongemerk na die donkerkopmeisie by die biltongstalletjie wat altyd besig is met 'n SMS, en gaan koop dan dalk 'n brood en 'n halwe liter melk by Pick 'n Pay.

Partykeer koop ek net 'n koerant by CNA en stap Wimpy toe, verby die man by die kunswinkel met die baie Portchie-skilderye. Dis altyd vir my vreemd as die kelner by die Wimpy vra: "Wil u binne sit, Meneer? Of buite?" Ek verkies om "buite" te sit, hoewel dit nie regtig buite is nie – die Wimpy is in die binneplein met 'n dak oor.

In my *mall* is dit altyd mooiweer.

Tafel 4 is my gunstelingplek in die Wimpy, want van daar af het jy die beste uitsig. Jy kan mooi sien wat in CNA, die skilderywinkel, Cash Converters én die tiekieboske langs dit gebeur.

Ek hou dikwels die mense in CNA dop, veral dié ouens wat hóé lank by die tydskrifrak staan en omkyk-omkyk deur tydskrifte soos

FHM, *Gay SA* of *Vogue* se "Lingerie Edition" blaai. Hulle is dikwels boeperig en laat my dink aan myself toe ek 14 jaar oud was en smiddae skelm in Taki se kafee op ons dorp na die meisies in die *Lag 'n Bietjie Daar* probeer loer het.

By die tiekiebokse – daar is twee, 'n groene en 'n bloue – is byna altyd 'n kelnerin van die Wimpy, die Mugg & Bean of die Spur besig om te bel: Sy het óf 'n tranerige gesprek met 'n *boyfriend* wat haar gelos het óf sy soebat iemand om haar te kom haal, want haar skof het vroeër of later geëindig as gewoonlik.

Ja, dis asof iets in 'n *mall* mense dieselfde dinge laat doen. Die bestuurder van die Spur – in énige *mall* – dra byvoorbeeld byna altyd 'n bos sleutels aan 'n silwerringetjie aan sy belt en die meisies by die haarboetiek het ringe aan hulle duime.

A, die meisies by die haarboetiek . . . Hulle ag dit skynbaar hulle plig om elke moontlike haarproduk of bleikmiddel op hulself te toets, dikwels met verdrietige gevolge. Kyk maar, hulle kapsels huiwer gedurig tussen twee of meer style en kleure.

Op die voorkop van die dames by die reisagentskap, weer, rus altyd 'n Gucci-donkerbril, asof hulle paraat moet wees om op kort kennisgewing Maledive toe te vlieg vir 'n belangrike toerisme-ekspo.

En agter die manstoilet se deur is daar altyd 'n boodskap van 'n ou wat buiten seksuele frustrasies ook 'n effense spelprobleem het.

Ek hou ook graag die mense in die kunswinkel langs die CNA dop in ons *mall*. Die bestuurder is 'n ouerige man. Dit lyk of hy lank gelede besluit het as jy iets met kuns te doen het, móét jy lyk soos daai Fransman in die Gauloise-advertensie wat met 'n swart baret op die kop iewers in Parys sit en prentjies teken.

'n Man en vrou sal by sy winkel instap en voor 'n Portchie-skildery vassteek – die een van die huisies wat lyk asof dit iewers in die suide van Frankryk of op Waenshuiskrans of in Pretoria se oostelike voorstede kan wees. In 'n helder lentejaar.

Die bestuurder met die baret sal nader kom en dan sal die vrou vir hom verduidelik presies watter kleur die meubels, gordyne en mat is waarby die Portchie-skildery moet pas. Kort daarna sal die man belangstelling verloor in die transaksie, omdraai en na sy weerkaatsing in die winkel se venster staar, effens verveeld.

Ek kan met taamlike sekerheid sê: In die *mall* regeer die vrou. By die meeste banke en winkels in ons *mall* is die bestuurder 'n vrou. Die helpers agter die toonbank is vroue, die kelnerinne is vroue, van die veiligheidswagte is vroue, selfs in die manshaarkapper knip 'n vrou jou hare.

Gewoonlik loop die vrou in 'n *mall* ook 'n tree of wat voor die man, let maar op, want vroue het meer *mall*-stamina. Ná sowat 35 minute in 'n winkelsentrum begin selfs geharde manne uitsak.

Kyk maar: Jy sien byna nooit 'n vrou op die houtbanke in die loopgange tussen die winkels sit nie. Daar sit meestal mans, partykeer met die ken op die bors, omring deur pakkies vol goed.

Op 'n Saterdagoggend raak niemand sommer verveeld in ons *mall* nie – selfs nie die mans nie. Want op Saterdagoggende is daar 'n *event* in die binneplein: 'n modeparade, kookdemonstrasie of talentwedstryd.

So 'n ruk terug bondel daar die Saterdagoggend maklik duisend mense saam. Party hou hulle selfoon bo die kop en neem foto's. Ander het boekies en velle papier in die hand. Ek stap nader. "Wat gaan hier aan?" vra ek vir 'n meisie, wat op haar tone staan om beter te sien. "Hier's 'n *celebrity*!" antwoord sy.

"Wie?" vra ek. "Wie's dit?"

"Ek weet nie, Oom. Maar sy was derde in *Idols*. Sy's soos in *amazing*!"

'n Ander Saterdagoggend, weer, toe ek in die *mall* kom, is daar 'n aanslag op 'n wêreldrekord aan die gang: Die rekord vir die meeste mense wat op een slag drie minute lank soen. Oral staan paartjies rond en op 'n verhoog is 'n beroemde platejoggie wie se naam niemand ook kan onthou nie – in 'n moulose hempie en 'n spieëlbril.

Daar is dikwels sulke rekordpogings in die binneplein ten bate van liefdadigheid.

Net toe ek wil omdraai, toe is daar 'n swaar hand op my skouer. Ek swaai om en kyk vas in 'n taamlike, wel, borstige tante. "Oukie doukie," sê sy, "gaan ek en jy 'n bietjie soen, *sweetie*?"

Ek iets gemompel van 'n afspraak en gemaak dat ek wegkom.

'n Jaar of wat gelede het ek nog graag die kookdemonstrasies in die binneplein bygewoon, maar ek doen dit nie meer nie, want byna al die kokke probeer deesdae soos popsterre lyk, en – dít skrik my die meeste af – hulle sê almal neerhalende dinge oor Aromat. Miskien is ek nie 'n wafferse kok nie, maar Aromat het my nog nooit in die steek gelaat nie.

Ek kyk wel graag na die modeparades en talentwedstryde in die binneplein daar van die Wimpy se kant af. Tog, deesdae is dit min of meer dieselfde ding: Die "modelle" wat aan die modeparade deelneem, sien jy ook by die talentwedstryd, net met 'n mikorofoon in die hand, besig om die liedjie "Blou" te pynig. "Blou, blou, aa-les is bloo-ou-ouuu . . ."

Maar ek kyk nie juis na die singende modelle nie. Ek hou eerder party van hulle ouers dop: Sy is iets in die veertig, haar jean sit 'n raps te styf, haar toppie se kraag is 'n aks te laag, haar grimering 'n lagie te dik, haar hare het 'n kartel of twintig te veel, en haar stem is 'n paar desibel te skril.

Dit is die singende model se ma.

Die pa, weer, is 'n somber man in 'n laslappie-leerbaadjie wat dikwels 'n entjie van my af in die Wimpy sit en lyk of hy heimlik wens daar was 'n knertsie brandewyn in sy Coke.

Maar moenie mislei word deur wat jy in 'n *mall* sien nie. Alles lyk so goedig en gelukkig: Dis altyd mooiweer; daar's nie bedelaars nie; die vloere is skoon; niemand skree nie; niemand huil nie (behalwe die Spur-kelnerin by die tiekieboks); en, ai, kyk net hoe gelukkig lyk daardie gesinnetjie wat vyf breed voor CNA verbygedrentel kom, in eenderse sandale.

In ons *mall* was nog nie eens 'n rooftog nie.

Daar is wel 'n Cash Crusaders. Ek het al 'n man en vrou gesien wat 'n visdam by Cash Crusaders probeer verkwansel. Dit was een van daardie veselglasnommers: Jy grawe net 'n gat in jou tuin en sit dit dan daarin.

Maar die mense by Cash Crusaders wou dit blykbaar nie hê nie, want ná 'n ruk het die twee weer by die deur uitgekom. Die man het steeds die visdam gedra en sy een skoen se sool het onder hom geflap-flap. Die vrou se kombersbaadjie het te styf gesit.

En toe hulle naby my verbystap, hoor ek hy sê vir haar: "Onthou net, ou *girl*, 'n Swanepoel gaan lê nooit nie."

Daarom sê ek: Moenie sleg voel as jy nie vanjaar by Zanzibar uitkom nie. 'n Mens kan sommer net na jou naaste *mall* toe reis en iets van die lewe ervaar.

Ek wil eendag 'n boorman wees . . .

DANA SNYMAN

Toe ek so ses, sewe jaar oud was, wou ek nie soos ander seuns eendag 'n dokter, veearts of polisieman wees nie. Ek wou 'n boorman word.

Ek wou my eie boormasjien hê en boorgate sink. Op soek na water.

In die Noord-Kaap, waar ek grootgeword het, was knaend droogtes; en kinders het mos maar soms sulke edel drome en begeertes voor hulle hul onskuld verloor.

Ek onthou baie dinge van daardie droogtes: Pa wat deur die groentetuin stap met die stoffies wat onder sy voete uitslaan, dan kom sê hy vir Ma: "Kyk, Bokkie, die pampoene vrek ook nou . . ."

Of oom Gert wat kom vertel van die 18 dorperooie van hom wat in die veld bly lê het. Agtien bondels vel en been. En hoe hy hulle met sy Joseph Rodgers-knipmes van die dors moes verlos.

Ek onthou bankrotveilings en biddae vir reën waartydens ekstra stoele die kerk ingedra moes word – biddae wat selfs deur oom Riempies, die hotel se kroegman, bygewoon is.

Ook vir oom Doepie, die boorman, onthou ek. In droë tye was oom Doepie in ons wêreld die draer van hoop. En miskien is dit ook oor oom Doepie dat ek 'n boorman wou word, want die oubaas was vol stories, veral oor die plekke waar hy al boorgate gesink het – ver plekke, met name wat selfs 'n kind gelok het: Prieska, Sterkaar, Uitkyk . . .

Oom Doepie het ook maar lekker met stories gesmokkel, weet ek nou. Hy het my selfs vertel hoe 'n span van honderd kamele sy ou Thames Trader-lorrie en boormasjien een slag uit die sand gesleep het toe hy in Egipte gaan boor het, in die Saharawoestyn.

Oom Doepie het sy boormasjien – 'n nerfaf, rooi affêre op vier swaar wiele – oral met daardie Thames getrek, met sy vaal brak, Jasper, op die sitplek langs hom. En agterop die Thames het Jakkals, oom Doepie se dowe helper, in sy verslete oorpak gesit.

As ek aan oom Doepie dink, dink ek aan 'n spul afgeleefde goed. Die ou boormasjien, die Thames-lorrie met ou Jakkals en 'n klomp ou gereedskap agterop. Deurgeslyte grawe, 'n pik met 'n selfgekerfde steel, 'n effens geboë koevoet, geroeste stukke ketting en 'n dopemmer sonder 'n handvatsel.

Oom Doepie, wat toe seker so 60 was, het self so 'n deurwinterde gesig gehad, vol lyne en plooie. Of miskien moet 'n mens praat van 'n deur*somerde* gesig, want dis die Noord-Kaapse somers en droogtes wat hom so verniel het.

Die vel op oom Doepie se arms was plek-plek stukkend en rou, asof die son besig was om die bloed bietjies-bietjies uit hom uit te trek. Maar as jy hom gevra het hoe dit gaan, het hy altyd geantwoord: "Uithou, aanhou, kophou en bekhou, dankie."

Ek weet nie of oom Doepie 'n huis gehad het nie. Hy het nooit van 'n vrou gepraat nie, ook nie van enige familie nie. Daar waar oom Doepie geboor het, het hy 'n stowwerige tent opgeslaan. Dit was sy huis.

Die keer toe Pa hom gekry het om 'n nuwe boorgat by ons op die dorp te kom sink, het Ma oom Doepie saans genooi om in ons spaarkamer te slaap, maar die ou het elke keer 'n flouerige verskoning gehad. Hy wou eerder by sy boormasjien wees.

'n Boordery was in ons wêreld nie 'n private saak nie, veral nie op ons dorp nie.

Ons dorp het nie munisipale watertoevoer gehad nie. Op byna elke erf, ook op ons s'n, was 'n boorgat, dikwels met 'n windpomp daarby. Ons pomp is egter aangedryf deur 'n Wolseley-enjin – hy't die water gestoot tot in 'n asbestenk op 'n hoë stellasie agter in ons erf.

Eintlik kan 'n mens daardie tamaai erf van ons nie 'n erf noem nie, dit was eerder iets soos 'n klein-kleinhoewe, met 'n kweperlaning en ander vrugtebome . . . appelkoos, perske, vy, lemoen, nartjie en suurlemoen. En dan was daar die groente. Wortels, aartappels, pampoen. 'n Hele spens.

Tot die droë jare aangebreek het en Pa een oggend die kombuis se sifdeur oopkraak en vir Ma sê: "Bokkie, ons gat pomp leeg."

Dis hoe 'n droogte opdaag. Jy sal die Wolseley op 'n oggend poefpoef-poef met die slinger aan die brand draai, 'n skaam straaltjie water sal by die asbestenk begin inloop, en dan, ná 'n rukkie, raak die straaltjie flouer en modderig. Dan hou dit op.

En as een boorgat op die dorp begin leeg pomp, was daar gou ander

233

droë gate in die omtrek ook. Dan het omtrent al die gesprekke oor water – of die gebrek daaraan – begin gaan.

Daarom het almal geweet as iewers geboor gaan word.

Die middag toe oom Doepie met sy trek by ons huis aankom, was daar gou 'n skaretjie dorpenaars om die situasie te kom bekyk. Selfs oom Niek Louw, die polisiekonstabel, was op die toneel, mét sy SAP-pet op.

Pa-hulle moes 'n deel van die agterste heining laat sak, want die Thames en die boormasjien was te wyd vir die hek. Die volgende probleem was om die boormasjien te kry op die presiese plek wat oom Andries aangewys het waar die nuwe gat geboor moet word.

Oom Andries was ons dorp se waterwyser. Oor hom en al sy maniertjies gaan ek nie nou gesels nie. Ek gaan net sê: Oom Andries het op 'n oggend, nadat Pa-hulle besluit het om te laat boor, met 'n mikstok uit sy Opel Manta voor ons huis geklim en op die werf begin rondstap, met die mikstok in sy hande oopgesprei.

Naby my duiwehok het die stok knaend in sy hande begin draai, totdat dit soos 'n pyl grond toe wys. "Hiér loop die aar," het oom Andries plegtig gesê en 'n groterige klip met sy voet soontoe gerol, want die klip was te warm gebak om met die hande op te tel.

By daardie klip het oom Doepie en Jakkals die boormasjien staangemaak en alles begin regkry vir die boordery.

Eers het oom Doepie-hulle die boormasjien se toring, of dit het soos 'n toring gelyk, regop getrek. (Ek ken nie die name van 'n boormasjien se onderdele en gedoentes nie.) In die toring was 'n kabel wat oor katrolle – *poelies* het ons dit genoem – geloop het, en vooraan die kabel was die boorpunt, so 'n swaar ysterding met 'n skerp punt.

Die volgende oggend het die boormasjien se enjin in 'n blou dieselwolk begin dreun en toe het die kabel daardie punt op en af laat beweeg, stamp-stamp, duim vir duim die aarde in, terwyl my duiwe uit hulle hok die wolklose lug in fladder en Pa vir Ma sê: "Ons sal water kry. As dit die Here se wil is."

Om 'n boormasjien op die werf te hê maak dikwels 'n desperate situasie nóg meer desperaat. Daardie aanhoudende gestamp en lawaai laat jou nie toe om vir 'n oomblik van die modderige straaltjie water in die krane en die dooie pampoenranke in die tuin te vergeet nie.

Ek onthou, smiddae ná skool kon ek nie gou genoeg by die huis kom nie. Ek is reguit na oom Doepie toe by die boormasjien.

"Hallo, Oom. Hoe gaan dit hier, Oom?"

"Aanhou, uithou, kophou en bekhou, ou maat."

"Het Oom-hulle al iets gekry?"

"Niks nie, ou maat. Niks."

Saans het Pa en Ma in gedempte stemme rondom die oefeningboek waarin hulle hulle geldsake neergeskryf het, by die kombuistafel sit en praat. Oom Doepie moes betaal word vir elke voet wat hy die aarde in geboor het, ongeag of daar water is of nie.

Soms, laatmiddag, wanneer oom Doepie-hulle klaar geboor het vir die dag, het ek daar by die boormasjien gaan rondhang. Die tent van ou Jakkals, oom Doepie se helper, het ook daar opgeslaan gestaan. Eenkant het 'n swartgebrande ketel op 'n vuurtjie gesing en op 'n riempiesstoeltjie het oom Doepie gesit, met sy stories: hoe hy in Egipte gaan boor het, ook hoe hy in sy jong dae kwansius in Siberië gewerk het. In 'n snuifmyn.

Jakkals het dikwels by ons gesit, met sy dowe ore. Hy en oom Doepie het oor die jare heen hulle eie vingertaal met mekaar leer praat.

Miskien is dit op 'n manier maar beter om doof te wees as jy dag ná dag in al daardie lawaai by die bek van 'n nuwe boorgat moet staan met jou hand om die kabel waaraan die boorpunt is, die een wat duim vir duim ál dieper die aarde in stamp. Dít was Jakkals se werk: Hy moes daar staan en seker maak hulle boor nie skeef nie.

Een of twee keer per dag het oom Doepie-hulle dan 'n metaalskepding in die gat laat afsak en 'n bietjie grond uit die gat gehaal en boontoe gehys.

Ná drie dae se boor het die grond wat boontoe gekom het, darem so 'n klammigheidjie gehad.

Die een goeie ding van 'n droogtestorie is dat dit op 'n manier altyd gelukkig eindig. Op die ou end kom die reën mos maar altyd weer, al was daar hoeveel beproewinge en al vat dit soms net langer.

Oom Doepie-hulle het ná ses, sewe dae se geboor ook 'n watertjie daar langs my duiwehok raakgeboor. Dit was nie veel nie, maar dit was genoeg om die asbestenk weer af en toe vol te maak.

Ek sal die blydskap nooit vergeet toe oom Doepie met die nuus kom nie: "Ons het die aar gekry." Pa en Ma het oor die werf gedraf,

Ma sommer met haar voorskoot aan, met ou Souf, wat in die kombuis gewerk het, agterna. Oom Andries het 'n ruk later in sy Opel daar stilgehou, want sulke nuus het op ons dorpie gou versprei.

Nóg mense het gekom. Oom Doepie het die boormasjien afgeskakel en almal het by die boorgat probeer inloer. En eenkant het oom Doepie alleen almal met 'n glimlaggie op die gesig staan en bekyk.

Net daar het ek besluit ek wil eendag 'n boorman word. Ek wil Siberië en Egipte sien. En Prieska en Sterkaar en Uitkyk. En ek wil vir mense water bring.

Ontmoet die skrywers

Die skrywers van die vyftig rubrieke in hierdie boek is nogal 'n uiteenlopende groepie mense. Party van hulle is al van die heel begin af by *Weg* en is amper soos familie; ander het hulle sommer self kom aanmeld en ken ek net via e-pos. Almal deel egter een ding: Elkeen het 'n storie om te vertel.

DANA SNYMAN

Dana was die eerste redaksielid wat ek by *Weg* aangestel het, en in vele opsigte het hy oor die afgelope vyf jaar die stem van *Weg* geword. Wat Riaan Cruywagen vir nuuslees op TV is, is Dana vir storievertel in *Weg*. Loshande die meeste rubrieke in hierdie bundel kom uit sy pen.

Sy sonderlinge skryftalent setel in twee persoonlikheidseienskappe: 'n bykans forensiese geheue vir detail en opregte nederigheid ("met veel om oor nederig te wees," sou hy waarskynlik byvoeg).

Dana se teks laat dit klink of hy maklik skryf, maar by hom is dit altyd 'n uitgerekte, moeisame en eensame proses. Hy sal my dit verskoon as ek dit sê, maar Dana benader sy skryfwerk soos 'n kat wat kleintjies kry: Dis 'n private aangeleentheid wat eenkant, buite sig aangepak word, met niemand buiten die kat self wat eintlik weet hoe dinge vorder nie.

En ja, Dana en 'n spertyd is nie boesemvriende nie, maar wanneer daardie rubriek uiteindelik by *Weg* opdaag, roer dit plekke binne jou waarvan jy al vergeet het.

Dana het joernalistiek gestudeer aan die Pretoriase Technikon. Hy werk tans as vryskutskrywer, gesetel op Jacobsbaai aan die Weskus. Sy jongste boek is *Op die agterpaaie* (Tafelberg), 'n bloemlesing van reisartikels uit *Weg*.

TOAST COETZER

Wanneer ek Toast se rubrieke lees, kry ek altyd die effens onrusbarende indruk dat hy in die ry sit en skryf – letterlik met die een hand op die stuurwiel en notaboek op sy skoot (en met 'n Kentucky Rounder ook iewers in die prentjie).

Gaan lees maar sy rubrieke in hierdie bundel. Dit voel asof Toast se woorde jou tref skaars 'n sekonde of twee nadat dit as beelde verby hom geflits het in 'n bewegende kar.

Toast is 'n besonder veelsydige joernalis. Hy is ewe goed met woorde en beelde (ek het hom ontmoet toe hy as fotograaf vakansiewerk by *Die Burger* gedoen het) en hy skryf ewe goed in Afrikaans en Engels. En as jy wil weet wat die jongste telling in die krieketwedstryd tussen die Rajastan Royals en die Delhi Daredevils is, vra vir Toast – hy ken sy krieket.

Toast het joernalistiek gestudeer aan die Rhodes-universiteit op Grahamstad en het in 2006 by *Weg* begin werk. Sy eerste reisboek, *Key to Cape Town* (Sunbird), saam met Samantha Reinders, het onlangs verskyn.

JACO KIRSTEN

Voel jy sterk oor iets? Jaco voel sterker. Is jy lus vir redeneer? Nooi vir Jaco oor; hy sal jou sake vir jou werk.

Jaco skryf blitsvinnig. As jy met hom gesels oor 'n moontlike rubriek, hy dit gewoonlik 'n paar uur later in. Sy styl is pront en ondubbelsinnig, maar altyd ingelig. Hy sê met koeëlvaste selfvertroue presies wat hy bedoel en steur hom nie aan politieke of enige ander korrektheid nie. Dit is bykans onmoontlik dat die leser hom misverstaan. (Trouens, al aspek van Jaco wat ek sukkel om te verstaan, is hoe hy dit regkry om op enige gegewe dag met 'n presies drie dae oue stoppelbaard rond te loop.)

'n Jaco-rubriek het twee gevolge: Iewers lag 'n hele klomp mense en iewers is een of twee kwaad. Net mooi die regte formule.

Jaco is 'n graduant van Potchefstroomse Universiteit en was onder meer artikelredakteur by *Weg*. Hy werk tans as 'n vryskutskrywer. Sy jongste boek, *Om na 'n wit plafon te staar* (Tafelberg), het vroeër vanjaar verskyn.

ALBERTUS VAN WYK

Albertus is *Weg* se assistentredakteur en het 'n besonder ondankbare taak: Hy doen al daardie lastige dinge waarby ek nie uitkom nie, wat 'n groot jammerte is, want hy is 'n puik skrywer. Hopelik kan hy vorentoe meer tyd vir homself skep om hand aan papier te slaan, want hy het 'n klomp goeie stories wat net wag om vertel te word.

Albertus het 'n joernalistiekgraad van die Universiteit Stellenbosch. (Hy is ook die eienaar van loshande die grootste tent in die *Weg*-redaksie. Sirkusbase kyk met verlangende oë daarna.)

ZIGI EKRON

Laat ek gou eers boekstaaf: Zigi se pa het op skool vir my Afrikaans en ook die hardste pak slae van my loopbaan gegee. (Lang storie . . . ek het okkerneutdoppe in sy lessenaarlaai gegooi en al sy skoolrapporte bevlek. Sedertdien het ek nog nie weer gewaag om my mond aan 'n okkerneut te sit nie.)

Zigi was 'n student toe ek klasgegee het by die Universiteit Stellenbosch se joernalistiekdepartement. Hy was 'n koerantman, toe *Weg* se bylaesredakteur en is nou aan die stuur by *Weg* se sustertydskrif *WegSleep*. Sy rubriek "Met 'n Cortina en 'n Gypsey op 'n plaaspad" is een van drie *WegSleep*-rubrieke in hierdie bundel.

SOPHIA VAN TAAK

Sophia is 'n joernalis by *WegSleep* – trouens, die enigste joernalis in dié klein dog parate spannetjie. " 'n Geleende woonwa en moleste op Mosselbaai" was haar eerste rubriek in die *Weg*-stal – 'n belowende debuut. Sophia is ook 'n oudstudent van Maties se joernalistiekdepartement.

KOBUS PRINSLOO

Die derde *WegSleep*-rubriek is Kobus se "Sonbrand en braaiboud". Ek het eers redelik onlangs vasgestel Kobus se van is Prinsloo.

Ons het hom bloot leer ken as Kobus Kampkoors, die skuilnaam waaronder hy op *Weg* en *WegSleep* se webwerf begin skryf het. Die web-bydraes het só gewild geword dat ons hom gevra het om 'n paar rubrieke vir *WegSleep* te skryf. Kobus is 'n korporatiewe veranderingsbestuurder, maar ons vermoed hy doen dit net om nuwe kamptoerusting te kan bekostig.

PETER VAN NOORD

Peter is die inhoudsredakteur hier by *Weg*. Enigiets wat met die eindproduk skort, kan ek gerieflik op sy brood smeer. Tussendeur skryf hy artikels vir *Weg* (onlangs oor Kuba) en is ook een van die ankermense in *Weg* se kosafdeling. "'n Taxi gee jou vlerke" het ook tussen al sy ander pligte hier opgedaag. Reg geraai, Peter het sy joernalistiekkwalifikasie op Stellenbosch verwerf.

KOOS KOMBUIS

Koos is een van Suid-Afrika se voorste skrywers, digters en liedjieskrywers. Ek het in die jare tagtig die eerste keer iets van hom gelees, 'n kort gedig, "Ek dood", in die studentekoerant *Die Matie* – toe nog geskryf onder die naam André le Roux du Toit. Dit was ontroerend mooi, en ek is besonder trots dat *Weg* 'n rubriek ("Landsreën, ubuntu en bedelaars in die Dorsland") van Koos kon publiseer. Ek hoop regtig hy kan vorentoe meer vir ons skryf.

ALBÉ GROBBELAAR

Albé is 'n Vrystater en oudradiojoernalis van die SAUK. Sy rubriek " 'n Ware *biker* skrik nie vir koue nie" het as 'n e-pos begin wat van vriend tot vriend gestuur is en op die ou end hier by my uitgekom het. Dit bly een van my gunstelingrubrieke, want om koud te kry op 'n motorfiets is veel erger as enige ander vorm van koue waarmee ek al te kampe gehad het. Vra maar vir enigiemand wat 'n motorfiets het.

ANTON ROODT

Anton, 'n argitek, is 'n vriend van Albe Grobbelaar hierbo. Anton se rubriek ("Die gruwels van 'n toergroep") het ook as 'n e-pos begin wat uiteindelik na *Weg* gerangeer is. Die oorspronklike titel was "Swanesang van 'n meeloper", 'n heerlike skryfstuk wat my ergste vermoedens oor georganiseerde toere bevestig. Ek is tot vandag toe jammer ek moes Anton se stuk verkort.

CEDRIC PIETERSE

Cedric is nog een van *Weg* se e-poskontakte. Hy het "In Afrika moet jy jou tee kan vat" vir ons gestuur terwyl hy as platsak reisiger iewers in Afrika met sy gehawende Land Rover rondgetoer het. Hy is steeds aan die beweeg. Onlangs het ons 'n e-pos van hom gekry waarin hy vertel hoe hy met 'n Porsche iewers op 'n ysbaan in Skandinawië gejaag het . . .

HELEN FRASER

Helen is 'n gereelde rubriekskrywer vir *Weg* se Engelstalige sustertydskrif *go!*. Ons kon eenvoudig nie haar rubriek "Ek's die skrummie se mammie" laat verbygaan nie, want sportma's is 'n universele verskynsel en 'n natuurkrag wat jy nie durf onderskat nie.

JOHANN JACOBS

Johann is van die Strand, en sy rubriek ("Die oorlogsjare se pragtige karre") het een oggend uit die bloute in my e-posmandjie opgedaag. Ek hou veral van rubrieke oor die ou dae, omdat die wese van 'n vervloë gemeenskap verdwyn as iemand dit nie opteken nie – die karakters, die kleur, die humor en die mense self sterf uit. Maar, soos Dana dit stel, solank die stories voortbestaan, leef die mense voort, soos in hierdie pragtige vertelling van Johann.

JEAN MEIRING

Ek het Jean ontmoet toe ek 'n paar jaar gelede namens *Die Burger* probeer toesig hou het oor die KKNK-feespublikasie *Krit* (baie moeilik; soos om 'n trop katte in toom te hou). Jean is 'n lektor in die regte aan die Universiteit van Cambridge, maar skryf gereeld vir Suid-Afrikaanse publikasies. Hy is 'n besonder fyn waarnemer en een van die taalvaardigste mense wat ek ken, soos blyk uit "Kersfees is op 'n ánder plek".

BUN BOOYENS (SR.)

Dit is my pa. Die stuk oor die sirkus ("Mister Pagel se sirkustrein") kom uit 'n bundel navorsingstukke wat hy sommer self laat bind het. Die storie oor Pagel se sirkus was half weggesteek as 'n aanhangsel tot 'n kort geskiedenis van die sirkus in Suid-Afrika. Bun sr. is 'n afgetrede geskiedkundige, maar het, ironies genoeg, in sy loopbaan weinig oor sy eie lewe opgeteken. Gelukkig het ons darem hierdie stuk.

En dit is vermoedelik almal wat bygedra het tot die boek. Ek hoop julle geniet dit soveel om dit te lees as wat ek dit geniet het om dit saam te stel!

Bun Booyens